afgeschreven

Recept voor een gelukkig huwelijk

Bezoek onze internetsite www.awbruna.nl
voor informatie over al onze boeken en dvd's.

Melanie Gideon

Recept voor een
gelukkig huwelijk

OBA Bos en Lommer
www.oba.nl

A.W. Bruna Fictie

Oorspronkelijke titel
Wife 22
Copyright © 2012 by Melanie Gideon
Vertaling
Emilin Lap
Omslagbeeld en -ontwerp
Ingrid Bockting
Afbeeldingen binnenwerk
Kerri Arsenault
© 2013 A.W. Bruna Uitgevers, Utrecht

ISBN 978 94 005 0036 5
NUR 302

Dit boek is gedrukt op papier dat het keurmerk van de Forest Stewardship Council (FSC*) mag dragen. Bij dit papier is het zeker dat de productie niet tot bosvernieti- ging heeft geleid. Een flink deel van de grondstof is afkomstig uit bossen en plan- tages die worden beheerd volgens de regels van FSC. Van het andere deel van de grondstof is vastgesteld dat hiervoor geen houtkap in de laatste resten waardevol bos heeft plaatsgevonden. Daarom mag dit papier het FSC Mix label dragen. Voor dit boek is het FSC-gecertificeerde Munkenprint gebruikt. Dit papier is 100% chloor- en zwavelvrij gebleekt en wordt geleverd door Arctic Paper Munkedals AB, Zweden.

Voor GHR – Echtgenoot 1

'Maak contact.'
– E.M. Forster

Deel 1

1

29 april
17:05

GOOGLE SEARCH "Hangende oogleden"
Ongeveer 26.700 resultaten (0,30 seconden)

Hangende oogleden: laagstand bovenooglid, ptosis...
Hangende oogleden ontstaan meestal bij het ouder worden of bij vermoeidheid. Met name voor vrouwen kunnen **hangende oogleden** een probleem vormen; je ziet er vermoeid of slaperig uit...

Hangende oogleden... Natuurlijke alternatieven
Spreek met opgeheven hoofd. Probeer niet te fronsen, daarmee vererger je het probleem.

Droopy... hangende oogleden
Amerikaans tekenfilmfiguur (...) hangende oogleden. Basset Hound. Favoriete uitspraak (...) *'You know what? That makes me mad.'*

2

Ik staar in de badkamerspiegel en vraag me af waarom niemand mij heeft verteld dat mijn linkerooglid een klein zakje is geworden. Ik zag er jarenlang jonger uit dan ik was en nu zijn alle jaren opeens en masse gaan tellen en zie ik er precies uit als mijn leeftijd – vierenveertig, misschien zelfs ouder. Ik til het overschot aan huid op met mijn vinger en wiebel ermee. Is er een crème die ik kan kopen? Bestaat er zoiets als ooglidpush-ups?

'Wat is er met je oog?'

Peter steekt zijn hoofd om de badkamerdeur en ondanks het feit dat ik me betrapt voel, ben ik blij om de sproetenkop van mijn zoon te zien. De behoeftes van een twaalfjarige zijn nog relatief klein en makkelijk te vervullen: roze koeken en Björn Borg-boxers – die met dat katoenen elastiek.

'Had je me niet kunnen waarschuwen?' zeg ik.

Ik vertrouw Peter. We zijn een hecht team, vooral als het om uiterlijke verzorging gaat. Daar hebben we afspraken over. Hij is verantwoordelijk voor mijn haar. Hij waarschuwt me als mijn haarwortels uitgroei gaan vertonen en het tijd is om een afspraak te maken met mijn kapster, Lisa. En als dank houd ik zijn odeur in de gaten. Om te zorgen dat hij die niet verspreidt. Om een of andere reden zijn twaalfjarigen immuun voor de okseldampen die er onder hun armen vandaan komen. Elke morgen rent hij me voorbij met opgeheven arm zodat ik een vleugje van zijn okselgeur kan opsnuiven. 'Douchen,' zeg ik bijna altijd. Heel af en toe lieg ik, en zeg ik 'Prima zo'. Een jongen moet ruiken als een jongen.

'Waarschuwen waarvoor?'

'Voor mijn linkerooglid.'

'Wat – dat ie over je oog heen hangt?'

Ik grom.

'Een beetje maar.'

Ik kijk weer in de spiegel. 'Waarom heb je niets gezegd?'

'Nou, waarom heb jij niet gezegd dat Peter een ander woord is voor penis?'

'Dat is het niet.'

'Jawel, dat is dus wel zo. Even Peter een hand geven?'

'Ik zweer dat ik die uitdrukking nog nooit gehoord heb.'

'Nou, dan begrijp je zeker wel dat ik vanaf nu Pedro heet.'

'Wat is er met Frost gebeurd?'

'Dat was in februari. Toen we met dat Robert Frost-project bezig waren.'

'En nu ben je een andere weg ingeslagen en wil je Pedro zijn?' vraag ik.

De brugklas, is mij verteld, gaat helemaal over het experimenteren met je identiteit. Het is aan ons als ouders om onze kinderen vrij te laten om verschillende gedaantes aan te nemen, maar het is bijna niet meer bij te houden. Gisteren was het nog Frost, vandaag Pedro. Godzijdank is Peter geen EMO, of is het IMO? Ik heb geen idee waar EMO/IMO voor staat – voor zover ik weet is het een afgeleide van goth, zo'n harde jongen die zijn haar zwart verft en zwarte eyeliner draagt, en nee, dat is Peter niet. Peter is een romanticus.

'Oké,' zeg ik. 'Maar heb je Melle overwogen? Dat is weer eens wat anders. Dan kunnen je vrienden zeggen: "We belle, Melle." Op Pedro rijmt niets. Hebben we ergens plakband?'

Ik wil mijn ooglid vastplakken – kijken hoe ik eruit zou zien als ik het liet liften.

'Fee-dro,' zegt Peter. 'En ik vind je hangende ooglid leuk. Je lijkt een beetje op een hond.'

Mijn mond valt open. *You know what? That makes me mad.*

'Nee, op Jampo,' zegt hij.

Peter bedoelt onze twee jaar oude vuilnisbak, half Tibetaanse terriër, half god-mag-weten-wat-nog-meer: een zes kilo zware, hypernerveuze Mussolini van een hond die zijn eigen uitwerpselen opvreet. Smerig, ja, maar best handig als je erover nadenkt. Je hoeft nooit van die plastic zakjes op zak te hebben.

'Laat los, Jampo, stomme rothond!' gilt Zoe beneden.

We horen de hond als een gek rondrennen op de hardhouten vloer, waarschijnlijk in een woeste achtervolging van een wc-rol, zijn meest favoriete speelgoed, na poep. Jampo betekent 'zachtaardig' in het Tibetaans, wat uiteraard compleet het tegenovergestelde is van Jampo's aard, maar dat maakt mij niet uit; ik heb liever een levendig hondje. De afgelopen anderhalf jaar was het alsof we weer een peuter in huis hadden en elke minuut was nog leuker dan de vorige. Jampo is mijn baby, het derde kind dat ik nooit zal krijgen.

'Hij moet uit. Liefje, laat jij hem even uit? Ik moet me klaarmaken voor vanavond.'

Peter trekt een gezicht.

'Alsjeblieft?'

'Goed dan.'

'Dank je. Wacht even. Hebben we nou ergens plakband?'

'Ik denk het niet. Maar volgens mij heb ik wel wat duct tape in de rommella.'

Ik denk aan mijn ooglid. 'Nog één ding.'

'Wat?' Peter zucht.

'Neem je die tape mee naar boven als je de hond hebt uitgelaten?'

Hij knikt.

'Jij bent mijn lievelingszoon,' zeg ik.

'Je enige zoon.'

'En het beste in rekenen,' zeg ik terwijl ik hem een zoen op zijn wang geef.

Vanavond ga ik met William naar de presentatie van FiG wodka, een klus waar hij en zijn team van KKM Advertising wekenlang aan gewerkt hebben. Ik heb ernaar uitgekeken. Er zal livemuziek zijn. Een of andere hippe, nieuwe band, drie vrouwen met elektrische violen van de Adirondacks of de Ozarks – ik ben vergeten welke.

'Zakelijk netjes' had William gezegd, dus ik trek mijn eeuwige donkerrode Ann Taylor-pakje uit de kast. In de jaren negentig, toen ik ook nog in de reclamewereld werkte, was dit mijn succesnummer. Ik trek het aan en ga voor de manshoge spiegel staan. Het pakje is enigszins uit de tijd, maar met die grote zilveren ketting erbij die ik vorig jaar van Nedra kreeg op mijn verjaardag valt dat misschien helemaal niet op. Ik leerde Nedra Rao vijftien jaar geleden kennen in een Mama & Ik-kindergroepje. Ze is mijn beste vriendin en toevallig ook een van de beste echtscheidingsadvocaten in heel Californië waar ik altijd bij terechtkan voor gratis weloverwogen en bijzonder steekhoudend advies ter waarde van 425 dollar per uur omdat ze ook van mij houdt. Ik probeer mijn outfit door Nedra's ogen te bekijken. Ik weet precies wat ze zou zeggen: 'Dit kun je niet menen, schat,' met haar grachtengordelaccent. Jammer dan. Mijn kast bevat verder niets wat in de categorie 'zakelijk netjes' zou kunnen vallen. Ik stap in mijn pumps en ga naar beneden.

Op de bank zit mijn vijftienjarige dochter Zoe, haar lange kastanjebruine haar nonchalant opgestoken. Ze is een knipperlichtvegetariër (momenteel even niet), een fanatiek recycler en uitvinder van haar eigen organische lippenbalsem (pepermunt- en gembersmaak). Net als de meeste meisjes van haar leeftijd is ze tevens een professionele ex: ex-ballerina, ex-gitariste, en ex-vriendin van Nedra's zoon, Jude. Jude is een semiberoemdheid in onze contreien. Hij kwam tot vlak voor de Hollywoodronde van *American Idol* en werd toen afgeserveerd met de woorden 'de klank van een Californische eucalyptusboom die in brand staat: knapperend, broeiend en explosief, maar uiteindelijk niet authentiek, bijzonder onauthentiek zelfs'.

Ik stemde voor Jude, dat deden we allemaal, terwijl hij de eerste en daarna de tweede ronde overleefde. Maar vlak voor de Hollywoodronde steeg de plotselinge roem hem naar het hoofd, bedroog hij Zoe en dumpte haar vervolgens, waarna mijn meisje met een gebroken hart achterbleef. De les? Laat je tienerdochter nooit verkering nemen met de zoon van je beste vriendin. Ik (ik bedoel Zoe) had maanden nodig om het te verwerken. Ik heb verschrikkelijke dingen tegen Nedra gezegd, dingen die ik waarschijnlijk beter niet had kunnen zeggen, in de trant van: *ik had meer verwacht van de zoon van een feministe en een jongen met twee moeders.* Een tijd lang spraken Nedra en ik niet met elkaar. Inmiddels is onze band weer goed, maar als ik bij haar ben is Jude altijd toevallig ergens anders.

Zoe's rechterhand schiet onvoorstelbaar snel over het toetsenbord van haar mobiele telefoon.

'Trek je dát aan?' zegt ze.

'Wat? Dit is vintage.'

Zoe snuift.

'Zoe, liefje, kun je alsjeblieft even niet naar dat ding kijken? Ik heb je eerlijke mening nodig.' Ik doe mijn armen wijd. 'Is het echt zo slecht?'

Zoe houdt haar hoofd schuin. 'Dat hangt ervan af. Hoe donker zal het zijn?'

Ik zucht. Een jaar geleden waren Zoe en ik nog zo hecht. Nu behandelt ze mij op dezelfde manier als haar broer: als een gezinslid dat getolereerd moet worden. Ik doe net alsof ik er niets van merk maar ben voortdurend aan het overcompenseren, om aardig genoeg te zijn voor ons allebei, met als gevolg dat ik klink als een soort kruising tussen Mary Poppins en Miss Truly Scrumptious uit *Chitty Chitty Beng Beng.*

'Er ligt een pizza in de vriezer en kun je alsjeblieft zorgen dat Peter om tien uur in bed ligt? We zijn niet veel later dan dat,' zeg ik.

Zoe gaat door met sms'en. 'Papa zit in de auto op je te wachten.'

Ik zoek mijn tas in de keuken. 'Fijne avond en niet zonder mij naar *Idols* kijken!'

'Ik heb al opgezocht wie er gewonnen heeft. Wil je weten wie eruit liggen?'

'Nee!' schreeuw ik, terwijl ik de deur uit ren.

'Alice Buckle. Dat is lang geleden. En wat zie je er fantastisch uit! Waarom neemt William je niet vaker mee? Maar ik neem aan dat jij het wel prima vindt zo, of niet? Na één wodkapresentatie ken je ze allemaal, wat jij?'

Frank Potter, hoofd van het KKM Advertising-ontwerpteam kijkt discreet naar een punt achter mij. 'Je ziet er prachtig uit,' zegt hij, vluchtig de ruimte scannend. Hij zwaait naar iemand achter in de kamer. 'Wat een mooi pakje heb je aan.'

Ik neem een grote slok wijn. 'Dank je.'

Als ik om me heen kijk naar alle doorkijkblouses, open schoentjes en skinny jeans die de meeste andere vrouwen dragen, realiseer ik me dat 'zakelijk netjes' eigenlijk 'zakelijk sexy' betekent. Bij deze mensen wel, in elk geval. Iedereen ziet er geweldig uit. Ontzettend hip en modern. Ik leg een arm om mijn middel en houd mijn wijnglas zo dat het ter hoogte van mijn kin zweeft om mijn jasje zo veel mogelijk aan het zicht te onttrekken, tevergeefs.

'Dank je, Frank,' zeg ik terwijl er een straaltje zweet over mijn rug naar beneden glijdt.

Ik zweet altijd als ik ergens ben waar ik me niet thuis voel. Mijn tweede valkuil is dat ik mezelf ga herhalen.

'Dank je,' zeg ik nog eens. O god, Alice. Drie keer dankjewel?

Hij knijpt even in mijn arm. 'En hoe is het thuis? Gaat het goed? De kinderen?'

'Het gaat goed met ons.'

'Weet je het zeker?' vraagt hij met een bezorgde blik in zijn ogen.

'Nou, ja, het gaat met ons allemaal goed.'

'Mooi,' zegt hij. 'Dat is goed om te horen. En wat doe je tegenwoordig? Geef je nog les? Wat gaf jij ook al weer?'

'Drama.'

'Drama. Dat was het, ja. Dat is vast enorm... dankbaar. Maar ook behoorlijk stressen.' Hij gaat zachter praten. 'Je bent een engel, Alice Buckle. Ik zou het geduld nooit op kunnen brengen.'

'Dat denk ik wel hoor, als je zou zien wat deze kinderen kunnen. Ze willen zo graag, snap je. Laatst zei een van mijn leerlingen nog...'

Frank Potter kijkt nog eens langs me heen, trekt zijn wenkbrauwen op en knikt.

'Alice, sorry, ik geloof dat ik gesommeerd word.'

'O, natuurlijk. Sorry. Ik wilde je niet ophouden. Je hebt vast andere...'

Hij stapt op me af en ik leun iets naar voren, klaar om een zoen op de wang te ontvangen, maar in plaats daarvan deinst hij terug en schudt me stevig de hand. 'Tot ziens, Alice.'

Ik kijk de kamer rond en zie iedereen lachend nippen aan hun FiGs *on the rocks*. Ik grinnik zachtjes alsof ik aan iets leuks denk, om er ook vrolijk uit te zien. Waar is mijn echtgenoot?

'Frank Potter is een lul,' fluistert iemand in mijn oor.

Goddank, een vriendelijk gezicht. Het is Kelly Cho, een van Williams creatieve breinen van het eerste uur – wat lang is, zeker in de reclamewereld, waar personeelswisselingen elkaar in hoog tempo opvolgen. Ze draagt een pak, net zoiets als ik (beter merk), maar bij haar staat het super. Ze heeft er knielaarzen bij aan.

'Wauw, Kelly, wat zie je er goed uit,' zeg ik.

Kelly wuift mijn compliment weg. 'Hoe komt het eigenlijk dat we jou maar zo weinig zien?'

'O, je weet wel. Naar de andere kant van de brug komen is zo'n gedoe. Het verkeer. En de kinderen zijn nog net te jong om alleen thuis te blijven. Peter is net twaalf geworden en Zoe is een typische dromerige puber.'

'Hoe is het op je werk?'

'Prima. Behalve de gebruikelijke losse eindjes: kostuums, boze ouders, hysterische spinnen en varkens die hun tekst nog niet kennen. Groep 3 doet *Charlotte's Web* dit jaar.'

Kelly grijnst. 'Ik hou van dat boek! Wat klinkt jouw baan toch heerlijk.' 'Echt waar?'

'Echt wel. Ik zou er een moord voor doen om uit de mallemolen te stappen. Elke avond is er wel iets te doen. Het lijkt misschien hip en happening; eten met klanten, vipkaarten voor de Giants, backstagepasjes voor concerten, maar het is ook dodelijk vermoeiend. Nou ja, je kent het wel. Jij bent niet voor niets een reclameweduwe.'

Reclameweduwe? Ik wist niet dat er een naam voor was. Voor *mij*. Maar Kelly heeft gelijk. Door Williams reisjes en uitjes met klanten ben ik zo goed als een alleenstaande moeder. Als we geluk hebben eten we een paar keer per week samen.

Ik kijk door de kamer en vang Williams blik. Hij komt naar ons toe. Hij is lang en atletisch met grijzende slapen, in de prikkelende variant waarbij sommige mannen lijken te zeggen dat het ze een grote zorg zal zijn dat ze zevenenveertig worden omdat ze evengoed supersexy zijn en het grijs hen alleen maar aantrekkelijker maakt. Ik voel een golf van trots als hij door de kamer op ons afkomt in zijn antracietgrijze pak en linnen overhemd.

'Waar heb je je laarzen vandaan?' vraag ik Kelly.

William komt bij ons staan.

'Bloomie's. Ha, William, jouw vrouw kent de term *reclameweduwe* niet. Hoe kan dat nu, terwijl ze met jou is?' vraagt Kelly met een knipoog naar mij.

William fronst. 'Ik heb je overal gezocht, waar zat je toch. Alice?'

'Ze was de hele tijd hier, in het twijfelachtige gezelschap van Frank Potter, mocht het je interesseren,' zegt Kelly.

'Heb je met Frank Potter gepraat?' vraagt William nerveus. 'Sprak jij hem aan of sprak hij jou aan?'

'Hij sprak mij aan,' zeg ik.

'Zei hij nog iets over mij? De campagne?'

'We hebben het niet over jou gehad,' zeg ik. 'We hebben maar heel even gepraat.'

Ik zie hoe Williams gezicht verstrakt. Waarom is hij zo gespannen? De klanten lachen en drinken. Er is volop pers aanwezig. Voor zover ik kan zien is de presentatie een succes.

'Kunnen we alsjeblieft gaan, Alice?' vraagt William.

'Nu? Maar de band is nog niet eens begonnen. Ik had echt zin in een avondje livemuziek.'

'Alice, ik ben kapot. Laten we gaan.'

'William!' Drie mooie jongens komen bij ons staan: nog meer leden uit Williams team.

Als William me heeft voorgesteld aan Joaquin, Harry en Urminder, zegt Urminder: 'Goed, ik was dus wat aan het egosurfen vandaag.'

'En gisteren,' zegt Joaquin.

'En eergisteren,' zegt Kelly.

'Mag ik alsjeblieft mijn verhaal afmaken?' vraagt Urminder.

'Laat me raden,' zegt Harry. '1.234.589 hits.'

'Sukkel,' zegt Urminder.

'Fijn dat je even zijn momentje afpakt, Har,' zegt Kelly.

'Nu klinkt 5.881 wel heel zielig,' mokt Urminder.

'10.263 klinkt anders helemaal niet zielig,' zegt Harry.

'Of 20.534,' zegt Kelly.

'Jullie liegen allemaal,' zegt Joaquin.

'Niet jaloers zijn, hoor, meneer 1.031,' zegt Kelly. 'Dat staat je niet.'

'50.287,' zegt William en iedereen is op slag stil.

'*Dude*,' zegt Urminder.

'Dat komt omdat jij die Clio hebt gewonnen,' zegt Harry. 'Hoe lang is dat ook alweer geleden, baas? Negentiendrieëntach...?'

'Ga zo door, Harry, en voor je het weet heb ik je van de elektronica afgehaald en doe je alleen nog maandverband en inlegkruisjes,' zegt William.

Ik kan niet voorkomen dat de schok van mijn gezicht te lezen is. Ze doen een wedstrijdje wiens naam de meeste hits oplevert. En ze hebben er allemaal minstens duizend.

'Kijk nou wat jullie gedaan hebben. Alice is volkomen verbijsterd,' zegt Kelly. 'En dat kan ik haar niet kwalijk nemen. Wat een stelletje narcisten zijn we ook.'

'Nee, nee, nee, ik wil jullie geenszins veroordelen. Het lijkt me leuk. Egosurfen. Iedereen doet het zeker? Alleen niemand durft het toe te geven.'

'En jij dan, Alice? Heb jij jezelf de laatste tijd nog gegoogeld?' vraagt Urminder.

William schudt zijn hoofd. 'Waarom zou Alice zichzelf googelen. Zij heeft toch geen openbaar sociaal leven.'

'Is dat zo? En wat voor leven heb ik dan wel?' vraag ik.

'Een goed leven. Een waardevol leven. Alleen net iets beperkter.' William knijpt in de huid tussen zijn ogen. 'Sorry kinderen, het was heel gezellig maar we moeten nu gaan. Er ligt nog een beste brug op ons te wachten.'

'Moeten jullie echt gaan?' vraagt Kelly. 'Ik zie Alice bijna nooit.'

'Hij heeft gelijk,' zeg ik. 'Ik heb de kinderen beloofd dat we rond tienen thuis zouden zijn. Ze moeten morgen weer naar school en zo.'

Kelly en de drie jonge mannen vertrekken richting bar.

'Een beperkt leven?' zeg ik.

'Daar bedoel ik verder niets mee. Wind je toch niet zo op,' zegt William, zijn blik dwalend door de ruimte. 'Het is trouwens wel zo. Wanneer heb jij jezelf voor het laatst gegoogeld?'

'Vorige week. 128 hits,' lieg ik.

'*Echt waar?*'

'Waarom klink je zo verbaasd?'

'Alice, alsjeblieft, hier heb ik geen tijd voor. Help liever Frank zoeken. Ik heb hem even nodig.'

Ik zucht. 'Hij staat daar bij het raam. Kom je?'

William legt zijn hand op mijn schouder. 'Wacht even. Ik ben zo terug.'

Er is bijna geen verkeer op de brug en ik wou maar dat het wel zo was. Naar huis gaan is meestal iets waar ik van geniet: lekker in je pyjama schieten, met de afstandsbediening onder een dekentje op de bank kruipen, de kinderen slapend in hun bedjes (of net doend alsof maar waarschijnlijk aan het sms'en of chatten onder de dekens), maar vanavond zou ik het liefst in de auto blijven en ergens heen rijden, waar dan ook. Ik heb een onaangename smaak overgehouden aan de avond en ik ontkom maar niet aan de gedachte dat William zich voor me schaamt.

'Waarom ben je zo stil? Heb je te veel gedronken?' vraagt hij.

'Moe,' pruttel ik.

'Frank Potter is een bijzonder portret.'

'Ik mag hem wel.'

'*Mag* jij Frank Potter? Die ongelooflijke slijmbal?'

'Ja, maar hij is tenminste eerlijk. Hij probeert het niet te verbergen. En hij is altijd aardig tegen mij.'

William tikt met zijn vingers op de maat van de muziek op het stuur. Ik sluit mijn ogen.

'Alice?'

'Ja?'

'Je doet zo vreemd de laatste tijd.'

'Hoe vreemd?'

'Ik weet niet. Zit je soms in zo'n midlife-dinges?'

'Ik weet niet. Zit *jij* soms in zo'n midlife-dinges?'

William schudt zijn hoofd en zet de radio harder. Ik leun tegen het raam en staar naar de miljoenen lichtjes op de heuvels van East Bay. Oakland ziet er zo feestelijk uit, bijna vakantie-achtig, dat ik onwillekeurig aan mijn moeder moet denken.

Mijn moeder stierf twee dagen voor kerst. Ik was vijftien. Ze ging nog even naar de winkel voor een fles advocaat toen ze werd aangereden door een man die door rood reed. Ik houd mezelf voor dat ze niets doorgehad heeft. Er was het gepiep van schurend metaal, en toen een zacht zwiepen, zoals een rivier klinkt, en toen een perzikkleurig licht dat de auto instroomt. Dat is hoe ik me haar einde voorstel.

Ik heb het verhaal van haar dood zo vaak verteld dat ik het gevoel bij de details ben verloren. Soms als mensen naar mijn moeder vragen daalt er een vreemd soort maar niet onprettige nostalgie op me neer. Ik kan me de straten van Brockton, Massachusetts, die op die dag in december vast schitterden van kerstversieringen en lichtjes, levendig herinneren. Er stonden vast rijen mensen te wachten bij de slijter, de auto's vol met kratten bier en dozen wijn, en de lucht was vervuld van dennengeur van de kerstboom-

18

stalletjes. Maar die nostalgie van de situatie van net *ervoor* wordt al heel snel overschaduwd door de gebeurtenissen *erna*. Dan klinkt in mijn hoofd het afgezaagde intro van *Magnum P.I.* Dat keek mijn vader toen de telefoon ging en een vrouw aan de andere kant ons voorzichtig vertelde dat er een ongeluk was gebeurd.

Waarom moet ik hier nu aan denken? Is het wat William denkt, een midlife-dinges? De klok tikt zeker door. Als ik komende september vijfenveertig word, ben ik precies zo oud als mijn moeder toen ze aangereden werd. Dit is mijn omslagjaar.

Tot nu toe heb ik mezelf steeds kunnen troosten met het idee dat mijn moeder dan wel dood was, maar altijd voor me uit liep. Ik moest alle drempels die zij had genomen nog nemen en zo bleef ze op een of andere manier in leven. Maar wat gebeurt er als ik haar voorbijga? Als haar drempels niet meer bestaan?

Ik gluur opzij naar William. Zou mijn moeder hem geschikt bevinden? Zou ze mijn kinderen leuk vinden, mijn carrière... mijn huwelijk?

'Moeten we nog langs de 7-Eleven?' vraagt William.

Het is traditie om na een avondje stappen de 7-Eleven in te duiken voor een KitKat.

'Nee, ik zit vol.'

'Bedankt voor het meegaan naar de presentatie.'

Is dit zijn manier van sorry zeggen voor zijn belerende houding van vanavond?

'Hm.'

'Vond je het leuk?'

'Ja hoor.'

William zwijgt. 'Jij kunt zo slecht liegen, Alice Buckle.'

3

30 april
01:15

GOOGLE SEARCH "Alice Buckle"
Ongeveer 26 resultaten (0,01 seconden)

Alice in Wonderland-gespen
Inclusief de Mad Tea Party-gesp, Tweedledum en Tweedledee-gesp, Witte Konijn-gesp, Humpty Dumpty-gesp...

Alice BUCKLE
Boston Globe-archief (...) Buckles stuk, *The Barmaid of Great Cranberry Island*, Blue Hill-theater 'slap, saai, absurd'...

Alice BUCKLE
Alice en William Buckle, ouders van Zoe en Peter, genieten van de zonsondergang aan boord van...

GOOGLE SEARCH "Midwife crisis"
Ongeveer 2.333.000 resultaten (0,18 seconden)

Urban dictionary: Midwife crisis
Een zuigeling vlak na de geboorte op zijn hoofd laten vallen.

GOOGLE SEARCH "MidLIFE crisis"
Ongeveer 3.490.000 resultaten (0,15 seconden)

Midlifecrisis — Wikipedia
De **midlifecrisis** is een psychologisch verzamelbegrip, dat de psychologische ontwikkelingsfase van mensen moet weergeven in de periode tussen de 35 en 50...

Midlifecrisis: depressie of normale overgang?

Midlifetransities kunnen een periode van enorme groei markeren. Maar wat doe je als de midlife een crisis wordt die in een depressie overgaat?

GOOGLE SEARCH "Zoloft"
Ongeveer 31,600,000 resultaten (0,12 seconden)

Zoloft (Sertraline Hcl) Medicijninformatie: Gebruik, bijwerkingen
Lees alles over het medicijn Zoloft (Sertraline Hcl), medicijngebruik, dosering, bijwerkingen, combineren met andere medicijnen, waarschuwingen...

Sertraline... Zoloft
Mijn ervaring met Zoloft. Gisteren mocht ik van de gesloten afdeling af...

GOOGLE SEARCH "Sleutels in koelkast alzheimer"
Ongeveer 1.410.000 resultaten (0,25 seconden)

Alzheimersymptomen
De Alzheimer Vereniging heeft de lijst met symptomen van alzheimer aangevuld (...) de sleutels in het eiervakje in de deur van de koelkast leggen.

GOOGLE SEARCH "Snel gewicht verliezen"
Ongeveer 30.600.000 resultaten (0,19 seconds)

Afvallen voor idioten
Ik ben vijftien kilo kwijt! Dat ik continu op het punt van flauwvallen sta is een kleine prijs...

GOOGLE SEARCH "Goed huwelijk?"
Ongeveer 4.120.000 resultaten (0,15 seconden)

Op zoek naar de ingrediënten voor een goed huwelijk — CNN
Niemand weet wat zich echt afspeelt in een huwelijk, behalve de twee mensen in dat huwelijk, maar onderzoekers krijgen steeds meer zicht op...

Slanke vrouw sleutel voor goed huwelijk! *Times of India*

Onderzoekers hebben het geheim van een goed huwelijk ontrafeld: vrouwen die minder wegen dan hun kerels.

Recept voor een gelukkig huwelijk

1 kopje vriendelijkheid, 2 kopjes dankbaarheid, 1 eetlepel complimenten per dag, 1 zorgvuldig verborgen geheim.

4

Mappen
Ongewenst (3)

Van: Medline
Onderwerp: Goedkoop, goedkope Vicodin, Percocet, Ritalin, Zoloft discreet
Datum: 1 mei, 9:18
Aan: Alice Buckle <alicebuckle@rocketmail.com>
VERWIJDER

Van: Hoodia shop
Onderwerp: Nieuwe lintwormdieetpillen, slanke Aziatische vrouwen
Datum: 1 mei, 9:24
Aan: Alice Buckle <alicebuckle@rocketmail.com>
VERWIJDER

Van: Netherfield Center voor onderzoek naar het huwelijk
Onderwerp: U bent geselecteerd om mee te doen aan een onderzoek over het huwelijk
Datum: 1 mei, 9:29
Aan: Alice Buckle <alicebuckle@rocketmail.com>
VERPLAATS NAAR POSTVAK IN

5

Ik realiseer me dat ik de Frank Potter van mijn eigen kleine wereld ben. Niet de sociaal klimmende Frank Potter, maar de Frank Potter die alles onder controle heeft. Ik ben hoofddocent drama op Kentwood basisschool. De nerveuze Alice Buckle van Williams wodkapresentatie is niet de Alice Buckle die hier op dit bankje zit op het schoolplein met een zesdegroeper achter zich die verwoede pogingen doet haar wilde haardos te temmen.

'Sorry, mevrouw Buckle, hier kan ik niets mee,' zegt Harriet. 'Misschien moet u het iets vaker borstelen.'

'Als je mijn haar borstelt, hou je alleen een bosje pluis over. Een soort vogelnest.'

Harriet pakt mijn dikke bruine haar op en laat het weer vallen. 'Ik weet niet of u het weet, maar het is nu ook een soort vogelnest. Of paardenbloem eigenlijk.'

Harriet Morse heeft de botte eerlijkheid die zesdegroepers nu eenmaal hebben. Ik hoop dat ze het niet kwijtraakt op de middelbare school. Bij de meeste meisjes gebeurt dat. Persoonlijk ben ik gek op meisjes die zeggen wat ze denken.

'Misschien moet u het laten steilen,' oppert ze. 'Mijn moeder doet dat. Zelfs in de regen krult het niet meer op.'

'En daarom ziet ze er ook altijd zo fantastisch uit,' zeg ik als ik mevrouw Morse onze kant op zie draven.

'Alice, sorry dat ik zo laat ben,' zegt ze en ze bukt om me te omhelzen. Harriet is de vierde van mevrouw Morses kinderen die mijn toneellessen gevolgd heeft. Haar oudste gaat tegenwoordig naar de Oakland Toneelacademie en ik houd mezelf graag voor dat ik daar enige invloed op heb gehad.

'Het is pas tien voor halfvier. Niets aan de hand,' zeg ik. Er wachten nog minstens twintig kinderen op het plein op hun ouders.

'Het verkeer was verschrikkelijk,' zegt mevrouw Morse. 'Harriet, wat doe je in hemelsnaam met mevrouw Buckles haar?'

'Ze is een fantastische styliste, hoor. Ik ben bang dat mijn haar het probleem is.'

'Sorry,' gebaart mevrouw Morse naar mij terwijl ze in haar tas rommelt op zoek naar een elastiekje. Ze houdt het omhoog naar Harriet. 'Schatje, denk jij ook niet dat mevrouw Buckle er goed uit zou zien met een paardenstaart?'

Harriet komt vanachter de bank vandaan en bekijkt me ernstig. Ze houdt mijn haar omhoog, uit mijn gezicht. 'U zou oorbellen moeten dragen,' verklaart ze. 'Zeker als u uw haar opsteekt.' Ze pakt het haarelastiek aan van haar moeder en herneemt haar positie achter de bank.

'En wat kan ik dit semester doen om te helpen?' vraagt mevrouw Morse. 'Zal ik het feest organiseren? Ik kan de kinderen helpen met strepen trekken.'

Op Kentwood Basisschool lopen legio ouders zoals mevrouw Morse rond: ouders die hulp aanbieden zonder dat ze iets gevraagd is en die hartgrondig geloven in het belang van toneel in het curriculum. Het is zelfs de Kentwood-ouderraad die mijn parttimesalaris betaalt. Het openbare schoolsysteem van Oakland balanceert al jaren op de rand van bankroet. Kunst- en muzieklessen moesten het eerst verdwijnen. Zonder de ouderraad zou ik nu werkeloos zijn.

Er zit altijd een jaar tussen met een aantal zeurende en veeleisende ouders (dit jaar is dat groep 5), maar over het algemeen zijn de ouders meer een soort collega's. Zonder hen zou ik mijn werk niet kunnen doen.

'Wat mooi,' zegt mevrouw Morse nadat Harriet een paar minuten verwoed aan mijn haar heeft gesjord en getrokken. 'Leuk dat je mevrouw Buckle zo'n uitstekend plukje boven op haar hoofd hebt gegeven.'

Harriet bijt op haar lip. Het plukje was geen opzet geweest.

'Ik voel me helemaal *Breakfast at Tiffany's*,' zeg ik en ik vang Carisa Norman op die vanaf het plein aan komt stormen en zich opkrult op mijn schoot.

'Ik heb u overal gezocht,' zegt ze terwijl ze mijn hand streelt.

'Wat een toeval. Ik heb jou ook overal gezocht,' zeg ik en ze nestelt zich in mijn armen.

'Bel me,' zegt mevrouw Morse met het gebaar van een telefoon bij haar oor terwijl ze met Harriet het plein af loopt.

Ik neem Carisa mee naar binnen naar de lerarenkamer en geef haar een reep uit de automaat, waarna we op de bank gaan zitten om het over een aantal belangrijke zaken te hebben zoals barbies en het feit dat ze zich ervoor schaamt dat ze met zijwieltjes fietst.

Om vier uur stopt haar moeder op de hoek en toetert, met pijn in mijn hart kijk ik Carisa na over het plein. Ze ziet er zo kwetsbaar uit. Ze is acht en klein voor haar leeftijd; van achteren zou ze makkelijk door kunnen gaan voor een zesjarige. Mevrouw Norman zwaait vanuit de auto. Ik zwaai terug. Dit is een paar dagen per week ons ritueel. Allebei doen we alsof het doodnormaal is dat ze drie kwartier te laat is om haar dochter op te halen.

6

Ik ben gek op de uren tussen halfvijf 's middags en halfzeven 's avonds. De dagen worden langer en in dit jaargetijde heb ik dan meestal het huis voor mezelf. Zoe heeft volleybaltraining, Peter speelt met de band of voetbalt, en William is doorgaans niet voor zeven uur thuis. Als ik thuiskom begin ik met een snelle ronde door het huis, opruimen, was opvouwen, de post bekijken. Daarna begin ik aan het eten. Het is donderdag, dus het wordt een eenpansmaaltijd: lasagne of een of andere ovenschotel. Ik ben geen verfijnde kok. Dat is Williams afdeling. Hij kookt bij speciale gelegenheden, waarbij hij altijd de nodige oh's en ah's in ontvangst mag nemen. Ik ben meer een souschef; geen flitsende memorabele gerechten. Er heeft bijvoorbeeld nog nooit iemand tegen me gezegd: 'O Alice, weet je nog dat je die ziti uit de oven had gemaakt?' Maar ik ben constant. Ik heb ongeveer acht snelle, gemakkelijke succesrecepten die elkaar afwisselen. Vanavond is het ovenschotel met tonijn. Ik schuif de schaal de oven in en ga met mijn laptop aan de keukentafel zitten om mijn mail te checken.

Van: Netherfield Center <netherfield@netherfieldcenter.org>
Onderwerp: Huwelijksonderzoek
Datum: 4 mei, 17:22
Aan: alicebuckle <alicebuckle@rocketmail.com>

Beste Alice Buckle,

Hartelijk dank voor uw interesse in ons onderzoek en voor het invullen van de vragenlijst. Gefeliciteerd! Wij zijn blij u te kunnen melden dat u geselecteerd bent om mee te doen aan het onderzoek door het Netherfield Center: Het huwelijk in de eenentwintigste eeuw. U voldoet aan drie van de criteria om mee te mogen doen aan het onderzoek: meer dan tien jaar getrouwd, kinderen in de schoolgaande leeftijd en monogaam.

Zoals eerder aangegeven gaat het om een anoniem onderzoek. Om uw anonimiteit te bewaken is dit het laatste e-mailbericht dat we naar dit adres alicebuckle@rocketmail.com zullen sturen. We zijn zo vrij geweest om een Netherfield Center-account voor u aan te maken. Uw e-mailadres ten behoeve van dit onderzoek is Echtgenote22@netherfieldcenter.org en het wachtwoord is 12345678. Wij verzoeken u zo snel mogelijk onze website te bezoeken en uw wachtwoord te veranderen.

Vanaf nu zal alle correspondentie via het Echtgenote22-adres verlopen. Onze excuses voor het hoge klinische gehalte van uw pseudoniem. Hiertoe is enkel besloten om uw anonimiteit te bewaken. Door uw naam uit onze rapporten te verwijderen kunnen wij 100% vertrouwelijkheid garanderen.

U zult binnenkort benaderd worden door een van onze onderzoekers. Al onze medewerkers zijn uitgebreid gescreend en gecontroleerd.

De vergoeding van 1.000 dollar wordt na afloop van het onderzoek aan u overgemaakt.

Nogmaals dank voor uw deelname. U kunt er verzekerd van zijn dat u samen met een selecte groep mannen en vrouwen uit het hele land deelneemt aan een baanbrekend onderzoek dat mogelijk wereldwijd een nieuw licht zal werpen op het instituut huwelijk.

Hoogachtend,

Het Netherfield Center

Snel open ik mijn nieuwe Echtgenote22-account.

Van: onderzoeker101 <onderzoeker101@netherfieldcenter.org>
Onderwerp: RE: Huwelijksonderzoek
Datum: 4 mei, 17:25
Aan: Echtgenote 22 <Echtgenote22@netherfieldcenter.org>

Beste Echtgenote 22,

Om te beginnen zal ik mij even voorstellen. Ik ben Onderzoeker 101 en ik zal uw contactpersoon zijn bij het onderzoek 'Huwelijk in de eenentwintigste eeuw'. Eerst iets over mijn achtergrond. Ik ben opgeleid als maatschappelijk werker met een master psychologie. Ik houd me al bijna twintig jaar bezig met onderzoek op het gebied van het huwelijk.

U zult zich wel afvragen hoe we te werk zullen gaan. Om te beginnen ben ik hier om u van dienst te zijn. U kunt altijd bij mij terecht met vragen of onduidelijkheden.

Bij deze ontvangt u meteen de eerste vragenlijst. De vragen worden u in willekeurige volgorde aangeboden; met opzet. Sommige vragen zullen u wellicht vreemd in de oren klinken, andere vragen gaan niet direct over het huwelijk, maar zijn algemener van aard (over uw achtergrond, oplei-

ding, gebeurtenissen, etc.): probeert u alstublieft alle vragen te beant-
woorden. Het is aan te raden snel door de vragen te gaan zonder al te lang
na te denken. Onze ervaring is dat snelle antwoorden meestal het eerlijkst
zijn. Ik verheug me op onze samenwerking.
Met vriendelijke groet,
Onderzoeker 101

Voordat ik het vooronderzoek invulde had ik het Netherfield Center gegoogeld en gezien dat het gelieerd was aan het UCSF Medical Center.
Omdat het UCSF uitstekend bekendstaat, had ik zonder er verder over na
te denken de vragen ingevuld en verzonden. Het kon toch geen kwaad om
een paar vragen te beantwoorden? Maar nu ik formeel geaccepteerd ben
én er officieel een onderzoeker aan mij gekoppeld is, twijfel ik over mijn
deelname aan een *anoniem* onderzoek. Een onderzoek waar ik waarschijnlijk verder niemand over mag vertellen (inclusief mijn echtgenoot).
   Mijn hart bonst in mijn keel. Het hebben van een geheim doet me voelen als een tiener. Een jonge vrouw met alles nog voor zich: borsten, andere steden, de belofte van duizend zomers-in-het-vooruitzicht, winters,
lentes.
   Ik open de bijlage voordat ik ontplof.

1. Drieënveertig, nee, vierenveertig.

2. Verveling.

3. 1x per week.

4. Voldoende tot meer dan de meesten.

5. Oesters.

6. Drie jaar geleden.

7. Soms zeg ik dat hij snurkt als hij niet snurkt zodat hij in de logeerkamer
gaat slapen en ik het hele bed voor mij alleen heb.

8. Zolpidem (heel af en toe), visolietabletten, multivitaminen, vitamine
B-complex, calcium, vitamine D, gingko biloba (om mentaal scherp te blij-

ven, of eigenlijk voor mijn geheugen omdat de mensen telkens 'dat is nu al de derde keer dat je dat vraagt!' tegen me zeggen).

9. Een leven met verrassingen. Een leven zonder verrassingen. De inpakker in de supermarkt die aan haar vinger likt om een plastic tasje open te krijgen en dan met haar nog natte vinger aan mijn naturel chips zit en mijn chips vervolgens in het tasje doet waar ze net aan gelikt heeft, waarmee ze dus twee keer haar spuug aan mijn aankoop smeert.

10. Ik hoop het.

11. Vermoedelijk.

12. Soms, maar niet omdat ik het serieus overwogen heb. Ik ben zo iemand die graag ergens het ergste van denkt zodat het ergste me nooit kan overvallen.

13. Lafheid.

14. Hij maakt een geweldige dressing. Hij vervangt twee keer per jaar de batterijen van de brandmelders. Hij kan eenvoudige klussen zelf uitvoeren zodat ik als een van de weinigen in mijn vriendenkring nooit een loodgieter hoef te bellen om een lekkende kraan te repareren. Verder staat zijn Carhartt-jeans hem geweldig. Ik weet dat ik de vraag ontwijk, ik weet ook niet waarom. Ik kom er later op terug.

15. Niet communicatief. Onverschillig. Afstandelijk.

16. *The Lion, the Witch and the Wardrobe.*

17. We zijn negentien jaar en driehonderd-nog-wat dagen samen, ik weet waar ik het over heb.

Dit is makkelijk. Te makkelijk. Wie had kunnen bedenken dat opbiechten zo'n dopaminekick kon geven?

Opeens vliegt de voordeur open en Peter schreeuwt: 'Ik mag eerst naar de wc.'

Hij weigert op school naar de wc te gaan, dus hij houdt het de hele dag op. Ik klap mijn laptop dicht. Dit is *ook* het leukste moment van de dag, als het lege huis weer volstroomt en het resultaat van mijn opruimwoede binnen een uur ongedaan is gemaakt. Op een of andere manier geniet ik ervan. De bevredigende onvermijdelijkheid.

Zoe komt de keuken in en trekt een gezicht. 'Ovenschotel tonijn?'

'Het is over een kwartiertje klaar.'

'Ik heb al gegeten.'

'Bij volleybal?'

'Karens moeder heeft ons op de terugweg getrakteerd op burrito's.'

'Dus Peter heeft ook al gegeten?'

Zoe knikt en kijkt in de koelkast.

Ik zucht. 'Wat zoek je? Je hebt toch net gegeten?'

'Weet ik veel. Niets,' zegt ze en ze doet de koelkast dicht.

'Wojo! Wat heb je met je haar gedaan?' vraagt Peter die de keuken binnenkomt.

'O god, vergeten. Een van de kinderen speelde kappertje. Ik dacht dat het Audrey Hepburn-achtig was. Niet dan?'

'Nee,' zegt Zoe.

'Nee,' bouwt Peter haar na.

Ik trek het elastiekje uit mijn haar en probeer het glad te strijken.

'Misschien moet je het een keer borstelen,' zegt Zoe.

'Waarom zeurt iedereen over borstelen? Misschien wisten jullie het niet, maar er zijn haartypes die niet tegen borstelen kunnen. Die moeten gewoon aan de lucht drogen.'

'Aha,' zegt Zoe met haar rugzak in de hand. 'Ik heb een enorme berg huiswerk. Tot ziens in 2021.'

'Een halfuurtje *Modern Warfare* voor ik mijn huiswerk ga maken?' vraagt Peter.

'Tien minuten,' zeg ik.

'Twintig.'

'Vijftien.'

Peter slaat zijn armen om me heen. Ondanks dat hij al twaalf is, krijg ik af en toe nog een knuffel. Een paar minuten later klinken uit de huiskamer geluiden van vuurwapens en bommen.

Mijn telefoon tjilpt. Het is een berichtje van William. *Sorry. Eten met klant. Rond tienen thuis.*

Ik doe mijn laptop open, lees mijn antwoorden nog even snel over en druk op VERZENDEN.

7

Van: onderzoeker101 <onderzoeker101@netherfieldcenter.org>
Onderwerp: Vraag 13
Datum: 5 mei, 8:05
Aan: Echtgenote 22 <Echtgenote22@netherfieldcenter.org>

Beste Echtgenote 22,
Veel dank voor de eerste antwoorden en voor uw snelle reactie. Ik heb één vraag. Klopt het dat u bij vraag 13 'kinderen' wilde schrijven, in plaats van 'kippen'?
Hartelijke groet,
Onderzoeker 101

Van: Echtgenote 22 <Echtgenote22@netherfieldcenter.org>
Onderwerp: RE: Vraag 13
Datum: 5 mei, 10:15
Aan: onderzoeker101 <onderzoeker101@netherfieldcenter.org>

Beste Onderzoeker 101,
Het spijt me. Ik vermoed dat ik afgeleid werd door mijn kippen, ik bedoel kinderen. Of misschien was het, nog waarschijnlijker, de autocorrect.
Groet,
Echtgenote 22

P.S. Betekenen onze nummers nog iets of zijn het willekeurige cijfers? Ik kan me niet voorstellen dat ik pas de 22ᵉ echtgenote ben die aan het onderzoek deelneemt.

Van: onderzoeker101 <onderzoeker101@netherfieldcenter.org>
Onderwerp: RE: Vraag 13
Datum: 6 mei, 11:23
Aan: Echtgenote 22 <Echtgenote22@netherfieldcenter.org>

Beste Echtgenote 22,
Onze nummers zijn willekeurig toegekend, dat klopt. Voor elke ronde zijn vijfhonderd nummers beschikbaar en bij elke nieuwe ronde beginnen we weer bij één.
Hartelijke groet,
Onderzoeker 101

Van: Echtgenote 22 <Echtgenote22@netherfieldcenter.org>
Onderwerp: Vraag 2 bij nader inzien
Datum: 6 mei, 16:32
Aan: onderzoeker101 <onderzoeker101@netherfieldcenter.org>

Beste Onderzoeker 101,
'Verveling' is niet de reden dat ik meedoe aan het onderzoek. Ik doe mee omdat ik dit jaar vijfenveertig word, de leeftijd van mijn moeder toen ze stierf. Als zij nog had geleefd had ik nu met haar gepraat in plaats van aan dit onderzoek mee te doen. We zouden praten zoals ik me voorstel dat moeders met hun dochters praten als die midden veertig zijn. We zouden praten over ons libido (of het gebrek eraan), over die hardnekkige vijf kilo die we telkens kwijtraken en er weer aaneten, en over hoe moeilijk het is een goede loodgieter te vinden. We zouden recepten voor de perfecte gebraden kip uitwisselen, elkaar waarschuwen om het gas uit te draaien in noodsituaties en vertellen hoe je het beste het vuil uit je voegen kunt krijgen. Ze zou mij vragen stellen als: ben je gelukkig, lieverd? Is hij wel lief voor je? Wil je met hem oud worden?
Mijn moeder zal nooit oma worden. Nooit grijze wenkbrauwen krijgen. Nooit van mijn tonijnschotel eten.
Daarom doe ik mee aan dit onderzoek.
Kunt u mijn antwoord op vraag 2 aanpassen?
Groet,
Echtgenoot 22

Van: onderzoeker101 <onderzoeker101@netherfieldcenter.org>
Onderwerp: RE: Vraag 2 bij nader inzien
Datum: 6 mei, 20:31
Aan: Echtgenote 22 <Echtgenote22@netherfieldcenter.org>

Beste Echtgenote 22,
Bedankt voor uw eerlijkheid. Er zijn trouwens heel veel deelnemers die ant-
woorden wijzigen of toevoegingen nasturen. Gecondoleerd met uw verlies.
Met vriendelijke groet,
Onderzoeker 101

8

18. Rennen, duiken, kamperen, broodbakken, kampvuur maken, Stephen King lezen, opstaan om een andere zender op te zetten, urenlang bellen met vrienden, vreemde mannen kussen, met vreemde mannen naar bed gaan, flirten, een bikini dragen, meestal vrolijk wakker worden zonder aanwijsbare reden (waarschijnlijk vanwege een platte buik ongeacht de maaltijd van gisteravond), tequila's drinken. Op mijn rug in het gras Paul McCartneys *Silly Love Songs* neuriën en dromen over de toekomst, over het perfecte leven en over trouwen met de perfecte enige echte liefde.

19. Lunches klaarmaken, gezinsleden erop attenderen dat ze betere keuzes zouden kunnen maken, kinderen wijzen op persoonlijke hygiëne, waarschuwen voor vreemde mannen en ontdoen van kruimels in mondhoeken of bovenlip. Aankomende tienerzoon voorbereiden op naderende hormonenbom. Echtgenoot voorbereiden op naderende perimenopauze en wat dat voor hem betekent (dertig dagen per maand PMS in plaats van twee dagen per maand zoals hij gewend is). Tuinplanten kopen. Tuinplanten vermoorden. Sms'en, chatten, uploaden. De snelste rij bij de supermarkt kiezen, berichten negeren, verwijderen, sleutels verliezen, anderen verkeerd verstaan (maandfactuur wordt kaakfractuur, broodzak wordt klootzak), piekeren; vroegtijdige doofheid, vroegtijdige dementie, vroegtijdige alzheimer of ontevreden met seksleven, het leven in het algemeen en het huwelijk en er iets aan moeten doen?

20. Medewerker bij de Burger King, assistent-verzorgende in rusthuis, serveerster Friday, serveerster J.C. Hilary's, stage bij kinderdagverblijf, copywriter, toneelschrijver, echtgenote, moeder, en heden dramadocent op Kentwood Basisschool voor de groepen 1 t/m 7.

9

'Alice!' schreeuwt William vanuit de keuken. 'Alice!' Ik hoor zijn voetstappen in de gang.

Ik sluit snel de Netherfield-vragenlijst af en open een website met roddels en achterklap.

'Daar ben je,' zegt hij.

Hij is gekleed voor werk: een lichte broek en een lichtpaars overhemd. Dat overhemd heb ik voor hem gekocht omdat ik wist dat die kleur hem goed zou staan met zijn donkere haar en ogen. Toen ik ermee thuiskwam protesteerde hij, natuurlijk.

'Mannen dragen geen lavendel,' zei hij.

'Klopt, maar mannen dragen wel *distel*,' was mijn antwoord.

Om mannen mee te krijgen hoef je de dingen soms alleen maar een ander naampje te geven.

'Leuk shirt,' zeg ik.

Zijn ogen dwalen over mijn laptop. 'Gwen Stefani en de Zusters van de Lelijke Broeken?'

'Wat had je nodig?' vraag ik.

'O, die is inderdaad afschuwelijk. Het is net Oliver Twist. Ja, ik had iets nodig maar ik ben vergeten wat.'

Dat is een typische reactie... waar ik aan gewend ben. Allebei hebben we de bijzondere gewoonte om totaal confuus de kamer in te komen en de ander te vragen of hij of zij enig idee heeft wat we hier komen doen.

'Waar ben jij mee bezig?' vraagt hij.

Mijn blik valt op de rekening van de motorverzekering. 'Nou, ik wou dat je eens een beslissing nam over die motor. Hij staat daar maar op de oprit. Je gaat er nooit mee weg.'

De motor neemt kostbare ruimte in op onze bescheiden oprit. Meer dan eens heb ik hem zachtjes aangetikt terwijl ik de auto inparkeerde.

'Ik ben van plan binnenkort weer te gaan rijden.'

'Dat zeg je al jaren. En elk jaar betalen we wegenbelasting en verzekeringsgeld.'

'Ja, maar deze keer meen ik het. Binnenkort,' zegt hij.

'Binnenkort wat?'

'Binnenkort ga ik ermee rijden,' herhaalt hij. 'Meer dan nu.'

'Hm,' zeg ik afgeleid, mijn aandacht weer naar de computer verplaatsend.

'Wacht. Dat is wat je wilde zeggen? Dat de motor in de weg staat?'

'William, jij kwam mij zoeken, weet je nog?'

En nee, de motor is niet alles waar ik het over wil hebben. Ik wil een conversatie met mijn man die dieper gaat dan verzekeringsgeld en belastingen en hoe laat je thuis bent en heb je dat mannetje al gebeld over de dakgoot, maar het lijkt wel of we vastzitten aan de oppervlakte van het leven als kinderen in een zwembad, ons vastklampend aan zo'n piepschuimen spaghettisliert.

'En er is genoeg om te bespreken,' zeg ik.

'Zoals?'

Dit is mijn kans om hem te vertellen over het huwelijksonderzoek O, je gelooft nooit waarvoor ik me nu weer heb aangemeld. Ze stellen de raarste vragen, maar het is allemaal uit naam van de wetenschap, want het huwelijk moet je weten is een wetenschap, dat zal je verbazen maar het is echt zo, maar ik doe het niet. In plaats daarvan zeg ik: 'Zoals hoe ik mijn uiterste best doe om, tevergeefs overigens, de ouders van groep 3 te overtuigen dat de ganzen de belangrijkste rollen in de schoolmusical zijn, ondanks dat de ganzen nul tekst hebben. Of we zouden het kunnen hebben over onze zoon, Peter, of Pedro, die homoseksueel is. Of ik zou je kunnen vragen naar de KKM. Ben je nog steeds druk met die halfgeleiders?'

'Pleisters.'

'Arme schat, als dat dan maar een pleister op de wonde is.' Ik moet er een grapje over maken. Het is sterker dan ik.

'We weten niet zeker of Peter homo is,' zegt William zuchtend. Het is niet voor het eerst dat we het hierover hebben.

'Het kan wel.'

'Hij is twaalf.'

'Twaalf is niet te vroeg om het te weten. Ik heb gewoon zo'n vermoeden. Een gevoel. Een moeder weet zoiets. Ik heb een artikel gelezen over jonge tieners die op de middelbare school uit de kast komen. Het gebeurt steeds jonger. Ik heb de link opgeslagen. Zal ik hem naar je doormailen?'

'Nee, dank je.'

'William, we moeten wel bijblijven. Voorbereid zijn.'

'Waarvoor?'

'Voor het feit dat onze zoon misschien homoseksueel is.'

'Ik begrijp het niet, Alice. Waarom ben je zo geobsedeerd door Peters seksualiteit? Wil je soms dat hij homo is?'

'Ik wil dat hij weet dat we achter hem staan ongeacht zijn seksuele voorkeur. Ongeacht wie hij is.'

'Goed. Oké. Nou, daar heb ik een theorie over. Jij denkt dat je Peter, als hij homo is, niet hoeft te verliezen. Er is namelijk geen competitie. Jij zal altijd de belangrijkste vrouw in zijn leven blijven.'

'Dat is belachelijk.'

William schudt zijn hoofd. 'Hij zal het er niet gemakkelijker op krijgen.'

'Je klinkt als een homofoob.'

'Ik ben geen homofoob, ik ben een realist.'

'Kijk naar Nedra en Kate. Zij zijn een van de gelukkigste stellen die we kennen. Ze worden door niemand gediscrimineerd en jij bent gek op ze.'

'Gek op ze zijn heeft niets te maken met niet willen dat je kinderen onnodig gediscrimineerd worden. En Nedra en Kate zouden lang zo gelukkig niet zijn als ze niet in de Bay Area woonden. De Bay Area is niet de echte wereld.'

'En homoseksueel zijn is geen keuze. Hé, misschien is hij wel biseksueel. Daar had ik nog niet aan gedacht. Wat nou als hij biseksueel is?'

'Goed idee, laten we dat proberen,' zegt William terwijl hij mijn kantoor verlaat.

Ik log in op Facebook en bekijk de ingekomen berichten in mijn tijdlijn.

Shonda Perkins
Vindt PX-90 leuk
2 minuten geleden

Tita De La Reyes
IKEEEEAAAAA!!!!! Au, iemand rijdt met haar wagentje over mijn voet.
5 minuten geleden

Tita De La Reyes
IKEEEEAAAAA!!!! Ik ben in de hemel. Zweedse gehaktballetjes met rode bosbessen voor 3,99 dollar.
11 minuten geleden

William Buckle
Val... vallend...
1 uur geleden

Wacht, *wat?* William heeft iets gepost en het is geen quote van Winston Churchill of de Dalai Lama? Die arme William is een van die Facebookers die nooit iets origineels kunnen bedenken om te posten. Hij heeft wat je noemt Facebook-gerelateerde plankenkoorts. Maar dit berichtje heeft een onmiskenbare onheilspellende ondertoon. Was hij daarom naar mij op zoek? Ik moet gaan vragen wat hij bedoelde, maar eerst post ik zelf even wat.

Alice Buckle *studeert.*
VERWIJDER

Alice Buckle *zit vast aan pleister.*
VERWIJDER

Alice Buckle *geeft de schuld aan de kippen.*
DEEL

Opeens verschijnt er een Facebook-chatbericht.

Phil Archer *Wat hebben die arme kippen gedaan?*

Mijn vader.

Schat, Alice. Ben je daar?

Hoi pap. Ik heb haast. Moet W even hebben voor hij naar zijn werk gaat. Kunnen we morgen even kletsen?

Afspraakje vanavond.

Heb je een afspraakje? Met wie?

Dat zal ik vertellen als we nog een keer afspreken.

O, oké. Veel plezier dan maar!

Maak je je geen zorgen? 80% stijging soa's bij mensen van boven de zeventig.

Pap, liever geen informatie over jouw seksleven.

WIE MOET IK HET DAN VERTELLEN?

Hoofdletters betekent schreeuwen.

DAT WEET IK. Dank je voor geld. Begin deze maand gekregen, hoera. Loop achter met eigendomsbelasting. Niet weggaan. Ff kletsen.

Volgende maand kan ik weer $ sturen. Deze maand krap. Zoe is *weer* haar beugel verloren. Heb je spaarlampen gekocht, zoals ik zei?

Doe ik vandaag. Beloofd. Nog nieuws?

Peter is misschien homoseksueel.

Niets nieuws.

Zoe schaamt zich voor mij.

Ook niets nieuws.

Eindeloze lijst dingetjes. Niet bij te benen.

Pap?

Pap?

Op een dag kijk je terug en besef je dat dit de leukste tijd van je leven was. Door, door, door. Altijd iets te doen. Iemand die wacht tot je thuiskomt.

O, pap. Je hebt gelijk. Sorry.

;)

Bel je mrg. Wees voorzichtig.

Hvj

De geur van geroosterd brood dringt mijn kantoor binnen. Ik sluit de computer af en loop naar de keuken op zoek naar William, maar er is niemand meer. Het enige wat nog aan mijn gezin herinnert is een stapel vieze borden en kopjes in de gootsteen. *Val... vallend* zal moeten wachten.

10

Mijn mobiel gaat. Ik hoef niet te kijken om te weten dat het Nedra is. Wij hebben een vreemd soort telepathisch telefoonding met elkaar. Ik denk aan Nedra en Nedra belt.

'Ik ben net naar de kapper geweest,' zegt ze. 'En Kate zegt dat ik op Florence Henderson lijk. En toen ik vroeg wie in hemelsnaam Florence Henderson was, zei ze dat ik op Shirley Jones lijk. Een Pakistaanse Shirley Jones.'

'Zei ze dat?' zeg ik, met ingehouden lach.

'Dat zei ze,' briest Nedra.

'Dat is verschrikkelijk. Jij bent Indiaas, niet Pakistaans.'

Ik hou van Kate. Toen ik haar dertien jaar geleden ontmoette wist ik binnen vijf minuten dat ze perfect was voor Nedra. Ik heb een hekel aan de woorden *we vullen elkaar aan*, maar in het geval van Kate was het waar. Zij was Nedra's ontbrekende helft: een serieuze, Brooklynse, zeg-waar-het-op-staat maatschappelijk werkster, die ene persoon die Nedra niet zou sparen voor de lieve vrede. Iedereen heeft zo iemand nodig in zijn of haar leven. Ikzelf heb helaas iets te veel van dat soort mensen in mijn leven.

'Lieverd,' zeg ik. 'Heb je stekels?'

'Nee, geen stekels, laagjes. Het lijkt wel of er geen einde aan mijn nek komt nu.'

Nedra is even stil. 'O, verdomme,' zegt ze. 'Het zijn stekels en ik lijk wel een kalkoen. En nu lijkt het net of ik een Julia Child-bochel achter in mijn nek heb. Waar moet dat heen? Een zwabberende onderkin? Hoe heeft het zover kunnen komen? Waarom heb ik die trut van een Lisa haar gang laten gaan?'

Lisa, onze gezamenlijke kapster, is geen trut, hoewel ze ook mij meerdere keren behoorlijk slecht geadviseerd heeft. Ik herinner me een onfortuinlijke donkerrode hennafase. En die pony; voor vrouwen met dik haar zouden pony's verboden moeten worden. Nu houd ik mijn haar op schouderlengte met een paar lokken langs het gezicht. Op goede dagen zeggen mensen dat ik Anne Hathaways oudere zus zou kunnen zijn. Op slechte dagen Anne Hathaways moeder. *Doe maar hetzelfde als de vorige keer* zeg ik nu tegen Lisa. Dit is op meerdere terreinen een succesvol recept, heb ik gemerkt: seks, een koffie verkeerd met sojamelk bestellen bij Starbucks, en Peter/Pedro helpen met zijn wiskundehuiswerk. Het is echter geen goede levensfilosofie.

'Ik heb iets gedaan, ik doe iets. Iets wat ik niet zou moeten doen,' biecht ik op.

'Staat er iets op papier?' vraagt Nedra.

'Nee, ja. Misschien. Telt e-mail?'

'Natuurlijk telt e-mail.'

'Ik doe mee aan een onderzoek. Een anoniem onderzoek. Over het huwelijk in de eenentwintigste eeuw,' fluister ik in de telefoon.

'Anonimiteit bestaat niet. Niet in de eenentwintigste eeuw en zeker niet online. Waarom doe je dat in hemelsnaam?'

'Geen idee. Het leek me wel leuk?'

'Even serieus, Alice.'

'Oké. Ja. Goed dan. Ik denk dat het misschien tijd is om de balans op te maken.'

'Welke balans?'

'Eh... mijn leven. Ik en William.'

'Ah, zit je in een midlife-ding of zo?'

'Waarom vraagt iedereen dat toch?'

'Geef antwoord.'

Ik zucht. 'Misschien.'

'Dit leidt sowieso tot ellende, Alice.'

'Nou, vraag jij je nooit eens af of alles wel goed is? Ik bedoel niet alleen aan de oppervlakte, maar echt, echt goed?'

'Nee.'

'Echt niet?'

'Echt niet, Alice. Ik *weet* dat alles goed is. Voel jij dat niet met William?'

'We zijn gewoon zo afgeleid. Net of we niet meer zijn dan een item op elkaars lijstje dat zo snel mogelijk afgestreept moet worden. Is het erg om dat te zeggen?'

'Is het waar?'

'Soms.'

'Kom op, Alice. Er is nog iets wat je me niet vertelt. Wat is er gebeurd?'

Ik overweeg Nedra te vertellen over mijn omslagjaar, maar hoe hecht we ook zijn, zij heeft geen van haar ouders verloren en ik geloof niet dat ze het zou begrijpen. Zij en ik praten weinig over mijn moeder. Dat bewaar ik voor de Mamba's, een rouwverwerkingsgroep waar ik nu vijftien jaar lid van ben. Ik heb ze al een tijd niet gezien, maar ik ben Facebook-vrienden met alle leden: Shonda, Tita en Pat. Ja, een bijzondere naam, dat weet ik. We begonnen als de Moederbijen, dat werd Mamabijen, en dat werd op de een of andere manier verbasterd tot Mamba's.

'Ik vraag me gewoon af of we het nog wel veertig jaar uit zullen houden. Veertig jaar is lang, hoor. Denk je niet dat het goed is dat eens te onderzoeken nu we twintig jaar onderweg zijn?' vraag ik.

'Olivia Newton-John!' gilt Kate op de achtergrond. 'Die bedoelde ik. Daar lijk je op. In haar *Let's Get Physical*-periode!'

'Mijn ervaring is dat het onontdekte leven het leven waard is,' zegt Nedra. 'Als je nog lang en gelukkig wilt leven, tenminste... met je partner. Schat, ik moet gaan en kijken of er nog iets aan die stekels te doen is. Kate probeert me te prikken met schuifspelden.'

Ik hoor Kate Olivia Newton-Johns *I Honestly Love You* kraaien.

'Wil je me een plezier doen?' zegt Nedra. 'Als je me ziet, niet zeggen dat ik eruitzie als Rachel van *Friends*. Dan beloof ik dat we het binnenkort zullen hebben over het huwelijk in de negentiende eeuw.'

'Eenentwintigste eeuw.'

'Zelfde idee. Kus.'

11

21. Nee, tot ik die film zag over de Hubble-telescoop in Imax 3-D.

22. Nek.

23. Onderarmen.

24. Lang. Zo zou ik hem omschrijven. Zijn benen pasten nauwelijks onder zijn bureau. Het was lang voordat er casual werkkleding werd ontworpen en mensen zich nog netjes aankleedden om naar kantoor te gaan. Ik droeg een kokerrok en pumps. Hij een krijtstreeppak met een gele das. Hij had een lichte huid maar zijn steile haar was donker, bijna zwart, en het hing telkens in zijn ogen. Hij zag eruit als een jonge Sam Shepard: ongrijpbaar en broei-erig.

Ik was compleet van mijn stuk en probeerde dat hardnekkig te verbergen. Waarom had Henry (Henry is mijn neef die het gesprek voor me had geregeld; hij speelde competitievoetbal met William) mij niet gewaarschuwd dat het zo'n stuk was? Ik wilde door hem gezien worden, *echt gezien*, bedoel ik, en ja, ik wist dat hij gevaarlijk was, en ongrijpbaar, en terughoudend, en BEZET! Er stond een foto van hem en een knappe blonde vrouw op zijn bureau.

Ik was net aan het uitleggen waarom iemand met een toneelopleiding en als bijvak dramaturgie een baan zou willen hebben als copywriter, wat veel creativiteit en ombuigen van de waarheid vereiste (omdat het een volle baan was en toneelschrijvers nu eenmaal geen droog brood verdienen en ik wel iets moest om in leven te blijven terwijl ik mijn KUNST bedreef, en ik dan net zo goed slappe teksten over afwasmiddel kon schrijven), toen hij me onderbrak.

'Henry vertelde dat je naar Brown kon maar voor UMass koos?'

Verdomme, Henry. Ik probeerde het uit te leggen. Ik trakteerde hem op mijn vertrouwde *ik ben een UMass-meisje*-riedel, wat gelogen was; de waarheid is dat UMass een volledige beurs voor me had terwijl Brown me maar voor de helft wilde sponsoren, en er was geen denken aan dat mijn vader zelfs maar de helft van het schoolgeld van Brown kon neertellen.

Maar hij onderbrak me, stak een hand op om me het zwijgen op te leggen en ik schaamde me. Alsof ik hem had teleurgesteld.

Hij gaf me mijn cv terug, dat ik onderweg naar buiten in stukken scheurde, overtuigd dat ik de sollicitatie verpest had. De volgende dag stond er een boodschap van hem op mijn antwoordapparaat. 'Je begint maandag, Brown.'

12

Van: Echtgenote 22 <Echtgenote22@netherfieldcenter.org>
Onderwerp: Antwoorden
Datum: 10 mei, 5:50
Aan: onderzoeker101 <onderzoeker101@netherfieldcenter.org>

Onderzoeker 101,
Ik hoop dat ik het goed doe. Ik ben bang dat mijn antwoorden soms wat langer zijn dan de bedoeling is en misschien heb je wel liever een respondent die dichter bij de vraag blijft en gewoon ja, nee, soms en misschien zegt. Maar het zit zo. Niemand heeft me ooit zulke vragen gesteld. Dit soort vragen, bedoel ik. Ik krijg elke dag wel vragen die horen bij een vrouw van mijn leeftijd. Vandaag nog wilde ik een afspraak maken bij de dermatoloog. De eerste vraag van de receptioniste was of ik een verdachte moedervlek had. Daarna zei ze dat de eerstvolgende mogelijkheid over zes maanden was en vroeg ze mijn geboortedatum. Toen ik mijn geboortejaar doorgaf, vroeg ze of ik ook meteen informatie wilde krijgen over botoxbehandelingen als mijn moedervlekken gecontroleerd werden. En zo ja, dan kon ik volgende week terecht bij de dokter, en of ik donderdag misschien tijd had? Dit soort vragen krijg ik, vragen waar ik niet speciaal op zit te wachten.
Ik bedoel geloof ik vooral dat ik het leuk vind om mee te doen aan het onderzoek.
Groeten,
Echtgenote 22

Van: onderzoeker101 <onderzoeker101@netherfieldcenter.org>
Onderwerp: RE: Antwoorden
Datum: 10 mei, 9:46
Aan: Echtgenote 22 <Echtgenote22@netherfieldcenter.org>

Echtgenote 22,
Ik neem aan dat je bang was dat je antwoord op vraag 24 te lang was? Het

leek wel een soort toneelscène eigenlijk, met al die dialoog. Was dat je be-
doeling?
Hoogachtend,
Onderzoeker 101

Van: Echtgenote 22 <Echtgenote22@netherfieldcenter.org>
Onderwerp: RE: Antwoorden
Datum: 10 mei, 10:45
Aan: onderzoeker101 <onderzoeker101@netherfieldcenter.org>

Onderzoeker 101,
Ik weet niet of het zozeer mijn bedoeling was, meer een macht der ge-
woonte. Ik ben tenslotte toneelschrijver van origine. Ik ben bang dat ik het
leven in toneelscènes zie. Ik hoop dat dat geen probleem is.
Echtgenote 22

Van: onderzoeker101 <onderzoeker101@netherfieldcenter.org>
Onderwerp: RE: Antwoorden
Datum: 10 mei, 11:01
Aan: Echtgenote 22 <Echtgenote22@netherfieldcenter.org>

Echtgenote 22,
Er zijn geen goede of foute antwoorden, als je maar eerlijk bent. Als ik eerlijk
ben vond ik je antwoord op vraag 24 heel charmant.
Groet,
Onderzoeker 101

13

Julie Staggs
Marcy: grotemeidenbed!
32 minuten geleden

Pat Guardia
Middagje doorbrengen met mijn vader. Red Sox. Aaargh.
46 minuten geleden

William Buckle
Gevallen.
1 uur geleden

Gevallen? Nu maak ik me officieel zorgen. Ik sta op het punt William te sms'en, als ik het onmiskenbare geluid van de motor die de oprit op komt hoor. Ik zet snel Facebook uit. De kinderen zijn nog op school. William heeft een etentje met een klant, dus ik trek de enige juiste conclusie.

'We worden overvallen,' fluister ik door de telefoon tegen Nedra. 'Iemand is de motor aan het stelen!'

Nedra zucht. 'Weet je het zeker?'

'Ja, ik weet het zeker.'

'Hoe zeker?'

Het is niet de eerste keer dat Nedra een dergelijk telefoontje van me krijgt. Een paar jaar geleden was ik een keer in de kelder de was aan het doen toen de wind vat kreeg op de voordeur en die met een klap tegen de muur blies. Het klonk eerlijk waar precies als een pistoolschot. Ik wist zeker dat ik overvallen werd midden in mijn overpeinzingen of een lading witte was ook wasverzachter nodig had. Overvallen waren geen zeldzaamheid in onze buurt. Als Oaklander leerde je leven met deze realiteit, net als met aardbevingen en Heirloom-tomaten à vijf-dollar-het-pond.

In paniek riep ik in het wilde weg: 'Ik bel mijn advocaat!'

Geen antwoord, dus voegde ik eraan toe: 'En ik heb nunchaku's!'

Ik had een setje voor Peter gekocht, die kortgeleden met taekwondo was begonnen en er zonder mij daarover in te lichten twee weken later weer mee was gestopt omdat hij zich niet gerealiseerd had dat het een contact-sport was. Waar dacht hij dat de nunchaku's voor bedoeld waren? O... hij had op tai chi gewild, niet taekwondo. Het was niet zijn schuld dat al die vechtsporten met dezelfde klank begonnen.

Nog steeds geen antwoord. 'Nunchaku's zijn twee stokken die met een ketting aan elkaar zitten waar mensen elkaar mee verwonden. Door ermee te zwaaien. Heel snel!' riep ik.

Geen geluid van boven. Geen voetstap, geen kraakje van de houten vloer. Had ik me de knal ingebeeld? Ik belde Nedra op mijn mobiel en gebood haar een halfuur lang aan de lijn te blijven tot de wind de deur weer dicht-blies en ik besefte wat voor sukkel ik geweest was.

'Deze keer is het geen vals alarm, ik zweer het,' zeg ik.

Nedra is als een eerstehulparts. Hoe enger de situatie, hoe kalmer en beheerster ze wordt.

'Zit je veilig?'

'Ik ben binnen. De deuren zijn op slot.'

'Waar is de inbreker?'

'Buiten, op de oprit.'

'Waarom praat je dan met mij? Bel 911!'

'Dit is Oakland. De politie doet er drie kwartier over om hier te komen.'

Nedra is even stil. 'Niet als je zegt dat er iemand is neergeschoten.'

'Dat meen je niet.'

'Geloof me, dan zijn ze er in vijf minuten.'

'Hoe weet je dat?'

'Ik krijg niet voor niets 425 dollar per uur.'

Ik bel niet naar 911; ik kan niet liegen, zeker niet als het gaat om een dierbare die doodbloedt. In plaats daarvan kruip ik op handen en knieën naar het raam aan de voorkant om door de gordijnen te gluren, telefoon in de aanslag. Het plan is om een foto van de inbreker te maken en naar de politie te sturen. Maar de inbreker blijkt mijn echtgenoot te zijn, die de oprit afstuift voor ik tijd heb om op te staan.

Hij komt niet terug voor tien uur die avond, als hij zachtjes tollend de voordeur binnenzweeft. Hij heeft duidelijk gedronken.

'Ik ben gedegradeerd,' zegt hij neerploffend op de bank. 'Ik heb een nieu-we functie gekregen. Wil je weten wat?'

Ik denk aan zijn laatste Facebook-berichten. *Val, vallend, gevallen*: hij voelde dit aankomen en zei niets.

'Ideator.' William kijkt me wezenloos aan.

'*Ideator*? Wat? Is dat een woord? Misschien heeft iedereen wel een andere functie gekregen? Misschien staat ideator wel voor creatief directeur?'

Hij pakt de afstandsbediening en zet de tv aan. 'Nee, het betekent eikel die de creatief directeur van ideeën voorziet.'

'William, zet die tv uit. Weet je het zeker? Waarom doet het je dan zo weinig? Misschien vergis je je?'

William zet het geluid van de televisie uit. 'De nieuwe creatief directeur was gisteren nog mijn ideator. Ja, ik weet het zeker. En wat heb ik eraan om me druk te maken?'

'Dus je kan er iets aan doen!'

'Er is niets aan te doen. Het is bepaald. Het is gebeurd. Hebben we nog whisky? Die lekkere. Single malt?' William ziet er totaal onbereikbaar uit. Wezenloos.

'Ik kan het niet geloven. Hoe kunnen ze dit doen, na al die jaren?'

'Die pleisterklus. Belangenverstrengeling. Ik geloof in frisse lucht, jodium en hechtingen, niet in het wegkussen van huiliehuilies.'

'Heb je dat gezegd?'

Hij rolt met zijn ogen. 'Ja Alice, dat is precies wat ik heb gezegd. Ik zal erop achteruitgaan in loon.' William lacht wrang. 'Aanzienlijk.'

Ik voel paniek opkomen maar ik probeer niets te laten merken. Ik moet hem steunen.

'Het overkomt de besten, lieverd,' zeg ik.

'Hebben we nog port?'

'Heel veel mensen van onze leeftijd.'

'Fijn om te horen, Alice. Grey Goose?'

'Hoe oud is de nieuwe creatief directeur?'

'Geen idee. Negentwintig? Dertig?'

Ik verslik me. 'Heeft hij nog iets gezegd?'

'*Zij*. Het is Kelly Cho. Ze zei dat ze erg veel zin had om met mij te werken.'

'Kelly?'

'Je hoeft niet zo geschokt te zijn. Ze is goed, hoor. Fantastisch zelfs. Drugs? Wiet? Roken de kinderen al? Jezus, wat een laatbloeiers.'

'Mijn god, William, wat erg,' zeg ik. 'Wat ontzettend oneerlijk.' Ik draai me om om hem vast te pakken.

Hij steekt zijn hand op. 'Niet doen,' zegt hij. 'Laat me maar. Ik wil even niet aangeraakt worden.'

Ik schuif van hem af op de bank en probeer me niet afgewezen te voelen.

Dit is William ten voeten uit. Als hij het moeilijk heeft, wordt hij nog afstandelijker; dan verandert hij in het spreekwoordelijke eiland. Ik reageer compleet tegenovergesteld. Als ik het zwaar heb, wil ik met al mijn dierbaren op dat eiland zitten, rond het kampvuur, dronken worden van kokosmelk en samen werken aan een plan de campagne.

'Jezus, Alice, kijk niet zo naar me. Je kan nu niet van mij vragen om voor jou te zorgen. Laat me gewoon even alleen met mijn gevoel.'

'Niemand vraagt of je niets wilt voelen.' Ik sta op. 'Ik hoorde je op de oprit, hoor. Dat je de motor startte. Ik dacht dat het inbrekers waren.'

Ik hoor de beschuldigende toon in mijn stem en haat mezelf. Dit gebeurt altijd. Williams afstandelijkheid maakt dat ik snak naar contact, waardoor ik belachelijke dingen zeg, waardoor hij nog afstandelijker wordt.

'Ik ga naar de slaapkamer,' zeg ik geforceerd neutraal.

Een zweem van opluchting glijdt over Williams gezicht. 'Ik kom ook zo.'

Dan doet hij zijn ogen dicht en sluit mij buiten.

14

Ik ben niet trots op wat ik nu doe, maar beschouw het maar als de daad van een tamelijk neurotische vrouw die even een klein rekensommetje had gemaakt en ontdekte dat wij binnen een jaar (met Williams gereduceerde inkomen en mijn geringe bijdrage) aan het spaargeld en de studiepot van de kinderen zouden moeten beginnen. Binnen twee jaar zouden ons pensioen en onze kansen op studerende kinderen verkeken zijn. We zouden terugverhuizen naar Brockton en bij mijn vader gaan wonen.

Ik zie geen andere mogelijkheid dan Kelly Cho op te bellen en haar te smeken William zijn baan terug te geven.

'Kelly, hallo, met Alice Buckle. Hoe is het met je?' zing ik door de hoorn met mijn vrolijkste, zeer beheerste toneelstem.

'Alice,' zegt Kelly stijfjes, en ze weet mijn naam over drie lettergrepen uit te smeren: Al. Liss. S. Ze schrikt van mijn telefoontje. 'Het gaat prima, hoe is het met jou?'

'Goed. Hoe is het met jou?' kwetter ik terug, mijn rustige toneelstem verliezend. O god.

'Wat kan ik voor je doen? Zoek je William? Ik denk dat hij even buiten de deur is voor de lunch,' zegt ze.

'Eigenlijk zocht ik jou. Ik hoop dat we het even open en eerlijk kunnen hebben over wat er gebeurd is. Williams degradatie.'

'O, oké. Maar heeft hij niets verteld?'

'Jawel, maar, nou... ik dacht dat er misschien nog iets aan te doen was. Niet dat jij geen promotie zou moeten maken; dat bedoel ik niet. Natuurlijk niet, dat zou niet eerlijk zijn. Maar is er geen manier om hier een horizontale verschuiving van te maken voor William?'

'Dat zou ik niet weten.'

'Kun jij niet een goed woordje voor hem doen? Wat rondvragen?'

'Aan wie?'

'Luister, William zit al meer dan tien jaar bij kkm.'

'Dat weet ik. Het is hartstikke moeilijk. Voor mij net zo goed, maar ik denk niet...'

'Jezus, Kelly, het gaat om pleisters.'

'*Pleisters?*'

'Die klus?'

Kelly is even stil. 'Alice, het waren geen pleisters. Het was *Cialis*.'

'*Cialis*. Erectiestoornis-*Cialis*?'

Kelly hoest zachtjes. 'Die ja.'

'En wat is er dan gebeurd?'

'Dat moet je aan hem vragen.'

'Ik vraag het aan jou. Alsjeblieft, Kelly.'

'Ik kan beter niet...'

'Alsjeblieft.'

'Het voelt niet goed om...'

'Kelly, ik vraag het niet nog een keer.'

Ze zucht diep. 'Hij heeft het verknald.'

'Verknald?'

'Tijdens de focusgroep. Alice, ik vraag me al een poos af of het thuis wel goed gaat, want hij is al een tijdje niet zichzelf. Je hebt het trouwens zelf gezien. Hoe vreemd hij zich gedroeg tijdens die FiG-presentatie. Hij is al een paar maanden uit zijn doen. Onrustig. Opvliegerig. Afgeleid. Alsof hij overal liever zou zijn dan op het werk. Het valt iedereen op, niet alleen mij. Er is met hem gepraat. Hij is gewaarschuwd. En toen kwam die focusgroep. Er is een film van, Alice. Het hele team heeft het gezien. Frank Potter heeft het gezien.'

'Maar hij zit in de creatieve hoek, niet de strategische. Waarom deed hij in hemelsnaam een focusgroep?'

'Omdat hij erop stond. Hij wilde meedoen aan het onderzoek.'

'Ik snap het niet.'

'Dat is misschien maar beter.'

'Stuur me dat filmpje,' zeg ik.

'Dat is geen goed idee.'

'Kelly, ik smeek je.'

'O, jezus. Wacht even. Laat me denken.'

Kelly zwijgt.

Ik tel tot twintig en zeg: 'Denk je nog?'

'Goed, Alice,' zegt Kelly. 'Maar je moet beloven dat je aan niemand vertelt dat je het van mij hebt. Hé, het spijt me vreselijk. Ik respecteer William. Hij was als een mentor voor me. Ik zat niet op zijn baan te azen. Ik voel me vreselijk. Geloof je me? Geloof me alsjeblieft.'

'Ik geloof je, Kelly, maar nu je creatief directeur bent, moet je misschien niet meer smeken of mensen je willen geloven.'

'Je hebt gelijk. Daar moet ik aan werken. Ik mail je het filmpje.'

'Dank je.'

'En Alice?'

'Uh-huh?'

'Haat je me nu?'

'Kelly.'

'Wat?'

'Je doet het weer.'

'Juist, juist! Sorry. Ik had deze promotie niet aan zien komen. Ik heb er altijd van gedroomd, maar ik had nooit verwacht dat het zo plotseling waar zou worden. Eerlijk gezegd voel ik me bijna een bedrieger, ik weet niet wat ik moet zeggen. Ik moest maar eens ophangen. Ik ben echt geen slecht persoon. Ik vind jou geweldig, Alice. Haat me alsjeblieft niet. O... jezus, ik hang nu op.'

15

Van: Echtgenote 22 <echtgenote22@netherfieldcenter.org>
Onderwerp: Nieuwe vragen?
Datum: 15 mei, 6:30
Aan: onderzoeker101 <onderzoeker101@netherfieldcenter.org>

Onderzoeker 101,
Komen de nieuwe vragen al bijna? Ik wil je niet opjagen en jullie hebben
waarschijnlijk een vaste planning voor het verzenden van de vragen, maar ik
ben zo onrustig de laatste tijd en het beantwoorden van de vragen werkt op
een of andere manier kalmerend. Het is bijna meditatief. Als biechten. Zijn
er andere respondenten die dit ook zo ervaren?
Groeten,
Echtgenote 22

Van: onderzoeker101 <onderzoeker101@netherfieldcenter.org>
Onderwerp: RE: Nieuwe vragen?
Datum: 15 mei, 7:31
Aan: Echtgenote 22 <echtgenote22@netherfieldcenter.org>

Echtgenote 22,
Dat is interessant. Zo'n reactie heb ik nog niet eerder gehoord, maar er zijn
wel respondenten geweest met soortgelijke ervaringen. Er was eens een
respondent die schreef dat het beantwoorden van de vragen 'bevrijdend'
was. Ik denk dat de anonimiteit daar een grote rol in speelt. Aan het eind
van deze week zul je de volgende vragen ontvangen.
Groet,
Onderzoeker 101

Van: Echtgenote 22 <echtgenote22@netherfieldcenter.org>
Onderwerp: RE: Nieuwe vragen?
Datum: 15 mei, 7:35
Aan: onderzoeker101 <onderzoeker101@netherfieldcenter.org>

Ik denk dat je gelijk hebt. Wie had er gedacht dat anonimiteit zo bevrijdend zou werken?

16

Voicemail: U hebt één nieuw bericht
Alice! Alice, lieverd. Met Bunny Kilborn van Blue Hill. Wat is het lang geleden.
Ik hoop dat je al mijn kerstkaarten hebt ontvangen. Ik denk vaak aan je. Hoe
gaat het met jou en William? De kinderen? Is Zoe al aan het studeren? Dat zal
niet lang meer duren. Misschien gaat ze wel naar het oosten. Luister, ik val maar
meteen met de deur in huis. Ik wil je iets vragen. Caroline, onze jongste, verhuist
naar de Bay Area en ik vroeg me af of jij haar een beetje op kon vangen? De
buurt laten zien? Ze zoekt een baan in de IT. Misschien ken jij wel mensen in die
sector? Ze zoekt nog woonruimte, misschien samen met anderen, en een baan
natuurlijk, maar het zou zo fijn zijn om te weten dat ze niet helemaal alleen is
daar. Ik denk dat jullie het goed met elkaar zouden kunnen vinden. Hoe is het
met je? Geef je nog toneellessen? Of je nog stukken schrijft, durf ik bijna niet te
vragen. Ik weet dat *The Barmaid of Great Cranberry Island* nogal een klap voor
je was, maar... ik ben aan het bellen, Jack, ik ben AAN HET BELLEN! Sorry, Alice,
ik moet gaan, laat maar horen of...
Voicemailbox Vol

Dat is nog eens een stem uit mijn verleden. Bunny Kilborn: de vermaarde
oprichter en artistiek leider van het Blue Hill-theater in Maine; winnaar
van drie Obies, twee Guggenheims en een Bessie Award. Regisseur van
stukken als Tennessee Williams' *A Streetcar Named Desire* tot Harold Pin-
ters *The Homecoming*, en in de jaren negentig *The Barmaid of Great Cranberry Island* door Alice Buckle. Nee. Ik zeg niet dat ik van hetzelfde kaliber
ben als Williams en Pinter. Ik deed mee aan een wedstrijd voor veelbelo-
vende toneelschrijvers en kwam als winnaar uit de bus, wat resulteerde in
mijn stuk op de planken in het Blue Hill-theater. Alles waar ik voor gewerkt had, zou op dat moment samenkomen, dat euforische moment. Het
voelde... nou ja, het voelde als mijn lotsbestemming.

Ik was altijd al een theaterdier geweest. Ik begon op de middelbare school
al vroeg met acteren en schreef in een van de laatste klassen mijn eerste
stuk. Het was verschrikkelijk slecht, zoals verwacht (zwaar beïnvloed door
David Mamet, die tot op de dag van vandaag mijn favoriete toneelschrijver
is, ondanks zijn verwerpelijke politieke ideeën), maar ik schreef er nog

een, en nog een, en een vierde, en in elk stuk klonk mijn eigen stem duidelijker door.

Op de universiteit werden drie van mijn stukken opgevoerd. Ik werd een van de hoogvliegers van de theateropleiding. Na mijn afstuderen nam ik een baan aan in de reclame zodat ik de avonden vrij had om te schrijven. Op mijn negenentwintigste diende mijn kans op succes zich aan... en ik greep mis. Dat Bunny zegt dat het nogal een klap voor me was is zacht uitgedrukt. De recensies waren zo slecht dat ik nooit meer een stuk heb geschreven.

Er was één goede recensie van de *Portland Press Herald*. Sommige passages kan ik letterlijk citeren: 'gulle emoties', 'een prikkelende ontwikkelingsroman met de impact van Springsteens *Jungleland*'. Maar ik kan ook passages oplepelen van al die andere recensies die categorisch negatief waren: 'slaat de plank totaal mis', 'clichématig en gekunsteld', 'amateuristisch', en 'Akte 3? Verlos ons uit ons lijden!' Binnen twee weken viel het doek voorgoed.

Bunny deed er alles aan om al deze jaren contact met me te houden, maar ik reageerde amper. Ik schaamde me te veel. Ik had Bunny en haar gezelschap voor schut gezet en mijn enige kans op een doorbraak verknald.

Bunny's telefoontje moet meer dan toevallig zijn. Ik wil contact met haar; haar op een of andere manier terug in mijn leven.

Ik pak de telefoon op en toets nerveus haar nummer in. Hij gaat twee keer over.

'Hallo?'

'Bunny... Bunny, ben jij dat?'

Even is het stil, dan...

'O, Alice, *liefje*. Ik hoopte al dat je zou bellen.'

17

Ik had een paar dagen nodig om genoeg moed te verzamelen om de KKM-opname te durven bekijken. Als ik voor de laptop zit met mijn vinger boven het toetsenbord, klaar om op *play* te drukken, besef ik dat ik een grens overschrijd. Mijn hart bonst op dezelfde manier als toen ik Kelly belde, wat als ik eraan denk, de eerste keer was dat ik de grens overschreed... toen ik me als Williams moeder ging gedragen, in plaats van als zijn vrouw. Als mijn hart morse kende en een boodschap zou kunnen versturen, zou het zeggen: *Alice, vuile gluurder dat je bent, gooi dat bestand onmiddellijk weg!*, maar ik ken geen morse, dus ik negeer deze gedachten en druk op *play.*

De camera zoomt in op een tafel waar twee mannen en twee vrouwen aan zitten.

'Wacht even,' zegt Kelly Cho. Het beeld wordt wazig, dan weer scherp. 'Klaar.'

'Cialis,' zegt William. 'Elliot Ritter, zesenvijftig; Avi Schine, vierentwintig; Melinda Carver, drieëntwintig; Sonja Popovich, zevenenveertig. Bedankt allemaal voor jullie komst. Jullie hebben de commercial gezien, toch? Wat vonden jullie ervan?'

'Ik snap het niet. Waarom liggen ze in aparte ligbaden als die kerel een vier uur durende erectie heeft?' vraagt Avi.

'Hij heeft geen vier uur durende erectie. Als hij een vier uur durende erectie had, zou hij nu onderweg zijn naar het ziekenhuis. De commercial moet ook de gevaren laten zien,' zegt William.

Melinda en Avi wisselen een veelbetekenende blik uit. Onder de tafel zoekt haar hand zijn dijbeen en knijpt er even in.

'Zijn jullie een stel?' vraagt William. 'Zijn zij een stel?' fluistert hij bijna onhoorbaar.

'Ze hebben niet gezegd dat ze een stel waren,' zegt Kelly.

William heeft waarschijnlijk een zendertje in zijn oor en Kelly is waarschijnlijk in de aangrenzende ruimte met de doorkijkspiegel, toekijkend en luisterend.

'Ja, ja, maar hoe zijn die ligbaden de berg op gekomen?' vraagt Avi. 'Wie heeft ze naar boven gedragen? Dat wil ik weleens weten.'

'Dat heet iets voor kennisgeving aannemen. Ik vind het wel iets hebben, die baden,' zegt Elliot. 'Mijn vrouw vindt het leuk.'

'Kun je misschien uitleggen waarom, Elliot?' vraagt William.

'Sommige van die andere reclames zijn zo bot,' zegt Elliot.

'Het is beter dan die met die man met die rugbybal, of die met die trein. Kom op, zeg. Lekker denigrerend. Een vagina is geen tarzanslinger. Of tunnel. Oké, misschien een beetje een tunnel, dan,' zegt Melinda.

'Dus jouw vrouw gaat voor de Cialis-filmpjes, Elliot?' vraagt William.

'Ze had liever gehad dat ik geen erectiestoornis (ED) had,' zegt Elliot, 'maar aangezien je dat niet voor het zeggen hebt... Ja, ze kan de ligbadfilmpjes beter verkroppen dan de andere.'

'Sonja, jij hebt nog niets gezegd. Wat vind jij van het filmpje?' vraagt William.

Sonja haalt haar schouders op.

'Oké, prima. Ik kom straks bij je terug,' zegt William. 'Cialis, dus, Avi. Jij bent vierentwintig en een gebruiker. Hoe komt dat?'

'Zullen we deze mensen alsjeblieft geen gebruikers noemen?' zegt Kelly.

Avi kijkt naar Melinda, die verlegen glimlacht. 'Waarom niet?' zegt hij.

'Heb jij ED-problemen?'

'Je bedoelt daarbeneden?' Avi wijst naar zijn kruis.

'Ja,' zucht William.

'Gast, zie ik eruit alsof ik problemen heb? Het wordt er alleen nog beter van.'

'Gast, wil je daar iets meer over vertellen?' zegt William.

Avi haalt zijn schouders op, duidelijk niet geneigd om verder in detail te treden.

'Oké, hoe vaak doen jullie het per week?'

'Hoe vaak per *dag*,' corrigeert Melinda. 'Twee keer. Soms drie keer in het weekend. Maar zeker twee keer.'

William kan zijn sceptische toon niet verbloemen. 'Echt waar?' zegt hij. 'Drie keer per dag?'

Elliot kijkt verbluft. Sonja zit er apatisch bij. Ik voel me misselijk worden.

'Je moet hem uithoren, niet uitdagen,' zegt Kelly. 'We hebben details nodig.'

Ik vind het zo gek nog niet. Toen we in de twintig waren, deden William en ik het ook weleens drie keer per dag. Op nationale feestdagen. En Jom Kipoer.

'Ja man, drie keer per dag,' zegt Avi, tamelijk geïrriteerd. 'Waarom zouden we daarover liegen? Jullie betalen ons toch om de waarheid te vertellen?'

'Prima. En hoe vaak per week neem je Cialis?'

'Eén keer per week. Meestal op vrijdagmiddag.'

'Waarom Cialis en geen Viagra?'

'Vier uur. Zesendertig uur. Reken maar uit.'

'Hoe kom je aan de recepten dan?' vraagt William.

'Ik zei tegen de dokter dat ik een probleem had. *Daarbeneden*.'

'En hij geloofde je?'

Avi leunt achterover in zijn stoel. 'Gast, wat is je probleem?'

William zwijgt en besluit een standaardvraag te stellen. 'Als Melinda een auto was, wat voor auto zou ze dan zijn?'

William gedraagt zich bijzonder vreemd. Zelfs zijn stem klinkt anders.

Avi zegt niets en kijkt uitdagend in de camera.

'Rustig aan,' zegt Kelly. 'Je raakt hem kwijt.'

'Kom op. Laat me raden,' zegt William. 'Een Prius. Maar dan wel volledig opgeladen. 1 op 20. Ingenieuze stuurvergrendeling. Bluetooth en stoelen die helemaal plat kunnen.'

'William,' waarschuwt Kelly.

'Dus je mag Melinda drie keer per dag neuken.'

Iedereen is op slag stil. Kelly stormt de kamer in.

'Oké. Pauze!' schreeuwt ze. 'Er staan gratis drankjes en koeken klaar in de hal.' De camera gaat abrupt uit en zoemt een seconde later weer in op de nu lege tafel.

'Hoe kun je het nou over "neuken" hebben?' zegt Kelly.

'Het is toch een enorme eikel,' zegt William.

'Dat doet er niet toe. Hij is een klant.'

'Ja, en wij betalen hem om de klant te zijn. Mannen van in de twintig zijn trouwens helemaal niet onze doelgroep.'

'Correctie. Zesendertig procent van de nieuwe gebruikers zijn mannen tussen de twintig en vijfendertig. Misschien moet ik even bemiddelen.'

'Nee, dat doe ik wel. Stuur ze maar weer naar binnen.'

De mannen en vrouwen komen de kamer weer in met blikjes cola en cola light in de hand.

'Elliot, hoe vaak per maand heb jij seks?' vraagt William.

'Met of zonder Cialis?'

'Zeg het maar.'

'Zonder, nooit. Met, één keer per week.'

'Mogen we daaruit concluderen dat Cialis jouw seksleven heeft verbeterd?'

'Ja.'

'En zou je het ook hebben geprobeerd als je geen ED had gehad?'

Elliot kijkt verbaasd. 'Waarom zou ik dat doen?'

'Nou, net als Avi. Zou je het voor de lol gebruiken?'

'Crocket is leuk. Midgetgolf is leuk. Vrijen is niet leuk. Liefde is geen eindeloze milkshake die zichzelf voortdurend bijvult. Het bijvullen doe je zelf. Dat is het geheim van het huwelijk.'

'Ja man, rijd maar door je vrouwtjessupermarkt. Neem nog zo'n vette shake,' zegt Avi.

Elliot kijkt Avi vorsend aan. 'Ze zeggen niet voor niets dat liefde een werkwoord is.'

Avi rolt met zijn ogen.

'Ik vind het schattig,' zegt Melinda. 'Waarom werken wij nooit ergens aan?'

'Terug naar Sonja,' zegt Kelly.

Sonja Popovich ziet er uitgeblust uit, alsof ze vergeten is haar medicijnen te nemen. Zevenenveertig. Ze is drie jaar ouder dan ik. Ze ziet er absoluut ouder uit. Nee, ik zie er jonger uit. Ik speel dit spelletje continu. Ik ben nu op het punt dat ik niemands leeftijd meer kan schatten.

'Mag ik hier roken?' vraagt Sonja.

'Dat lijkt me niet zo'n goed idee. Dan gaat er waarschijnlijk meteen ergens een alarm af,' zegt William.

Sonja glimlacht. 'Ik ben geen echte roker. Af en toe.'

'Ik ook,' zegt William.

Sinds wanneer is William een gezelligheidsroker?

'Ben jij hier omdat je man ED heeft?'

'Nee, ik ben hier omdat *ik* ED heb.'

'Knik,' zegt Kelly.

'Ik haat die Cialis-reclames. En die van Viagra. En Levitra.'

'Waarom?'

'Als je man terugkomt en zegt: "Hé schat, goed nieuws, we kunnen zesendertig uur non-stop seksen", is dat geen reden voor een feestje, geloof dat maar.'

'Maar Cialis gaat niet over zesendertig uur non-stop seksen, het gaat over een vermeerderde toevoer van bloed om...' zegt William.

'Zesendertig seconden, dat zou pas bijzonder zijn.'

'Meen je dat?' zegt Avi.

'Ja, dat meen ik,' zegt Sonja. Haar gezicht vertrekt. Een grote dikke traan rolt over haar wang.

'Wat zielig,' zegt William.

'Dat zeg je toch niet,' sist Kelly.

'Zesendertig seconden. Het spijt me, maar dat is echt zielig,' zegt William. 'Voor je man, bedoel ik. Jij lijkt het wel prima te vinden.'

'Jezus,' zegt Kelly.

Sonja huilt nu.

'Kan iemand even een zakdoekje brengen? Rustig maar,' zegt William. 'Het was niet lullig bedoeld. Ik was gewoon een beetje verbaasd.'

'Ik ben ook nogal verbaasd. Wat dacht jij dan? Ik weet niet wat me overkomt,' zegt ze, haar ogen deppend met een tissue. 'Ik was altijd gek op seks. Ik bedoel, ik hield er echt van. Maar nu voelt het, nou ja, het voelt gewoon dom. Als we nu seks hebben, voel ik me een soort ruimtewezen dat naar ons kijkt terwijl we bezig zijn, en dat denkt: aha, dus zo plant de lagere levensvorm die slechts tien procent van haar hersenen gebruikt zich voort. Hoe eigenaardig! Hoe ongecontroleerd! Hoe bruut! Kijk eens naar de rare gezichten die ze erbij trekken. En die geluiden... dat klotsen en kletsen, dat gesop.'

'Hier hebben we niets aan. Ander onderwerp,' zegt Kelly. 'Vraag haar wat zij van de baden vindt.'

'Hoe vaak doen jullie het?' vraagt William.

Sonja kijkt hem met betraand gezicht aan, maar zegt niets.

'Hoe vaak zou je het willen doen?'

'Nooit.'

'Dit is geen therapie,' zegt Kelly. 'Dit is een focusgroep voor de *cliënt*. Deze vrouw is niet onze doelgroep. Laat het gaan.'

'Zou je het graag anders zien?'

Sonja knikt.

'Als je het anders zou zien, hoe vaak zou je het dan willen doen? Hoe vaak per jaar?' vraagt William.

'Vierentwintig keer?' zegt ze.

'Vierentwintig keer? Twee keer per maand?'

'Ja, twee keer per maand klinkt goed. Dat lijkt me redelijk normaal, denk je niet? Is dat normaal voor jou?'

'Normaal? Nou ja, het is dubbel zo vaak als dat ik het momenteel krijg,' zegt William.

'Genoeg nu. Sluit af,' zegt Kelly.

Ik hap naar adem. Heeft mijn echtgenoot net aan de complete focus-groep en zijn collega's verteld hoe vaak wij het doen?

'Mijn vrouw en ik doen net of we het één keer per week doen, net als de meeste andere getrouwde stellen die we kennen die ook maar één keer per maand seks hebben,' zegt William.

'Ik zet de camera uit,' waarschuwt Kelly.

'Ik zeg niet dat ik een seksloos huwelijk heb,' gaat William door. 'Seksloos zou betekenen dat we het maar eens per halfjaar zouden doen, of eens per jaar. Het is alleen dat het vroeger veel vaker het goede moment leek te zijn.'

'Wat erg voor je,' zegt Elliot.

'Zeg me alsjeblieft dat wij over twintig jaar niet ook zo eindigen!' zegt Melinda.

'Nooit,' zegt Avi. 'Dat gaat ons nooit gebeuren, lieverd.'

'Het moment is *altijd* goed. Het is die *altijd* die me dwarszit. Dat is geen vrijheid. Niet voor de vrouw althans. Het is een bedreiging,' zegt Sonja. 'Het is een erectie Code Oranje.'

'Mag ik je nog één ding vragen?' vraagt William.

'Ja hoor,' zegt Sonja.

'Denk jij dat meer vrouwen van jouw leeftijd er zo over denken?'

Sonja snuift. 'Ja.'

Ik druk op de pauzeknop van de video en leg mijn hoofd op mijn bureau, wensend dat ik de laatste tien minuten van mijn leven kon terugdraaien. Waarom, waarom, waarom moest ik dit filmpje zonodig bekijken? Ik schaam me omdat ik dit achter Williams rug om doe, ik ben boos omdat hij zich zo lomp en onprofessioneel gedroeg (de belangrijkste regel tijdens focusgroepen: breng *nooit* iets persoonlijks in), en ik voel me vernederd omdat hij publiekelijk bekend heeft gemaakt dat wij een seksloos huwelijk hebben (gelogen, we doen het één keer per week... oké, eens in de twee, drie weken... oké, het komt *weleens* voor dat het maar één keer in de maand is), ik maak me zorgen dat *hij* pillen slikt waar hij me niets over verteld heeft, ik ben bang dat het Cialis is en dat hij straks komt vertellen dat we dankzij deze nieuwe medicijnen zesendertig uur de tijd hebben, waarbinnen ik geacht word minstens drie keer dagelijks te presteren, maar ik voel vooral verdriet, omdat ik me in beide vrouwen herkende. De behoefte-om-de-lucht-te-ademen-die-hij-ook-ademt-Melinda. En het-is-eigenlijk-zelden-het-goede-moment-Sonja. Zij waren (zijn) mij.

Zeg eens, Alice Buckle, als jij een auto was, welke auto zou jij dan zijn?

Dat is makkelijk: een Ford Escape. Een hybride. Basismodel. Gebruikt. Beschadigde voorbumper. Steenslag in de portieren. Een mysterieuze geur van rottend fruit vanaf de achterbank, maar betrouwbaar. Een auto met vierwielaandrijving, wat geweldig is in de sneeuw maar volkomen verloren gaat omdat de eigenaar in een stad woont waar het kwik zelden tot onder het vriespunt daalt.

En dat is precies het probleem.

18

25. Williams vriendin heette Helen Davies en ze was onderdirecteur van Branding. Het gerucht ging dat ze zich zeker binnenkort zouden verloven. Ze kwamen 's ochtends samen aan, nippend van hun koffie. Ze lunchten op Kendall Square. Aan het eind van de dag kwam ze hem halen en dan vertrokken ze richting Newbury Street voor cocktails. Ze zag er altijd geweldig uit. Ik haalde mijn outfits in de koopjeskelder.

Ik mocht aan de slag met een wc-papierklant. Het was niet zo erg als het klonk. Ik kreeg rollen wc-papier mee naar huis om me te concentreren op spannende nieuwe manieren om te zeggen *'een brandschone reet met slechts één velletje'*.

Ik zette hem uit mijn hoofd. Tot hij op een dag een mailtje stuurde.

Zijn dat hardloopschoenen op je bureau?

Ik mailde terug.

Sorry! Smerige gewoonte, ik weet het. Ik zal mijn schoenen niet meer op de tafel zetten.

En toen mailde hij weer.

Ik kwam net langs je plek. Waar zijn ze nu?

Waar zijn wat nu?

En dan een wirwar van mailtjes.

Je loopschoenen, Brown.

Aan mijn voeten.

Omdat je naar huis gaat?

Omdat ik ga hardlopen.

Wanneer?

Tijdens de lunch.

Waar?

Eh... buiten.

Ja, Brown. Dat vermoeden had ik al. Waar buiten?

Ik begin bij hotel Charles. Dan loop ik mijn vaste rondje van acht kilometer. Ik zie je daar over een kwartier.

19

Van: Echtgenote 22 <echtgenote22@netherfieldcenter.org>
Onderwerp: Timing
Datum: 18 mei, 12:50
Aan: onderzoeker101 <onderzoeker101@netherfieldcenter.org>

Onderzoeker 101,
Het kan zijn dat het wat langer duurt voordat je mijn antwoorden krijgt,
want er is hier van alles aan de hand. Misschien is het goed dat je weet dat
mijn man is gedegradeerd. Ik vertrouw erop dat we er wel uit komen, maar
het zorgt voor de nodige stress bij hem en bij mij. Ik moet zeggen dat het
best raar is om op zo'n moment terug te gaan naar de tijd dat we elkaar
leerden kennen. Het is moeilijk om de jonge en levendige William en Alice te
herkennen in het middelbare stel dat we geworden zijn. Ik word er zelfs een
beetje verdrietig van.
Groeten,
Echtgenote 22

Van: onderzoeker101 <onderzoeker101@netherfieldcenter.org>
Onderwerp: RE: Timing
Datum: 18 mei, 12:52
Aan: Echtgenote 22 <echtgenote22@netherfieldcenter.org>

Echtgenote 22,
Wat vervelend om te horen over de baan van je man. Neem je tijd. Terug-
gaan naar het begin is vaak moeilijk en zal verschillende emoties oproepen.
Op de lange duur denk ik echter dat je veel baat kunt hebben bij een tripje
naar het verleden.
Met vriendelijke groet,
Onderzoeker 101

Van: Echtgenote 22 <echtgenote22@netherfieldcenter.org>
Onderwerp: Gokken
Datum: 18 mei, 13:05
Aan: onderzoeker101 <onderzoeker101@netherfieldcenter.org>

Onderzoeker 101,
Als ik mijn computer aanzet voelt het soms alsof ik achter een fruitmachine in het casino zit. Hetzelfde gevoel van verwachting, dat alles mogelijk is en kan gebeuren. Ik hoef alleen maar aan de hendel te trekken, oftewel: op Verzend te drukken.

De beloning is direct. Ik hoor de machines kraken. Ik hoor lieflijke belletjes en zuchten en pings. En dan komen de symbooltjes: 'Kate O'Halloran vindt je commentaar leuk'; 'Kelly Cho wil vrienden met je worden'; 'Je bent getagd in een foto'... ik ben een winnaar.

Wat ik probeer te zeggen is: bedankt voor je snelle reactie.
Groeten,
Echtgenote 22

Van: onderzoeker101 <onderzoeker101@netherfieldcenter.org>
Onderwerp: Onbereikbaarheid
Datum: 18 mei, 13:22
Aan: Echtgenote 22 <echtgenote22@netherfieldcenter.org>

Echtgenote 22,
Ik snap helemaal wat je bedoelt, en ik heb dat ook, hoewel dat me wel zorgen baart. Het lijkt wel of we op het punt zijn aangekomen waarop onze ervaringen, onze herinneringen... onze levens eigenlijk, niet echt zijn tenzij we ze online zetten. Ik vraag me af of we de dagen van onbereikbaar zijn niet missen.
Groeten,
Onderzoeker 101

Van: Echtgenote 22 <echtgenote22@netherfieldcenter.org>
Onderwerp: RE: Onbereikbaarheid
Datum: 18 mei, 13:25
Aan: onderzoeker101 <onderzoeker101@netherfieldcenter.org>

Onderzoeker 101,

Ik verlang niet terug naar de onbereikbare dagen van vroeger. Als ik online ben kan ik overal heen, alles doen en leren. Vandaag bezocht ik bijvoorbeeld een kleine bibliotheek in Portugal. Ik leerde hoe de Shakers manden vlechten en ik ontdekte dat mijn beste vriendin van de middelbare school van bloedsinaasappelijs houdt. Oké, ik weet sinds vandaag ook dat een zekere popster ervan overtuigd is dat ze eigenlijk een elfje is, een barmhartig elfje uit het sprookjesbos, maar wat ik bedoel is toegang. Toegang tot informatie. Ik hoef niet eens uit het raam te kijken om te weten wat voor weer het is. Ik kan het weer elke dag thuisbezorgd krijgen op mijn telefoon. Is er iets mooier dan dat?

Vriendelijke groet,

Echtgenote 22

Van: onderzoeker101 <onderzoeker101@netherfieldcenter.org>
Onderwerp: Weer
Datum: 18 mei, 13:26
Aan: Echtgenote 22 <echtgenote22@netherfieldcenter.org>

Echtgenote 22,

Overvallen worden door een regenbui?

Groet,

Onderzoeker 101

20

Weersverwachting voor het weekend
Huize Buckle
529 Irving Drive

WAARSCHUWING: **snel opkomende huwelijksstorm, type 3,**
zaterdagmorgen

Temperatuur: Koud. Extreem koud. Echtgenoot aan het doodvriezen terwijl hij doet of er niets aan de hand is.
Max.: De dag doorkomen zonder te schreeuwen.
Min.: Hoofd in handen. Zacht gekreun. Doorlopende schaamtestoten en
schrikbeelden van KKM-medewerkers die de Cialis-opname naar honder-
den vrienden mailen en dat het filmpje zich vervolgens via een internet-
virus verspreidt.
Zicht: Beperkt. Niet hoger kijken dan kaak van echtgenoot om oogcontact
te vermijden.
Deel weer: verzend naar nedrar@gmail.com

Chatbericht van nedrar@gmail.com

Nedra: *Arme William!*

Alice: *Arme William? Arme ik!*

Nedra: *Dat krijg je ervan als je dingen doet achter Williams rug om.*

Alice: *Heb je de opname wel bekeken?*

Nedra: *Wil je mijn advies?*

Alice: *Hangt ervan af. Wat kost het?*

Nedra: *Vergeet dat je het gezien hebt.*

Zaterdagmiddag

Temperatuur: Zeer warm. Kokendheet.
Max.: Op de bank naar *Masterpiece Theater* kijken.
Min.: In mijn hoofd proberen te tellen hoe vaak wij de afgelopen twintig jaar seks hebben gehad terwijl ik net doe of ik naar *Masterpiece Theater* kijk. Kan niet hoofdrekenen. Gebruik mijn vingers om op te tellen. Schat 859. Wat is daar mis mee?
Zicht: Slecht tot geen. Dichte mist terwijl ik een gok doe naar het aantal keer dat wij in de komende twintig jaar seks zullen hebben.
Deel weer: verzend naar nedrar@gmail.com

Chatbericht van nedrar@gmail.com

Nedra: *Geen seks weigeren.*

Alice: *Waarom niet?*

Nedra: *Dit gaat niet over seks.*

Alice: *Waar gaat het dan wel over?*

Nedra: *Intimiteit. Dat is iets anders.*

Alice: *Wat stel je voor?*

Nedra: *Reik hem de hand.*

Alice: *Lekkere echtscheidingsadvocaat ben jij!*

Zondagmiddag

Wind: Kalm, bijna windstil.
Max.: Horoscoop zegt dat een onverwachte liefde op mijn pad zal komen.
Min.: Voor de achtste keer naar de Cialis-opname kijken. Mijn excuus is dat het herhaaldelijk kijken van de opname de beste manier is om immuun te worden voor de afschuwelijke publieke vernedering die mijn echtgenoot

mij cadeau heeft gedaan. Ik zou een medaille moeten krijgen. Ik zeg het tegen mijn gezin. Waarvoor, zeggen ze.

Droogte: Opklaringen. Ik heb naast hem gezeten op de bank.

Deel weer: Verzend naar <u>nedrar@gmail.com</u>

Chatbericht van <u>nedrar@gmail.com</u>

Nedra: *Heb je die belachelijke opname gewist?*

Alice: *Ja.*

Nedra: *Goed gedaan. En nu verder met je leven.*

Alice: *Horoscoop zegt dat er liefde op mijn pad gaat komen.*

Nedra: *Vast wel, liefje.*

Alice: *Ik moet gewoon geduld hebben.*

Nedra: *Je hebt het getroffen. Dat weet je toch wel?*

Alice: *Geduld is niet makkelijk voor een Maagd.*

Nedra: *Of een echtscheidingsadvocaat. CU.*

21

26. De koffiemachine smerig achterlaten. Over de bril plassen. Met de deur open plassen. Over mijn schouder meelezen. Spijkerbroeken binnenstebuiten in de wasmand.

27. Drie, oké, vijf.

28. Eén keer per jaar.

29. Helemaal. Absoluut niet. Moeilijk te zeggen.

30. Een postzegelalbum.

31. Hij stond te wachten in de tuin van hotel Charles. Walkman op zijn hoofd. Hij knikte naar me, we gingen, en hij heeft het hele rondje zwijgend naast me gelopen. Ik daarentegen ratelde aan één stuk door, in mijn hoofd tenminste.

Asics? Brede voeten zeker. Waarom zegt hij niets? Vindt hij me stom? Doen we iets wat niet mag? Moet ik doen alsof we niet samen lopen? Waarom rent hij niet met Helen? Helena van Troje? Waar luistert hij naar? Is dit een afspraakje? Jezus, wat is ie leuk. Wat voor spel speelt hij? Hij ruikt naar zeep. Klotsen mijn dijen? Ja, hij raakte net per ongeluk mijn borst met zijn elleboog. Wist hij dat het mijn borst was? Was het expres? Waarom zegt hij niets? Goed, wat kan mij het ook schelen, ik zeg gewoon ook niets.

We liepen acht kilometer in eenenveertig minuten. Eenmaal terug bij Peavey Patterson knikte hij nog eens naar me, en sloeg toen links af richting de toiletten van het management. Ik ging naar rechts, naar de personeelstoiletten. Toen ik weer op mijn plek was, mijn haar in een slordige paardenstaart, had ik een mailtje. *Je bent snel.*

32. Dat we elkaar in een onbewaakt ogenblik weleens zouden kunnen vergeten.

22

Van: Echtgenote 22 <echtgenote22@netherfieldcenter.org>
Onderwerp: Hallo
Datum: 20 mei, 11:50
Aan: onderzoeker101 <onderzoeker101@netherfieldcenter.org>

Onderzoeker 101,
Sorry dat ik zo lang niet geschreven heb. Het gaat al een tijdje minder goed
tussen mij en mijn man. Daardoor vind ik het moeilijk om de vragen te be-
antwoorden. Vooral die over de tijd dat we verliefd op elkaar werden.
Hartelijke groet,
Echtgenote 22

Van: onderzoeker101 <onderzoeker101@netherfieldcenter.org>
Onderwerp: RE: Hallo
Datum: 20 mei, 11:53
Aan: Echtgenote 22 <echtgenote22@netherfieldcenter.org>

Echtgenote 22,
Dat snap ik volkomen, hoewel ik moet zeggen dat je zeer zorgvuldig bent in
je antwoorden. Het lijkt wel of je alles nog precies weet, wat trouwens mis-
schien wel iets te maken heeft met jullie huidige situatie. Je herinnert je het
verleden zo levendig. Toen ik je antwoord op vraag 31 las, leek het wel alsof
ik er zelf bij was. Ik vraag me af of je het heden met net zoveel aandacht
voor detail ervaart?
Ik hoop dat je man inmiddels weer betere vooruitzichten heeft qua werk.
Vriendelijke groet,
Onderzoeker 101

Van: Echtgenote 22 <echtgenote22@netherfieldcenter.org>
Onderwerp: RE: Hallo
Datum: 20 mei, 11:55
Aan: onderzoeker101 <onderzoeker101@netherfieldcenter.org>

Onderzoeker 101,
Ik weet niet zeker of het beter is, maar ik ben in elk geval minder tijd kwijt in de supermarkt om te kiezen tussen Minute Maid of Tropicana. Ik neem nu automatisch de SunnyD. En nee, het lukt mij niet het heden met hetzelfde oog voor detail te ervaren. Als het heden echter verleden wordt, heb ik er geen enkele moeite mee er obsessief mee om te gaan. :)
Echtgenote 22

Van: onderzoeker101 <onderzoeker101@netherfieldcenter.org>
Onderwerp: RE: Hallo
Datum: 20 mei, 11:57
Aan: Echtgenote 22 <echtgenote22@netherfieldcenter.org>

Echtgenote 22,
Wat is er eigenlijk met Tang gebeurd?
Onderzoeker 101

Van: Echtgenote 22 <echtgenote22@netherfieldcenter.org>
Onderwerp: RE: Hallo
Datum: 20 mei, 12:01
Aan: onderzoeker101 <onderzoeker101@netherfieldcenter.org>

Onderzoeker 101,
Weet je, ik kan momenteel maar niet stoppen met het 'wat als'-spelletje. Wat als ik een fietser was geweest in plaats van een loper? Wat als William met Helena van Troje was getrouwd in plaats van met mij?
Hoogachtend,
Echtgenote 22

Van: onderzoeker101 <onderzoeker101@netherfieldcenter.org>
Onderwerp: RE: Onbereikbaarheid
Datum: 21 mei, 1:42
Aan: Echtgenote 22 <echtgenote22@netherfieldcenter.org>

Echtgenote 22,
Ik weet uit ervaring dat 'wat als' een heel gevaarlijk spelletje is.
Groeten,
Onderzoeker 101

23

Ik zit op een bankje met mijn telefoon in de hand terwijl er een stuk of honderd kinderen rondjes om mij heen rennen. Ik heb pauzedienst. Sommige docenten hebben een hekel aan pauzedienst omdat het vermoeiend en dodelijk saai zou zijn, maar ik vind het geen enkel probleem. Ik ben bijzonder goed in het aanvoelen van de meute, het herkennen van hun lichaamstaal, het herkennen van de emotie in hun stemmetjes, en net op tijd tussenbeide komen als ze elkaar te lijf willen gaan, of als het startsein wordt gegeven voor de illegale Pokemon-kaartenhandel, of de Hello Kitty-lipgloss-opmaaksessie. Dit soort intuïtie kun je zien als een vloek of een gave, ik houd het bij een gave. Pauzedienst is als autorijden. Aan de oppervlakte ben je hyperalert, waardoor je je voor de rest totaal kunt overgeven aan het overpeinzen van alles wat er op dat moment omgaat in je leven.

Ik heb Nedra's advies opgevolgd en heb William nooit verteld dat ik achter zijn rug om contact heb opgenomen met Kelly Cho. Nu heb ik dus twee geheimen voor hem: het huwelijksonderzoek en de opname van de Cialis-focusgroepsessie. Ik werd wel een soort van hysterisch toen ik hem mijn huishoudboekje liet zien en heb iets gezegd in de trant van *je moet beter je best doen.* Hij zegt dat hij vacatures bij andere reclamebureaus aan het bekijken is, maar ik ben bang dat dat geen zoden aan de dijk zet. Het zijn moeilijke tijden. Winkels moeten sluiten en het budget voor marketing en publiciteit wordt alsmaar kleiner of verdwijnt helemaal. Hij moet ervoor gaan bij KKM. Wat betreft de Cialis-focusgroep: ik heb besloten dat dit de laatste keer was dat ik naar een KKM-productpresentatie ging.

En *mijn* werk? Ik mag blij zijn dat ik werk heb. Na dit schooljaar ga ik de ouderraad vragen of het mogelijk is om in het najaar fulltime aan de slag te gaan. Als dat niet kan, zal ik op zoek moeten naar een beter betaalde baan. Ik moet meer inkomen inbrengen.

De bel gaat en de kinderen rennen naar binnen. Ik open snel mijn Facebook-app.

Shonda Perkins > Alice Buckle

Definitie van een vriend: iemand waarmee je het afgelopen jaar ten minste 1 keer hebt gegeten.

43 minuten geleden

John F. Kennedy Middle School

Raadt aan kinderen niet langer dan 1 uur achter een scherm te laten zitten, inclusief sms'en, twitteren en facebooken. Exclusief huiswerkactiviteiten.

55 minuten geleden

Weight Watchers

Kom terug! We missen je!

3 uur geleden

William Buckle

Heeft Tone Loc en Mahler toegevoegd aan Favoriete muziek

4 uur geleden

William Buckle

Heeft Deer Hunter, Dr Strangelove *of* How I Learned to Stop Worrying and Love the Bomb, *en* Field of Dreams *toegevoegd aan Favoriete films*

4 uur geleden

Tone Loc? *Funky Cold Medina*-Tone Loc? En Williams favoriete film is *Field of Dreams*? Wij zitten bepaald niet in een droomveld. Een doornveld misschien. William was berispt voor het aan de hele organisatie bekend-maken van het aantal keer dat wij het per maand deden, en ik leg achter de rug van mijn echtgenoot om mijn ziel bloot tegenover een totale vreemde die nu weet dat hij ooit per ongeluk met zijn elleboog mijn borst aanraakte. Net als mijn naamgenoot, Alice, ben ik in het konijnenhol gevallen, val, vallend, gevallen.

24

33. Als het een onderwerp is dat hem interesseert.

34. Ik deed het met een jongen die Eddie heette. Ik kende hem van de fitnessclub waar ik altijd baantjes zwom. Eddie trainde met gewichten. Hij was lief en ongecompliceerd. Hij had van die blozende wangen en perfecte tanden. Hij was niet mijn type, maar dat lijf... o mijn god. Onze relatie was puur fysiek en de seks was geweldig, maar ik wist dat er tussen ons nooit meer zou kunnen zijn. Dat had ik hem natuurlijk niet verteld.

'Hé, Al, Allie!'

Het was vrijdagmiddag en ik stond bij de toonbank van Au Bon Pain voor een broodje kipkerrie en een cola light. Ik stond al een kwartier in de rij. Er stonden nog een stuk of twintig mensen achter mij.

'Pardon, pardon. Ik hoor bij haar.'

Eddie worstelde zich naar voren. 'Hé, pop.'

Ik had nog nooit een vriendje gehad dat mij pop noemde, en ik geef toe dat ik het leuk had gevonden. Tot nu althans. In de slaapkamer had ik me er petite en Bonnie and Clyde-achtig door gevoeld, maar hier in de Au Bon Pain voelde ik me vooral goedkoop.

Hij kuste me op de wang. 'Man, wat is het hier druk.'

Hij had een blauwe bandana in Rambo-stijl om zijn hoofd gebonden. Ik had dit soort bandana's wel gezien op de sportschool, de enige plek waar wat mij betreft een blauwe bandana op deze manier gedragen mag worden. Strikt genomen waren we nog nooit in het openbaar samen op stap geweest. We zagen elkaar doorgaans bij mij of bij hem thuis; zoals ik al zei ging het in onze relatie vooral om de seks. Maar nu stonden we hier, bij Au Bon Pain en hier stond hij dan, verkleed als Sylvester Stallone, en ik zakte ter plekke door de grond.

'Heb je het niet warm?' zei ik nadrukkelijk starend naar zijn voorhoofd terwijl ik hem telepathisch de boodschap zond *dat hij in Cambridge was, niet in Noord-Londen, doe dat belachelijke ding af.*

'Het is hier inderdaad best warm,' zei hij en hij trok zijn spijkerjasje uit, waaronder hij een wit hemd droeg. Hij leunde voorover, waardoor zijn indrukwekkende schouderspieren van hun beste kant zichtbaar werden en legde een briefje van twintig op de toonbank. 'Doe maar twee met kipkerrie,' zei hij en hij draaide zich toen om naar mij. 'Ik had zin om je te verrassen.'

'Nou, dat is dan gelukt! Mij verrassen, bedoel ik. Eh, ik denk dat er hier regels gelden over mouwloze T-shirts.'

'Ik hoopte dat je me na de lunch je werk kon laten zien. Mij voorstellen en een rondleiding geven.'

Ik wist wat Eddie dacht. Dat ik hem mee zou nemen en dat de monden van mijn collega's bij Peavey Patterson open zouden vallen en dat ze zich zouden afvragen wie die smakelijke gozer met dat geweldige lijf was (wat precies is wat er met mij gebeurde toen ik hem in de sportschool zag), en dat hij vervolgens onmiddellijk gevraagd zou worden het gezicht te zijn voor een of ander groot merk. Het was geen compleet ondenkbaar scenario; hij had charisma en zou waarschijnlijk alles kunnen verkopen: papieren zakdoekjes, babydoekjes of hondenvoer. Maar niet in hemd en bandana.

'Wauw, wat een goed idee. Je had het me alleen even iets eerder moeten laten weten. Vandaag komt het slecht uit. Er is een grote klant op bezoek. Ik had niet eens hier moeten zijn voor de lunch. Ik zou eigenlijk binnen eten, iedereen is binnengebleven voor de lunch.'

'Alice! Alice, sorry dat we zo laat zijn,' riep een vrouw.

Nu drong Helen door de rij wachtenden naar voren, met een benauwd kijkende William in haar kielzog. Hij en ik hadden een halfuur geleden nog samen hardgelopen. Ik weet zo goed als zeker dat Helen niets wist van onze gezamenlijke sportmomenten. Of dat ik zijn zonnebrand gebruikte. Of dat ik er zelfs na het douchen nog naar rook.

'Niet voordringen!' schreeuwde iemand.

'Die mensen gaan voor hun beurt!' riep iemand anders.

'Wij horen bij haar,' zei Helen. 'Sorry, hoor,' fluisterde ze naar mij. 'Het was zo'n lange rij, dat vind je toch wel goed? Hé, hallo!' Er verscheen een enorme lach op haar gezicht toen ze Eddie ontdekte. Ter hoogte van de bandana bleef haar blik een fractie van een seconde hangen. 'Wie hebben we hier, Alice?'

'Dit is Eddie,' zei ik en door het kat-en-muizerige toontje dat ze aansloeg voelde ik me opeens geroepen hem te verdedigen. 'Eddie, dit zijn Helen en William.'

'Vriendje,' stelde Eddie zich voor aan Helen en hij leunde voorover om haar een hand te geven. 'Ik ben haar vriendje.'

'Echt waar,' zei Helen.

'Echt waar?' zei William.

'Echt waar,' zei ik, geïrriteerd. Had hij gewoon aangenomen dat ik vrijgezel was? Waarom zou ik geen vriendje hebben, en waarom zou die er niet uitzien als Mr Olympia?

'Toch, liefje?' zei Eddie. Hij kuste me in mijn nek.

William trok zijn wenkbrauwen op. Zijn mond viel bijna onmerkbaar een klein stukje open. Was hij *jaloers*?'

'Je zonnebrand ruikt naar kokos, lekker,' zei Eddie.

Helen keek William aan. 'Ik dacht dat *jij* dat was.'

25

Van: Echtgenote 22 <echtgenote22@netherfieldcenter.org>
Onderwerp: Huwelijkscoop?
Datum: 25 mei, 7:21
Aan: onderzoeker101 <onderzoeker101@netherfieldcenter.org>

Onderzoeker 101,
Ik vroeg me af: hoe gaan jullie de antwoorden interpreteren? Is er een soort computerprogramma waar jullie alles invoeren om tot een profiel te komen? Een type? Zoiets als een horoscoop? Een huwelijkscoop?
En waarom krijg ik niet alle vragen tegelijk? Is dat niet makkelijker?
Echtgenote 22

Van: onderzoeker101 <onderzoeker101@netherfieldcenter.org>
Onderwerp: RE: Huwelijkscoop?
Datum: 25 mei, 7:45
Aan: Echtgenote 22 <echtgenote22@netherfieldcenter.org>

Echtgenote 22,
Het is veel gecompliceerder dan een horoscoop. Ken je die muzieksites op internet? Dat je nummers in kunt voeren die je leuk vindt en dat er dan een persoonlijke radiozender voor jou wordt gecreëerd op basis van de eigen-schappen van de nummers die je ingevoerd hebt? Nou, dat lijkt op de manier waarop wij jouw antwoorden coderen, interpreteren en waarderen. We iden-tificeren emotionele datapunten in je antwoorden. Sommige langere ant-woorden zullen vijftig punten bevatten. Kortere antwoorden misschien vijf.
Ik denk weleens dat we een soort algoritme van het hart hebben ontwik-keld.
Wat betreft je tweede vraag: we hebben gemerkt dat er na verloop van tijd een soort vertrouwensband kan ontstaan tussen de onderzoeker en de respondent. Daarom hebben we de vragen opgedeeld. Iets in de staat van verwachting over wat komen gaat komt het onderzoek voor beide partijen ten goede.

Wachten is een uitstervend talent. De wereld raast maar door en volgens mij is dat eeuwig zonde omdat we hierdoor de diepere geneugten van weggaan en terugkomen lijken te zijn verloren.
Liefs,
Onderzoeker 101

Van: Echtgenote 22 <echtgenote22@netherfieldcenter.org>
Onderwerp: RE: Huwelijkscoop?
Datum: 25 mei, 9:22
Aan: onderzoeker101 <onderzoeker101@netherfieldcenter.org>

Beste Onderzoeker 101,
De diepere geneugten van weggaan en terugkomen lijken te zijn verloren. *Je lijkt wel een dichter, Onderzoeker 101. Zo voel ik me weleens. Als een ruimtevaarder die de weg terugzoekt naar de fysieke wereld en erachter komt dat in de tijd dat ik rondzweefde in de ruimte, de fysieke wereld is opgehouden met bestaan. Ik vermoed dat het iets te maken heeft met ouder worden. Ik heb minder toegang tot de zwaartekracht en breng het gros van de tijd ongestoord zwevend door.*

Vroeger, heel vroeger, wisselden mijn man en ik 's avonds in bed voor het slapengaan onze Facebook-berichtjes live uit.

Alice had een heel zware dag. William zegt dat het morgen beter zal gaan.

Ik geef toe dat ik dat mis.
Echtgenote 22

26

De brugklas gaat op kamp naar Yosemite. Dat betekent dat ik op kamp ga, hoera! Tenminste, dat lijkt er verdacht veel op als je ziet wat ik allemaal moet doen om Peter op weg te helpen.

'Heb je borden en bestek?' vraag ik Peter.

'Nee, maar we hebben papieren bordjes.'

'Hoe vaak gaan jullie eten?' Ik begin op mijn vingers te tellen. 'Avondeten, ontbijt, lunch, avondeten, ontbijt, lunch, avondeten, ontbijt. Dat zijn afbreekbare bordjes, toch?'

De school van Peter neemt het milieu uitermate serieus. Plastic is verboden. Ouderwetse katoenen zakdoeken worden aangemoedigd. Tijdens de themaweek verkoopt de ouderraad naast bekers en truien ook onverwoestbare lunchboxen.

Peter haalt zijn schouders op. 'Ik krijg daar wel iets.'

Ik maak een snelle berekening. Twintig kilometer naar REI rijden om een lunchset aan te schaffen op Autoloze Vrijdag, een dag waarop ik word geacht te carpoolen of in elk geval de bus te nemen. Bij REI aankomen om erachter te komen dat de enige lunchsets op voorraad in Japan zijn gemaakt. Teleurgesteld afdruipen omdat ik het aan de stok zal krijgen (met Zoe) als ik met een lunchset aankom die meer dan drieduizend kilometer heeft afgelegd om in Oakland verkocht te worden. Papieren bordjes dan maar.

'Als er iemand naar vraagt, zeg je maar dat de CO_2-uitstoot die het zou kosten om een nieuw setje aan te schaffen veel schadelijker is dan het gebruik van vijf papieren bordjes van je moeder, aangeschaft in 1998 toen de opwarming van de aarde nog slechts veroorzaakt werd door tuinders die dagelijks kool aten bij de lunch.'

'Zwarte muts of groene muts?' vraagt Peter. Hij houdt de groene omhoog. 'Groen. En had je nog babydoekjes gehaald? Ik moet iets achter de hand hebben voor het geval de douches te smerig zijn om aan te pakken. Ik hoop dat ik met Briana in een tent mag. We hebben meneer Solberg gezegd dat onze vriendschap zuiver platonisch is, we zijn al vrienden vanaf groep 6, en waarom zouden tenten niet gemengd kunnen zijn? Hij zei dat hij erover na zou denken.'

'*Erover nadenken* betekent nee, maar dat ga ik je pas op het allerlaatste moment vertellen,' zeg ik.

Peter gromt. 'Wat als ik met Eric Haber moet?'

Peter houdt maar niet op over Eric Haber. Wat een eikel het is. Hoe luid hij eet, hoe slecht hij praat.

'Geef hem dan de zwarte muts,' zeg ik.

Ik denk dat Peter verliefd is op Eric maar het niet durft toe te geven. Ik heb de LGBT-literatuur erop nageslagen, en het is mijn rol om ervoor open te staan en rustig te wachten tot mijn kind klaar is om uit de kast te komen. Hem onder druk zetten om er eerder voor uit te komen zal hem alleen maar beschadigen. Kon ik maar voor hem uit de kast komen. Ik heb het me zo vaak voorgesteld. *Peter, ik moet je iets vertellen wat je misschien helemaal niet verwacht had. Je bent homoseksueel. Misschien biseksueel, maar ik denk eigenlijk homoseksueel.* En daarna zouden we samen huilen van opluchting en de herhaling van *Bonanza* kijken, wat we toch al deden, maar wat nu anders zou voelen omdat we de last van zijn geheim samen deelden. In plaats daarvan probeer ik subtiel uit te stralen dat ik achter de keuzes in zijn leven sta.

'Eric lijkt me een coole gozer. Wil je hem niet eens uitnodigen om te komen spelen?'

'Wil je nou eens ophouden met "coole gozer" zeggen en "spelen"?'

'Nou, hoe moet ik het dan noemen? Als er vriendjes langskomen?'

'Langskomen.'

'Zo noemden we dat in de jaren zeventig! Ja echt, dertig jaar geleden was het leven anders, maar wat niet veranderd is, is dat het niet makkelijk is om op de middelbare school te zitten. Je lijf verandert. Je zoekt je identiteit. De ene dag denk je dat je zus bent, de volgende ben je zo. Maar dat is allemaal heel normaal. Het hoort allemaal bij...'

Peters blik dwaalt af naar mijn hoofd. 'Waarom heb je eigenlijk oranje highlights?'

Ik draai een pluk haar om mijn vinger. 'Dat gebeurt als de kleur vervaagt. Is het echt oranje?'

'Meer roestkleurig.'

De volgende morgen zet ik Peter en Zoe bij school af, en onderweg naar mijn werk zie ik dat Peter zijn hoofdkussen op de achterbank heeft laten liggen. Ik kom toch al te laat en Peter kan vast niet goed slapen zonder kussen. Ik race terug naar de school en ben net op tijd. De bus die de brugklas naar Yosemite zal brengen staat nog met draaiende motor op de parkeerplaats.

Ik stap in de bus met het kussen onder mijn arm. Het duurt een seconde voordat iemand merkt dat ik in de bus ben en ik kijk naarstig rond, opgewonden dat ik de kans krijg om mijn zoon in zijn natuurlijke omgeving te bespieden.

Ik vind hem in het midden van de bus, naast Briana. Hij heeft zijn arm om haar heen geslagen en haar hoofd ligt op zijn schouder. Een verontrustend beeld, om twee redenen. Ten eerste is het de eerste keer dat ik mijn zoon in een enigszins intieme houding aantref, wat er angstaanjagend natuurlijk en angstaanjagend volwassen uitziet. En twee, omdat ik weet dat hij net doet alsof. Hij probeert zich voor te doen als hetero, wat mijn hart breekt.

'Pedro, je moeder is er.'

Zijn er gênantere woorden die er door een bus kunnen zoemen?

'Pedro is zijn *warme mutsje* vergeten,' zingt iemand achter in de bus.

Ja dus, die zijn er.

'Ik geef hem wel aan Peter,' zegt mevrouw Ward, de docent Engels die voorin de bus zit.

Ik klem het kussen stevig onder mijn arm... verstijfd.

'Het komt wel goed. Geef maar,' zegt ze.

Ik geef haar het kussen, maar blijf staan waar ik sta. Ik kan mijn blik niet van Briana losrukken. Ik weet dat ik me niet bedreigd zou moeten voelen, maar toch is het zo. Het afgelopen jaar is ze van een komisch beugelbekkie getransformeerd tot een prachtige jonge vrouw in skinny jeans en een mooi aansluitend blouseje. Had William gelijk? Ben ik zo bang om Peter te verliezen dat ik me probeer te meten aan een twaalfjarige?

'Tijd om te gaan, mevrouw Buckle,' zegt mevrouw Ward.

Ja, ik moet snel weg, voordat *Pedro, je moeder is er* verandert in *Pedro, je moeder staat te janken omdat ze je geen vierentwintig uur kan missen.* Peter zit onderuitgezakt in zijn stoel met de armen gekruist uit het raam te staren. Ik stap in mijn auto en laat mijn hoofd op het stuur zakken terwijl de bus optrekt, dan zet ik mijn Susan Boyle-cd op (het nummer *Wild Horses*, waar ik altijd een goed humeur en moed uit put) en bel Nedra.

'Peter heeft een excuustruus!' roep ik. Ik hoef Nedra niet uit te leggen waar ik het over heb.

'Een excuustruus? Nou, leuk toch! Dat is allemaal onderdeel van het proces. Als hij tenminste echt homo is.'

Nedra is net als William nog niet overtuigd van Peters geaardheid.

'Dus dat is normaal?' vraag ik.

'Het is in elk geval niet abnormaal. Hij is jong en in de war.'

'En hij schaamt zich dood. Ik heb hem net voor de hele klas voor schut gezet. Ik wilde hem net gaan vragen of hij mijn haar wilde verven en nu haat hij me, en nu moet ik het zelf doen.'

'Waarom ga je niet naar Lisa?'

'Ik probeer te minderen.'

'Alice, hou op met doemdenken. Alles komt goed. Heeft Truus een naam?'

'Briana.'

'Mijn god, wat een verschrikkelijke naam. Zo...'

'Amerikaans, ik weet het. Maar het is een schatje. En mooi,' voeg ik besmuikt toe. 'Ze zijn al jaren bevriend.'

'Weet ze dat ze een Truus is?'

Ik denk aan het dicht tegen elkaar zittende stelletje. Haar ogen halfdicht.

'Ik betwijfel het.'

'Tenzij zij lesbisch is en hij haar Truus is. Misschien hebben ze wel een deal. Zoals Tom en Katie.'

'Ja, zoals ToKat.'

'Niemand noemt ze ToKat.'

'KatTo?'

Stilte.

'Nedra?'

'Ik geef je een nieuw abonnement op *People*, maar deze keer verdomme wel echt lezen, hè?'

27

'Wat lief dat ik bij jullie mag logeren tot ik iets gevonden heb,' zegt Caroline Kilborn.

Ik sta in de deuropening, zichtbaar geschokt. Ik verwachtte een jongere versie van Bunny: een blonde, elegant geklede en gekapte jonge vrouw. In plaats daarvan sta ik tegenover een onopgemaakte, roodharige sproetenkop, het haar in een snelle paardenstaart. Ze draagt een strakke zwarte rok en een los mouwloos shirtje waar haar gespierde armen goed in uitkomen.

'Je herkent me niet meer, hè?' zegt ze. 'Jij zei altijd dat ik eruitzag als een pop. Als een lappenpop.'

'Zei ik dat?'

'Ja, toen ik tien was.'

Ik schud mijn hoofd. 'Zei ik dat? Jezus, wat onaardig van me. Het spijt me!'

Ze haalt haar schouders op. 'Ik zat er niet mee. Je had je debuut in het Blue Hill-theater. Je had wel iets anders aan je hoofd.'

'Ja,' zeg ik, en een rilling loopt over mijn rug terwijl ik de vervelende herinnering aan die avond van me af probeer te schudden.

Caroline glimlacht en draait zich om op haar hielen. 'Het was een geweldige voorstelling. Mijn vriendinnen en ik waren er weg van.'

Haar vriendinnen uit groep 6.

'Loop jij?' Ze wijst naar mijn bemodderde gympen die ik in een plantenbak heb gegooid waar alleen een laag droog zand in ligt omdat ik altijd vergeet de planten die ik in huis haal water te geven.

'Eh, ja,' zeg ik, wat inhoudt dat ik tien jaar geleden hardliep en tegenwoordig meer een soort van jog, of liever gezegd: wandel, of liever gezegd: op en neer naar mijn computer loop en dat mee laat tellen voor de 10.000 stappen.

'Ik ook,' zegt ze.

Vijftien minuten later staan Caroline Kilborn en ik klaar om een stuk te gaan rennen.

Vijf minuten later vraagt Caroline Kilborn of ik last heb van astma.

Vijf seconden later vertel ik haar dat mijn piepende ademhaling het gevolg is van meerdere allergieën en de bloeiende acacia, en dat ze misschien maar beter vast vooruit kan lopen omdat ik haar trainingsuurtje op haar eerste dag in Californië niet wil verpesten.

Zodra Caroline uit het zicht verdwenen is, stap ik op een dennenappel, verzwik mijn enkel en val in een berg bladeren terwijl ik bid *of ik alsjeblieft niet aangereden word door een auto*.

Ik maakte me zorgen om niets. Ik word niet aangereden door een auto. Het is veel erger: een auto stopt en een aardige oudere man vraagt of hij me misschien thuis kan brengen. Eigenlijk weet ik niet precies wat hij vraagt, want ik heb mijn oordopjes nog in en sein uit alle macht dat hij wel weer kan gaan, op de manier waarop je als je valt dingen zegt als *het gaat prima, het gaat prima*, als het eigenlijk helemaal niet prima gaat. Ik accepteer zijn aanbod.

Thuis verkoel ik mijn enkel en ga dan naar boven, maar niet voordat ik even Zoe's kamer in duik. Haar laatste aanwinst uit de vintageboetiek, een jarenvijftigpetticoat, hangt slordig over een stoelleuning, en ik denk terug aan mijn gestreepte broek met wijde pijpen die ik gedurende het grootste deel van mijn middelbareschooltijd droeg en vraag me af waarom ik niet het lef had me te kleden zoals zij, in unieke outfits die verder niemand op school draagt, want de mode volgen is wat mijn dochter betreft net zo erg als een plastic tasje aannemen bij de supermarkt. Ik doe haar kast open en terwijl ik haar jurkjes in maatje 34 bekijk, vraag ik me af wat er omgaat in haar leven, waarom ze mij niets vertelt, hoe ze met vijftien jaar al zo zelfingenomen kan zijn, het is onnatuurlijk, het is intimiderend... is dat *mijn* gele sweater?

Ik moet op mijn tenen gaan staan om erbij te kunnen en als ik hem naar beneden trek, komen er een doos cupcakes, een doos Snickers en een familiezak M&M's mee naar beneden, samen met nog drie rafelige, naar zweet ruikende truien. Koop nooit vintagesweaters: lichaamsgeuren krijg je nooit uit wol... Dat had ik Zoe ook wel kunnen vertellen als ze mij iets had gevraagd.

'Oeps.' Caroline staat in de deuropening.

'Zoe had de deur open laten staan,' zeg ik.

'Natuurlijk,' zegt Caroline.

'Ik zocht mijn trui,' zeg ik, terwijl ik probeer te verwerken dat Zoe koeken en snoepgoed verbergt in haar kledingkast.

'Kom, ik help je dit weer op te ruimen.'

Caroline knielt naast de dozen, een frons op haar gezicht. 'Is Zoe perfectionistisch? Dat hebben veel meisjes van haar leeftijd. Zou ze ze op alfabet hebben staan? Cupcakes, M&M's, en Snickers ergens achteraan, natuurlijk. Laten we het voor de zekerheid maar op alfabet zetten.'

'Ze heeft een eetstoornis,' roep ik. 'Hoe kon ik dat nu over het hoofd zien!'

'Ho ho,' zegt Caroline, die de dozen rustig op elkaar stapelt. 'Wacht even, niet te snel conclusies trekken, hoor.'

'Mijn dochter heeft honderd chocoladerepen in haar kast.'

'Eh, dat is zwaar overdreven.'

'Hoeveel zitten er in een doos?'

'Tien. Maar alle dozen zijn al open. Misschien heeft ze een handeltje. Misschien verkoopt ze ze op school,' zegt Caroline. 'Of misschien is ze gewoon een zoetekauw.'

Ik stel me voor hoe Zoe zichzelf volpropt met M&M's als wij allemaal naar bed zijn. Dat is overigens nog altijd beter dan dat ze bepaalde delen van Jude in haar mond propt als wij allemaal naar bed zijn. Ja, het is waar, God sta me bij, dit soort dingen gaan er in mij om.

'Maar snap dat dan, Zoe eet geen rotzooi.'

'Niet in het openbaar, nee. Misschien moet je voordat je iets zegt eerst eens opletten of iets in haar gedrag op een eetstoornis wijst,' oppert ze.

Nog niet zo lang geleden brachten Zoe en ik elke vrijdagmiddag samen door. Dan haalde ik haar van school en gingen we iets speciaals doen: naar de kralenwinkel, een taartje eten, lipgloss uitproberen op de make-upafdeling van een duur warenhuis. Mijn hart maakte altijd een sprongetje van geluk als ze naast me kwam zitten in de auto. Het maakt nog steeds sprongetjes van geluk, maar dat mag ik nu niet meer laten merken. Ik heb geleerd haar lege blik en rollende ogen te negeren. Ik klop als haar deur dicht is en probeer niet te luisteren als ze met iemand zit te chatten. Ik wil alleen maar zeggen dat ik, afgezien van deze kledingkastepisode, er heel erg goed in ben haar haar eigen leven te laten leiden... maar ik mis haar vreselijk. Natuurlijk ken ik de gruwelverhalen van mensen met oudere kinderen. Ik dacht alleen, zoals de meeste ouders diep vanbinnen, dat wij de uitzondering zouden zijn; ik zou haar nooit verliezen.

'Je hebt waarschijnlijk gelijk,' zeg ik. 'Ik zal er eens op letten.' Ik kreun. Mijn enkel klopt. Hij is bont en blauw.

'Wat heb je met je enkel gedaan?' vraagt Caroline.

'Ik ben gevallen. Toen je net weg was. Ik struikelde over een dennenappel.'

'O, nee! Heb je er ijs op gehad?' vraagt Caroline.

Ik knik.

'Hoe lang?'

'Blijkbaar niet lang genoeg.'

Caroline springt overeind en zet de dozen terug in Zoe's kast. Ze vouwt de truien snel en netjes op. 'The Gap, elke zomer op de middelbare,' legt ze uit, en legt ze voor de dozen. Ik geef haar mijn gele trui. Caroline neemt hem zwijgend aan, legt hem op de stapel, en doet de kast achter zich dicht. Ze steekt haar hand uit.

'Goed. Nu gaan we op zoek naar meer ijs voor jou.'

28

35. En nu hadden we dus een geheim. Elke maandag, woensdag en vrijdag ontmoetten we elkaar om lunchtijd voor hotel Charles om een stuk te rennen. Op kantoor deden we net of we niet om de dag samen aan het sporten waren. We deden net of we de rondingen van elkaars dijen niet kenden, of de littekens op onze enkels en knieën, of het merk van elkaars sportschoenen, of niet wisten wie platvoeten had en wie niet, of dat we dezelfde bleke wielrennersarmen hadden, wat snel over was toen mei overging in juni en we de lagen afpelden en onze schouders de kleur van walnoten aannamen. Ik deed net of hij geen vriendin had. Ik deed net of ik de natuurlijke geur van zijn zweet niet kende, en hoe hij zweette, wat altijd hetzelfde was: een streep langs zijn rug en een verticale over zijn borst. Ik deed net of ik geen nieuw sportbroekje had gekocht en er voor de spiegel mee had geoefend om te kijken of er geen rare dingen zichtbaar waren, en dat ik niet mijn benen insmeerde met babyolie tot ze glommen. Alsof ik me niet suf piekerde over hoe een sportmaatje moest ruiken, en of die wel of geen parfum moest gebruiken, en uiteindelijk koos voor babypoeder, waarvan ik hoopte dat het zei: *ruikt fris en natuurlijk zoals een vrouw hoort te ruiken, geen zuigeling*. Hij deed net of hij niet hoorde hoe mijn ademhaling veranderde in ingehouden, bijna onhoorbaar gekreun tijdens onze laatste 250 meter sprint, met hotel Charles alweer in zicht, en ik deed net of ik niet fantaseerde over de dag dat hij mijn hand zou pakken, me een kamer in zou voeren en daarna in zijn bed.

36. Het hebben van een geheim is het sterkste afrodisiacum dat er bestaat en, onvermijdelijkerwijs, precies wat er ontbreekt in een huwelijk.

Van: onderzoeker101 <onderzoeker101@netherfieldcenter.org>
Onderwerp: Hoop
Datum: 30 mei, 16:45
Aan: Echtgenote 22 <echtgenote22@netherfieldcenter.org>

Beste Echtgenote 22,
Ik ben zo vrij geweest om je laatste mail te coderen op emotionele data-
punten: verlangen, verdriet, nostalgie en hoop. Deze laatste emotie klinkt je
misschien wat vreemd in de oren, maar ik weet het honderd procent zeker.
Het is hoop.
   Ik mag dit eigenlijk niet zeggen, maar ik ben gek op je onvoorspelbaar-
heid. Net als ik denk dat ik je een beetje leer kennen, zeg je iets wat me
compleet op het verkeerde been zet. Soms zegt de correspondentie tussen
respondent en onderzoeker zoveel meer dan de eigenlijke antwoorden. Je
bent een romanticus, Echtgenote 22. Dat had ik niet achter je gezocht.
Onderzoeker 101

Van: Echtgenote 22 <echtgenote22@netherfieldcenter.org>
Onderwerp: RE: Hoop
Datum: 30 mei, 21:28
Aan: onderzoeker101 <onderzoeker101@netherfieldcenter.org>

Onderzoeker 101,
Van de ene romanticus tot de andere. Meende je dat?
Echtgenote 22

Van: onderzoeker101 <onderzoeker101@netherfieldcenter.org>
Onderwerp: RE: Hoop
Datum: 30 mei, 21:45
Aan: Echtgenote 22 <echtgenote22@netherfieldcenter.org>

Echtgenote 22,

Je kan ervan uitgaan dat ik meen wat ik zeg. Ik vat je vraag op als een compliment, en zal het hierbij laten en je volgende vraag beantwoorden zodat je het niet meer hoeft te vragen: nee, ik ben geen oudere van dagen. Of je het gelooft of niet, er zijn nog mannen van jouw generatie die romantisch zijn. Meestal zijn we vermomd als brompot. Ik verheug me op je volgende antwoorden.

Onderzoeker 101

Van: Echtgenote 22 <echtgenote22@netherfieldcenter.org>
Onderwerp: RE: Hoop
Datum: 30 mei, 22:01
Aan: onderzoeker101 <onderzoeker101@netherfieldcenter.org>

Beste Onderzoeker101,

Ik ben zo vrij geweest jouw laatste mail te coderen. De emotionele datapunten doen wat mij betreft geflatteerd en geërgerd aan, en de laatste emotie, die je misschien zelf niet eens verwacht had, is evenwel hoop. Waar hoop je op, Onderzoeker 101?

Groet,

Echtgenote 22

Van: onderzoeker101 <onderzoeker101@netherfieldcenter.org>
Onderwerp: RE: Hoop
Datum: 30 mei, 22:38
Aan: Echtgenote 22 <echtgenote22@netherfieldcenter.org>

Echtgenote 22,

Waar iedereen op hoopt, denk ik: om gezien te worden, om echt gezien te worden.

Onderzoeker 101

alicebuckle@rocketmail.com
Bookmarks Bar (242)

nymag.com/nieuws/kenmerken/defeitenachtergaydar

<u>**De feiten achter gaydar**</u>
Als seksuele voorkeur biologisch is, zijn de eigenschappen bij mensen die op homoseksualiteit wijzen dan ook aangeboren? Het laatste onderzoek over biologische indicatoren, alles van stemgebruik tot kruinen.
VOORBEELD 1: Kruin (mannen)
Homoseksuele mannen hebben vaker dan heteroseksuele mannen een kruin die tegen de klok in gaat.

alicebuckle@rocketmail.com
Bookmarks Bar (243)

somethingfishy.org/eetstoornissen/symptomen

1. Op vreemde plekken eten verstoppen (kasten, laden, koffers, onder het bed) om niet te hoeven eten (anorexia) of om op een later tijdstip te eten (boulimia).
2. Obsessief sporten.
3. Heel vaak naar de wc moeten na een maaltijd (soms met de kraan heel lang open om het geluid van overgeven te verbloemen).
4. Ongebruikelijke eetgewoonten zoals het eten op het bord zo heen en weer schuiven dat het lijkt of ervan gegeten is; het eten in heel kleine stukjes snijden; nooit met de lippen de vork raken...
5. Haarverlies. Een bleke of 'grijze' teint.
6. Het vaak koud hebben.
7. Veel blauwe plekken of eelt op de knieën; bloeddoorlopen ogen; vage blauwe plekken onder de ogen en op de wangen.

31

'Vegetarisch of carnivoor vandaag?' vraag ik Zoe als ik met mijn schotel gebraden kip en aardappels aan kom lopen.

'Carnivoor.'

'Mooi. Borst of poot?'

Zoe trekt haar wenkbrauwen op. 'Ik zei carnivoor, niet kannibaal. "Borst of poot." Dat is precies waarom mensen vegetarisch worden. Ze zouden andere woorden moeten bedenken om het minder menselijk te maken.'

Ik zucht. 'Wit vlees of donker?'

'Dat is racistisch,' zegt Peter.

'Geen van beide,' zegt Zoe. 'Ik ben van gedachten veranderd.'

Ik zet de schaal met kip op tafel. 'Oké, meneer en mevrouw Politiek Verantwoord. Hoe moet ik het noemen?'

'Wat dacht je van droog of minder droog?' zegt Peter, prikkend in de vogel.

'Het ziet er heerlijk uit,' zegt Caroline.

Zoe rilt en duwt haar bord weg.

'Heb je het koud? Liefje, je ziet eruit alsof je het koud hebt,' zeg ik.

'Ik heb het niet koud.'

'Wat wil je dan eten, Zoe?' vraag ik. 'Als je geen kippentiet wilt?'

'Salade,' zegt Zoe. 'En gebakken aardappels.'

'Gebakken aardap*pel*,' zegt Peter als Zoe een enkele rode aardappel op haar bord schept. 'Zevenhonderdvijftig sit-ups per dag zijn misschien toch niet heel erg goed voor je eetlust, wat jij?'

'Zevenhonderdvijftig sit-ups per dag?' Mijn meisje heeft een eetstoornis én een obsessieve sportverslaving!

Ik wou dat ik een obsessieve sportverslaving had.

'Logisch dat ze jou naar een piemel hebben vernoemd,' zegt Zoe tegen Peter.

'Caroline, wat lijk je toch ongelooflijk op je vader,' zegt William in een poging van onderwerp te veranderen.

Hij draagt zijn weekendoutfit, een spijkerbroek en een verwassen T-shirt van de universiteit van Massachusetts. Ondanks dat hij aan Yale heeft gestudeerd, zou hij daar nooit mee te koop lopen. Dat is een van de dingen die ik altijd in hem gewaardeerd heb. Dat, en het feit dat hij een T-shirt draagt van *mijn* alma mater.

'Ze lijkt op Maureen O'Hara,' zegt Peter.

'Alsof jij weet wie Maureen O'Hara is, Peter,' zegt Zoe.

'Alsof *jij* dat weet. En ik heet Pedro. Waarom noem je me geen Pedro? Ze zat in *Rio Grande* met John Wayne,' zegt Peter. 'Ik *weet* wie Maureen O'Hara is.'

Zoe strijkt haar haar naar achteren en staat op.

'Wat ga je doen?' vraag ik.

'Naar de wc.'

'Kun je niet wachten tot we allemaal klaar zijn?'

'Nee, ik kan niet wachten,' zegt Zoe. 'Doe niet zo lullig.'

'Ga dan maar.' Ik kijk naar de klok. 19:31. Als ze langer dan vijf minuten wegblijft, grijp ik in.

Ik sta op en blijf achter Peter staan. 'Hé man, wanneer hebben ze bij jullie voor het laatst luizencontrole gedaan?' Ik probeer zo natuurlijk mogelijk te klinken, alsof ik toevallig nu denk aan de mogelijkheid van een luizen-plaag.

'Geen idee. Volgens mij elke maand een keer.'

'Dat is niet genoeg.' Ik strijk het haar weg uit zijn gezicht.

'Zeg alsjeblieft dat je geen luizencontrole doet terwijl we aan tafel zitten,' gromt William.

'Ik doe geen luizencontrole,' zeg ik en ik lieg niet. Ik doe net alsof ik op luizen controleer.

'Dat is lekker,' zegt Peter achteroverleunend tegen mij aan. 'Heerlijk als iemand op mijn hoofd krabt.'

Was die *kenmerkende* homoseksuele kruin nou met de klok mee of tegen de klok in? De deurbel gaat. Shit. Ik weet het niet meer.

Ik haal mijn handen uit Peters haar. 'Hoort iemand water lopen?'

Peter begint te krabben. 'Ik denk dat je nog even door moet zoeken.'

De deurbel gaat weer. Ja, er loopt water in de badkamer. Het loopt al de hele tijd. Is ze aan het overgeven?

'Ik ga al.' Ik loop zo langzaam mogelijk langs de deur van de badkamer, gespitst op eventuele overgeefgeluiden... Niets. Ik loop de gang in en doe de voordeur open.

'Hoi,' zegt Jude zenuwachtig. 'Is Zoe thuis?'

Wat doet hij hier? Ik dacht dat ik eroverheen was, maar nu hij hier zo voor de deur staat weet ik dat het niet zo is. Ik ben nog steeds woedend. Is hij de reden dat mijn dochter een eetstoornis heeft? Heeft hij haar zover gebracht? Ik staar hem aan, deze jonge man die mijn dochter zo fijntjes bedroog; één meter vijfentachtig, platte buik, ruikend naar aftershave. Ik weet nog dat ik hem *Heather heeft twee moeders* voorlas in Nedra's keuken toen hij in groep 4 zat. Ik was bang dat hij naar zijn vader zou vragen, waarvan ik niet meer wist dan dat hij spermadonornummer 128 had. Nedra en Kate leerden elkaar pas kennen toen Jude drie was.

Toen het boek uit was, zei hij: 'Ik heb echt geluk, weet je waarom?'

'Waarom?' vroeg ik.

'Want als mijn mama's uit elkaar zouden gaan en dan weer verliefd zouden worden, dan zou ik vier mama's hebben!'

'Zoe is er niet,' zeg ik.

'Jawel hoor,' zegt Zoe, die eraan komt lopen.

'We zijn aan het eten,' zeg ik.

'Ik ben klaar,' zegt Zoe.

'Schatje, je ogen zijn helemaal rood.'

'Dan doe ik er toch wat Visine in.' Ze kijkt naar Jude. 'Wat is er?' Er hangt een betekenisvolle stilte tussen hen in.

'Het is een schoolavond. Je hebt nog niets aan je huiswerk gedaan,' zeg ik.

Toen Zoe in groep 7 zat en we eindelijk het gesprek over puberteit en menstruatie hadden, reageerde ze daar zeer beheerst op. Ze was geenszins hysterisch of aangedaan. Een paar dagen later kwam ze thuis uit school en vertelde ze dat ze een plan had. Als ze ongesteld zou worden, zou ze haar tanspons gewoon meenemen in haar rugzak.

Ik deed mijn best om niet te gaan lachen (of haar te vertellen dat ze het verkeerd verstaan had, dat het tanspons was, eh, tampons), omdat ik wist dat haar uitlachen in haar onafhankelijkheid haar in één klap zou neerhalen. In plaats daarvan trok ik het pokergezicht waar moeders nu eenmaal zeer bedreven in zijn. Het pokergezicht dat iedere moeder doorgeeft aan haar dochter, die het vervolgens omdraait en als dodelijk wapen tegen haar gebruikt.

Zoe staart me aan.

'Een halfuur,' zeg ik ze.

Mijn laptop geeft een signaal als ik langs mijn kantoortje loop, dus ik kijk heel even op Facebook.

Julie Staggs

Marcy: moeite om in Marcy's grote meidenbed te blijven.

52 minuten geleden

Shonda Perkins

Alsjeblieft, alsjeblieft, alsjeblieft. Doe me dit niet aan. Je weet wie ik bedoel.

2 uur geleden

Julie staat voor de klas op Kentwood en Shonda is een van de Mamba's. Uit de keuken hoor ik het geluid van brekend glas.

'Alice!' roept William.

'Hier ben ik,' gil ik.

Ik ga zitten en schrijf twee snelle berichtjes.

Alice Buckle > Julie Staggs

Hou vol. Misschien moet je een paar nachtjes bij haar gaan liggen? Ze leert het wel!

1 minuut geleden

Alice Buckle > Shonda Perkins

Vaste plek. Lunch morgen. Ik trakteer. Ik wil ALLES horen!

1 minuut geleden

Dan haast ik me terug naar de eettafel, waar ik gedurende het volgende halfuur een stroom van dezelfde platitudes uitspuug (Houd vol. Ik wil alles horen!). Leeft iedereen net zo'n dubbelleven als ik?

32

Van: Echtgenote 22 <echtgenote22@netherfieldcenter.org>
Onderwerp: Reuring in de tent
Datum: 1 juni, 5:52
Aan: onderzoeker101 <onderzoeker101@netherfieldcenter.org>

Beste Onderzoeker 101,
De vragen over mijn begintijd met William veroorzaken bij mij nogal wat reuring. Aan de ene kant is het net of ik een film kijk. Wie zijn die acteurs die Alice en William spelen? Zo ver lijken die twee jongere versies van ons van mij af te staan. Aan de andere kant kan ik voor jou teruggaan in de tijd en verschillende scènes zo ontzettend gedetailleerd neerzetten. Ik weet nog precies hoe het voelde om te fantaseren over hoe het zou zijn om met hem naar bed te gaan. Hoe verrukkelijk de verwachting.
Wat betreft het niet verstoppen moet ik je zeggen dat het feit dat mij zulke intieme vragen worden gesteld; dat er zo aandachtig naar me geluisterd wordt; dat mijn mening en gevoelens gewaardeerd worden en iets kunnen betekenen, geen sinecure is. Ik sta telkens versteld van mijn eigen bereidheid om jou de meest persoonlijke details toe te vertrouwen.
Vriendelijke groet,
Echtgenote 22

Van: onderzoeker101 <onderzoeker101@netherfieldcenter.org>
Onderwerp: RE: Reuring in de tent
Datum: 1 juni, 6:01
Aan: Echtgenote 22 <echtgenote22@netherfieldcenter.org>

Beste Echtgenote 22,
Er zijn meerdere respondenten geweest die dit opmerkten, maar je moet weten dat juist het feit dat ik een vreemde voor je ben, het zo makkelijk voor je maakt om mij in vertrouwen te nemen.
Groet,
Onderzoeker 101

33

Zoals gewoonlijk ben ik te laat. Ik gooi de deur van ons vaste lunchadres open en wordt verwelkomd door de ouderwets behaaglijke geur van pannenkoeken, spek, en koffie. Ik zoek Shonda. Ze zit achterin, maar ze is niet alleen; alle drie de Mamba's zitten bij haar aan tafel. Er is Shonda, vijftig plus, gescheiden, geen kinderen, chef van de Lancôme-stand in Macy's; Tita, die de zeventig gepasseerd moet zijn, getrouwd, oma van acht, gepensioneerd verpleegster op de afdeling Oncologie; en Pat, de jongste van de groep, twee kinderen, thuisblijfmoeder, en aan haar enorme buik te zien op het punt om nummer drie op de wereld te zetten. Ze zwaaien vrolijk naar me en de tranen springen in mijn ogen. Hoewel ik ze al een eeuwigheid niet heb gezien, blijven de Mamba's een deel van mij, mijn mede-moederloze zusters.

'Niet boos worden,' roept Shonda terwijl ik me een weg baan tussen de tafels door.

Ik buk om haar een knuffel te geven. 'Je hebt me er ingeluisd.'

'We misten je. Dit was de enige manier om je aandacht te krijgen,' zegt Shonda.

'Het spijt me,' zeg ik. 'Ik heb jullie ook allemaal gemist, maar het gaat goed met me, echt waar.'

Ze kijken me allemaal aan met dezelfde fronsende meelevende blik.

'Niet doen. Niet zo naar me kijken. Shit.'

'We wilden weten of het echt goed met je ging,' zegt Pat.

'O, Pat, kijk jou nou! Je ziet er fantastisch uit,' zeg ik.

'Toe maar, raak maar aan, waarom niet, iedereen doet het.'

Ik leg mijn handen op haar buik. 'Locatie, locatie, locatie,' fluister ik. 'Hallo baby. Je weet niet half hoe goed je gekozen hebt.'

Shonda trekt me op de stoel naast zich. 'En wanneer word jij vijfenveertig?' vraagt ze.

Alle Mamba's behalve ik zijn inmiddels ouder dan de leeftijd waarop hun moeder overleed. Ik ben de laatste. Ze zijn duidelijk niet van plan mijn omslagjaar stilletjes voorbij te laten gaan.

'Vier september.' Ik kijk de tafel rond. 'Is het tomatensapweek of zo?' Ze hebben allemaal een glas voor zich staan.

'Proef maar,' zegt Tita en ze schuift het hare in mijn richting. 'En ik heb loempia's voor je meegenomen. Ik moet niet vergeten ze zo aan je te geven.'

Loempia's, die heerlijke Filipijnse gefrituurde groenterolletjes. Ik ben er gek op. Altijd als ik Tita zie, krijg ik een doosje mee.

Ik neem een slokje en hoest. Het sap is aangelengd met wodka. 'Het is nog niet eens twaalf uur!'

'Vijf over halfeen, om precies te zijn,' zegt Shonda en ze laat kort een kleine zakflacon zien. Ze wenkt de serveerster en heft haar glas. 'Ook een voor haar, alsjeblieft.'

'Nee, dat hoeft niet. Ik moet over een uur weer op haar werk zijn,' protesteer ik.

'Dat is reden genoeg,' zegt Shonda.

'Ik heb een virgin,' zucht Pat.

'En,' zegt Tita.

'En,' zeg ik.

'We zijn allemaal hier om jou voor te bereiden op wat er misschien komen gaat,' zegt Tita.

'Ik weet wat er komen gaat en voor mij is het te laat. Ik zal deze zomer geen bikini dragen. En volgend jaar ook niet. En de zomer daarna ook niet,' zeg ik.

'Alice, even serieus,' zegt Shonda.

'Ik draaide behoorlijk door in het jaar dat ik zo oud werd als mijn moeder toen ze stierf,' zegt Pat. 'Ik was zo depressief. Wekenlang kwam ik mijn bed niet uit. Mijn schoonzus moest komen om me te helpen met de kinderen.'

'Ik ben niet depressief,' zeg ik.

'Dat is een goede zaak,' zegt Pat.

'Ik ben gestopt bij Lancôme,' zegt Shonda. 'Nu ben ik vertegenwoordiger van producten van Dr. Hauschka. Kun je het je voorstellen? Ik op de bres voor holistische huidverzorging? Mijn grootste klant was Whole Foods. Heb je weleens geprobeerd na negenen je auto kwijt te raken bij Whole Foods in Berkeley? Onmogelijk.'

'Ik ga mijn baan niet opzeggen,' zeg ik. 'En al zou ik willen, dan kon het nog niet, William is gedegradeerd.'

De Mamba's wisselen bezorgde ik-heb-het-toch-gezegd-blikken uit.

'Het maakt niet uit. Hij is heel hard aan het nadenken wat hij wil. Het is een soort midlife-ding,' zeg ik.

'Alice,' zegt Tita. 'Het is goed mogelijk dat je gekke dingen gaat doen.

Dingen die je normaal gesproken niet zou doen. Herken je dat? Merk je helemaal niets aan jezelf?'

'Nee,' zeg ik. 'Alles is gewoon. Alles gaat goed. Behalve dat Zoe een eetstoornis heeft. En Peter is homoseksueel maar weet dat zelf nog niet. En ik doe mee aan een geheim onderzoek over huwelijksgeluk.'

Wat de Mamba's wisten, wat nooit uitgesproken werd, wat nooit uitgelegd of gezegd hoefde te worden, was dat niemand ooit zoveel van ons zou houden als onze moeders deden. Ja, er zou van ons gehouden worden, door onze vaders, onze vrienden, onze broers en zussen, onze tantes en ooms en grootouders en mannen (en onze kinderen als we die zouden krijgen), maar niets zou die onvoorwaardelijke ik-zal-altijd-van-je-houden-wat-je-ook-doet-moederliefde evenaren.

We probeerden elkaar te geven wat we misten. En als dat niet lukte, boden we een schouder om op te leunen, een hand om vast te houden en een luisterend oor. En als dat niet lukte, waren er loempia's en watervaste mascara-samples, troostende artikelen, en ja, tomatensapjes met een twist.

Maar bovenal was er de heerlijke wetenschap dat je niet hoefde te doen alsof je eroverheen was. De wereld wilde dat je doorging. Voor de wereld *moest* je doorgaan. Maar de Mamba's begrepen dat het verlies altijd op de achtergrond meespeelde. Soms bijna onmerkbaar, soms onnoemlijk luid en opzichtig.

'Begin bij het begin, liefje, en vertel ons alles,' zegt Tita.

34

37. En toen, op een dag, voor de deur van hotel Charles, trok hij mijn oordopjes los van mijn walkman, en voor het eerst hadden we iets wat op een
echt gesprek leek. Het ging ongeveer zo:

Track 1: De La Soul, *Ring Ring Ring (Ha Ha Hey)*: Ik ben een blanke man die
van populaire hiphop houdt. Als ik genoeg gedronken heb, wil ik nog weleens een dansje wagen.

Track 2: 'Til Tuesday, *Voices Carry*: We kunnen het maar beter met niemand
over onze lunchrondjes hebben.

Track 3: Nena, *99 Luftballons*: Ik ben drie weken punk geweest toen ik dertien was. Hoe cool is dat?

Track 4: The Police, *Don't Stand So Close To Me*: Kom wat dichterbij.

Track 5: Fine Young Cannibals, *Good Thing*: Jij.

Track 6: Men Without Hats, *Safety Dance*: Voorbij.

Track 7: The Knack, *My Sharona*: Jij laat mijn klokje tikken. Mijn klokje tikken.

Track 8: Journey, *Faithfully*: Een bijvoeglijk naamwoord dat niet langer op
mij van toepassing is.

35

Van: Echtgenote 22 <echtgenote22@netherfieldcenter.org>
Onderwerp: Vrienden
Datum: 4 juni, 4:31
Aan: onderzoeker101 <onderzoeker101@netherfieldcenter.org>

Volgens mij moesten we maar vrienden worden. Wat vind jij van Facebook? Ik zit veel op Facebook en houd van de directheid. Zou het niet leuk zijn om te kunnen chatten? Als we allebei een pagina aanmaken en alleen elkaar als vriend accepteren, kunnen we anoniem blijven. Het enige probleem is dat je een echte naam moet gebruiken, dus nu heb ik een account aangemaakt onder Lucy Pevensie. Ken je Lucy Pevensie van The Lion, the Witch and the Wardrobe? Het meisje dat door de kast viel en in Narnia terechtkwam? Mijn kinderen zeggen altijd dat ik in een andere wereld verkeer als ik online ben, dus enigszins toepasselijk is het wel. Wat zeg je ervan?
Groeten,
Echtgenote 22

Van: onderzoeker101 <onderzoeker101@netherfieldcenter.org>
Onderwerp: RE: Vrienden
Datum: 4 juni, 6:22
Aan: Echtgenote 22 <echtgenote22@netherfieldcenter.org>

Beste Echtgenote 22,
Normaal gesproken heb ik om voor de hand liggende privacyredenen geen Facebook-contact met respondenten, maar op jouw manier kan het geloof ik geen kwaad. Ik moet eerlijkheidshalve wel zeggen dat ik geen fan ben van Facebook en normaal gesproken niet 'chat'. Die hapsgewijze communicatie vind ik dodelijk vermoeiend en afleidend. Net als, zo was op het nieuws, het tienermeisje dat in een put viel terwijl ze een sms schreef. Facebook is ook een soort konijnenhol als je het mij vraagt; toch zal ik het gebruik ervan nader onderzoeken en erop terugkomen.
Onderzoeker 101

Van: Echtgenote 22 <echtgenote22@netherfieldcenter.org>
Onderwerp: RE: Vrienden
Datum: 4 juni, 6:26
Aan: onderzoeker101 <onderzoeker101@netherfieldcenter.org>

Wat is er mis met konijnenholen? Sommigen onder ons zijn er gek op. Chagall geloofde dat een schilderij een soort raam was waardoor mensen naar een andere wereld konden vliegen. Spreekt dat meer tot de verbeelding?
Echtgenote 22

Van: onderzoeker101 <onderzoeker101@netherfieldcenter.org>
Onderwerp: RE: Vrienden
Datum: 4 juni, 6:27
Aan: Echtgenote 22 <echtgenote22@netherfieldcenter.org>

Dat doet het inderdaad. Hoe raad je het zo?
Onderzoeker 101

36

'Waar heb jij zin in dan?' vraag ik.

'Geen idee. Waar heb jij zin in?' zegt William. 'Heb je alles klaar voor het etentje? Wat zouden wij meenemen?'

'Lam. Nedra heeft het recept gemaild. Ik heb het gisteravond in de marinade gezet. Nu moet ik nog op pad voor citroenmelisse, citroenverbena en dat andere citroenachtige kruid, hoe heet het ook alweer? Uit Thailand?'

'Citroengras. Waarom zoveel citroen?' vraagt hij.

'Citroen is een natuurlijk diureticum.'

'Dat wist ik niet.'

'Wist je dat niet?'

We praten voorzichtig en beleefd, als vreemden over koetjes en kalfjes op een receptie. *Waar ken jij de gastheer van? Ah, en waar ken jij de gastheer van? Ik ben gek op teckels. Ik ben ook gek op teckels!* Ik weet dat deze afstand deels komt doordat hij het Cialis-debacle voor mij verborgen houdt. En ik zeg niet dat ik ervan weet. En dan is er nog het feit dat ik per mail mensen die totale vreemden voor mij zijn de meest intieme details over ons huwelijk vertel (net zoals William de meest intieme details over ons huwelijk met totale vreemden lijkt te delen).

Maar ik kan het niet allemaal afschuiven op Williams degradatie. De afstand tussen ons is al jaren aan de gang. Door de week communiceren we hoofdzakelijk per sms, en de conversatie gaat meestal zo:

ETA?

Zeven.

Kip of vis?

Kip.

Het is zaterdag. Caroline is er, maar de kinderen zijn weg; een zeldzaam verschijnsel in ons gezin. Ik probeer niet in paniek te raken, maar ik ben het al. Met hen is de dagelijkse structuur verdwenen. Normaal gesproken breng ik Peter naar pianoles en voetbal en rijdt William Zoe naar volleybal of een of andere kledingbeurs (waar ze het grootste deel van haar garderobe vandaan haalt). Ik probeer er niet aan te denken dat we ons meestal als huisgenoten gedragen, en dat huisgenoten zijn doorgaans prima bevalt, een beetje eenzaam, maar aangenaam. Maar een dag alleen betekent uit de ouderrol stappen en teruggaan naar man en vrouw, wat een behoorlijke druk op mij legt. Een beetje als Cialis, zonder de Cialis.

Ik herinner me een keer dat de kinderen nog klein waren en een kennis vertelde dat zij en haar man totaal onthand waren toen hun zoon op kamers ging. Ik reageerde onwetend: 'Dat is toch de bedoeling? Hij is de deur uit. Dat is toch juist fijn?' Toen ik thuiskwam en William vertelde wat ze gezegd had, waren we zo verontwaardigd. Midden in de volle heftigheid van ons jonge ouderschap zouden we beiden een moord doen voor een middag voor onszelf. We keken ernaar uit dat onze kinderen zelfstandig zouden worden. Stel je voor dat je zo aan je kinderen hing dat je je verloren zou voelen als ze er niet waren, zeiden we tegen elkaar. Tien jaar later begin ik te begrijpen wat die kennis bedoelde.

'Komen de Barbedians vanavond ook?' vraagt William.

'Ik denk het niet. Zeiden ze niet dat ze kaartjes voor de Giants hadden?'

'Jammer, ik vind Bobby een goeie gast.'

'Oftewel, Linda vind je niets?'

William haalt zijn schouders op. 'Het is *jouw* vriendin.'

'Het is anders ook een vriendin van jou, hoor,' zeg ik, geïrriteerd dat hij Linda op mij probeert af te schuiven.

Nedra en ik ontmoetten Linda op de kleuterschool waar haar en onze kinderen heen gingen. Onze drie gezinnen eten al jaren één keer per maand samen, waarbij elk gezin iets klaarmaakt. Alle kinderen waren er altijd bij, maar nu ze ouder worden valt er telkens wel iemand af, en tegenwoordig zijn het voornamelijk nog de ouders die samen eten (af en toe komt Peter nog opdagen). Zonder de kinderen om voor de nodige afleiding te zorgen is de dynamiek tijdens de etentjes veranderd, waarmee ik bedoel dat het steeds duidelijker wordt dat we nog maar weinig met Linda gemeen hebben. Bobby is echter alom geliefd.

William zucht.

'Luister, je hoeft echt niet mee met alle boodschappen die ik nog moet doen. Je hebt waarschijnlijk allesbehalve zin om met mij door het tuincentrum te moeten ploegen.'

'Dat vind ik helemaal niet erg,' zegt William ogenschijnlijk geïrriteerd.

'Echt niet? Nou, oké dan. Zullen we Caroline vragen of ze zin heeft om mee te gaan?'

'Waarom zouden we Caroline meevragen?'

'Nou ja, ik dacht gewoon... ik dacht dat jullie dan misschien rondjes om het tuincentrum konden gaan rennen als je je verveelde.'

Na mijn mislukte sportieve actie met Caroline, was William met haar gaan lopen. Het was geen gemakkelijk begin. Zijn conditie was behoorlijk slecht en de eerste paar keren was afzien. Maar inmiddels liepen ze een paar ochtenden in de week zeven kilometer, waarna ze in hoog tempo elk twee spirulinasmoothies achteroversloegen, waar Caroline mij ook toe probeerde te verleiden met verhalen over minder verkoudheden en een betere stoelgang.

'Curieus. Waarom gaan we niet lekker samen?' vraagt William.

Omdat waarom gaan we niet 'lekker samen' de laatste tijd vooral neerkomt op 'ik alleen'. Ik begin elk gesprek, ik vertel hem waar de kinderen mee bezig zijn, hoe het staat met het huis en met de financiën, en ik ben degene die hem vraagt hoe het met hem gaat. Hij vraagt zelden iets terug en vertelt nooit iets uit zichzelf.

'Prima, natuurlijk. Met z'n tweetjes is prima. We kunnen doen wat we willen. Heerlijk!' zeg ik, vervallend in mijn overenthousiaste Mary Poppins/ Miss Truly Scrumptious-stem.

Ik verlang naar een rijker leven met hem. Ik weet dat het kan. Er zijn mensen, Nedra en Kate bijvoorbeeld, die een rijker leven leiden. Sommige stellen maken samen moussaka terwijl Oscar Peterson door de speakers knalt. Ze doen samen boodschappen op boerenmarkten. En die boodschappen doen ze natuurlijk heel langzaam (traagheid lijkt het kenmerk te zijn van een rijk leven), stoppend bij alle kraampjes, pitvruchten vergelijkend, kruiden snuivend, het verschil wetend tussen citroengras en citroenmelisse, om vervolgens op een muurtje te gaan zitten om een veganistische scone te delen. Ik bedoel niet rijk in de zin van geld. Ik bedoel rijk in de zin van de dingen voelen terwijl ze gebeuren, en niet constant denken aan wat er hierna komt.

'Hé, Alice.' Caroline komt de keuken in en houdt een boek omhoog.

Tot nog toe heeft ze weinig geluk gehad met het vinden van een baan. Ze heeft genoeg eerste gesprekken gehad (er zijn genoeg vacatures voor *tech startups* in deze regio) maar weinig uitnodigingen voor verdere gesprekken. Ik weet dat ze zich zorgen maakt, maar ik heb gezegd dat dat niet hoefde, dat ze bij ons kon blijven tot ze iets had gevonden en genoeg gespaard had om zelf iets te huren. Caroline is geen lastige gast. Naast zeer aangenaam gezelschap is ze ook de meest hulpvaardige gast die we ooit hebben gehad. Ik zal haar missen als ze gaat.

'Kijk wat ik heb gevonden. *Creatief toneelschrijven*,' zegt ze op een zangerig toontje.

Ze geeft het boek aan mij en ik hap heel even naar adem, zo lang geleden is het dat ik dit boek in handen had. 'Dit was mijn bijbel,' zeg ik.

'Het is nog steeds mijn moeders bijbel,' zegt ze. 'Dus jullie hebben het weekend voor jezelf. Wat staat er allemaal voor leuks op het programma? Zal ik zorgen dat ik *de plaat poets*?' Ze trekt veelbetekenend haar wenkbrauwen op.

Caroline gebruikt vaak ouderwetse termen, zoals *de plaat poetsen*, wat ik zeer charmant aan haar vind. Waarschijnlijk komt dat ervan als je de dochter van een toneelschrijfster bent en te veel remakes van *Our Town* hebt gezien. Ik zucht en sla het boek willekeurig open op pagina 25.

1. Begin met een idee, ga daarna pas schrijven.
2. Alles is potentieel materiaal: de barbecue in de achtertuin, boodschappen doen, een etentje. De beste personages zijn meestal gebaseerd op mensen uit je omgeving.

Ik sla het boek dicht en druk het tegen mijn borst. Alleen al door het vast te houden voel ik mijn hoop groeien.

'*Creatief toneelschrijven*? Was *dat* jouw bijbel?' vraagt William.

Dat William zich het boek niet herinnert of hoe belangrijk het voor mij was (ook al heeft het vijf jaar naast mijn hoofd op mijn nachtkastje gelegen) verbaast me niets.

In gedachten stuur ik William een sms. *Sorry, mijn fout, jouw fout.*

Dan zeg ik tegen Caroline: 'We gaan even een paar boodschappen doen. Zin om mee te gaan?'

37

Ik: Hallo Rachel! Waar is Ross? Hier is de lamsschotel.

Nedra (*trekt het huishoudfolie van de schaal en fronst*): Heb je het recept helemaal gevolgd?

Ik: Ja, met een smakelijke verrassing van mezelf!

Nedra: Smakelijke verrassingen leiden nooit ergens toe. Linda en Bobby zijn toch gekomen.

Ik: Ik dacht dat ze naar de wedstrijd gingen.

Nedra (*ruikt aan de schotel en trekt haar neus op*): Ze konden jouw restaurantwaardige schotels niet weerstaan. Waar zijn de kinderen?

Ik: Peter is hier. Zoe is thuis buikspieroefeningen aan het doen. Waar is Jude?

Jude (*komt de keuken in*): Die wou dat hij ergens anders was.

Nedra: Lieverd, eet je mee? Alice, zou het niet heerlijk zijn als Jude met ons mee-at?

Ik: Jazeker, Nedra, dat zou heerlijk zijn, echt heerlijk.

Nedra: Zie je wel, lieverd. Zie je hoe gewild je bent? Zeg alsjeblieft dat je blijft.

Jude (*kijkt naar de grond*)

Ik (*kijk naar de grond*)

Nedra (*zucht*): Bah, wat een kleuters zijn jullie toch. Wanneer maken jullie het nou eens goed?!

Jude: Ik ga naar Frits, pokemonnen.

Ik: Echt?

Jude: Nee, niet echt. Ik ga naar mijn kamer.

Nedra: Dag lieverd. Op een dag zullen jullie weer van elkaar houden. Pas dan zal ik rustig kunnen sterven.

Ik: Moet het zo melodramatisch, Nedra?

Jude: Ja, moet dat?

Nedra: Melodrama is de taal die jullie allebei verstaan.

19:40 uur: In de woonkamer

Nedra: Mannen, kom erbij. We zijn bij het verkleedgedeelte van de avond aangekomen. Kate en ik hebben voor jullie allemaal een fez gekocht toen we laatst in Marokko waren.

Peter (*met een niet mis te verstane geschokte uitdrukking*): Ik wil liever geen fez op, ik heb al een deukhoed op.

Nedra: Ja, daarom hebben we een fez voor je gekocht, zodat je die suffe deukhoed af kunt laten.

Kate: Ik vind hem anders heel goed staan.

William: Ik ben het met Peter eens. Als vrouw ben jij misschien niet helemaal op de hoogte van hoe het zit met mannen en hoeden in de eenentwintigste eeuw.

Bobby: Ja, het is niet meer zoals in de vijftiger jaren toen je je hoed afdeed als je ergens ging eten. In de eenentwintigste eeuw hou je je hoed tijdens het hele diner op.

Ik: Of, als je een Pedro bent, de hele maand juni.

William: En als je de avond begint met een hoed op, zet je niet halverwege de avond een andere hoed op. Hoeden zijn geen vesten.

Nedra: Zet die fez op, Pedro, en snel een beetje.

Ik: En wij dan?

Nedra: Kate, Alice en Linda, ik ben jullie niet vergeten. Hier zijn jullie djellaba's!

Ik: Super! Een lange, wijde jurk met grote mouwen die ik straks heerlijk in de jus kan hangen.

Peter: Ruilen voor mijn fez?

Nedra (*zucht*): Wat zijn jullie allemaal heerlijk dankbaar.

20:30 uur: aan tafel

Kate: Hoe was het in Salzburg, Alice?

William: Was je in Salzburg?

Nedra: Ja, om *palatschinken* te eten. Jij was er blijkbaar niet bij.

Ik: Ik was op Facebook in Salzburg. Ik had die droomvakantie-quiz gedaan. Ik wil altijd nog een keer naar Salzburg.

Bobby: Linda en ik zitten ook op Facebook. Een geweldige manier om contact te houden zonder contact te houden. Hoe had ik anders moeten weten dat jullie dit weekend naar Joshua Tree zouden gaan?

Linda: Het is een vrouwenuitje, Bobby. Niet huilen. Dames, hebben jullie zin om mee te gaan?

Nedra: Zijn er trommels en worden er dingen verbrand?

Linda: Ja!

Nedra: Dan niet, nee.

Linda: Hé, had ik jullie al verteld dat we aan het verbouwen zijn? We krijgen een nieuwe slaapkamer. Het is echt geweldig. We maken er twee slaapkamers van!

Ik: Waarom heb je twee slaapkamers nodig?

Linda: Dat is nieuw. Dat heet een flexsuite.

Kate: Dus jullie gaan apart slapen?

Peter: Mag ik van tafel? *Oftewel: mag ik stiekem in jouw studeerkamer op de computer om* World of Warcraft *te spelen, Nedra?*

Nedra: Wat? Heb je geen zin om over de intieme slaapgewoontes van je ouders en hun vrienden te praten? Natuurlijk, Pedro, toe maar!

Linda: Geweldig toch? Dan wordt het net als toen we nog verkering hadden! Jouw suite of de mijne?

Nedra: En de spontaniteit dan? Wat dan als je 's nachts wakker wordt en zin hebt in wilde, halfslapende seks?

Ik: Ja, dat vroeg ik me ook al af, Linda? Hoe moet dat met halfslapende seks?

William: Noemen ze dat tegenwoordig geen verkrachting?

Linda: Ik heb persoonlijk geen enkele behoefte aan seks om twee uur in de ochtend. Het is algemeen bekend dat het naarmate je ouder wordt steeds moeilijker wordt om het bed te delen. Bobby staat drie keer per nacht op om te plassen.

Bobby: Linda wordt al wakker als ik mijn kleine linkerteen beweeg.

Linda: We blijven de badkamer wel delen.

Ik: En *daar* zou ik er dan wel twee van willen hebben.

Linda: Dubbele suites zullen het mysterie en de passie in ons huwelijk weer aanwakkeren. Let maar op. God, wat mis ik Daniel. Het is totaal belachelijk. Ik kon niet wachten tot hij zou vertrekken en nu kan ik niet wachten tot hij weer thuiskomt.

William: Had ik al verteld dat de hond een paar weken geleden op mijn kussen heeft gezeken?

Kate: Ik ken nog wel een hondenpsychiater.

Nedra: Ik had ooit een klant die in de onderbroekenla van zijn vrouw urineerde.

Bobby: Had zijn vrouw een onderbroekenla? Hoe lang waren ze al getrouwd?

Ik: Jampo weet dat je hem niet mag. Dat voelt hij. Hij kan niet liegen.

William: Hij is gemeen. Hij eet zijn eigen poep op.

Ik: Dat bedoel ik. Hoe integer kun je zijn? Bereid om je eigen stront op te ruimen?

Nedra: Waarom smaakt deze lamsschotel naar gezichtscrème?

William: Dat is de lavendel.

Nedra (*legt vork neer*): Alice, was dit de smakelijke verrassing? In het recept stond rozemarijn.

Ik: Mag ik even zeggen dat rozemarijn heel erg op lavendel lijkt.

Nedra: Afgezien van de paarse, naar lavendel ruikende bloemen dan.

21.01 uur: door de badkamerdeur

Peter: Kan ik je heel even spreken? Alleen?

Ik: Ik wou net gaan plassen. Kan het even wachten?

Peter (*huilerig*): Ik moet iets vertellen. Ik heb iets heel ergs gedaan.

Ik: Zeg maar niets. Je hoeft me niet alles te vertellen. Sommige dingen mag je best voor jezelf houden. Dat weet je toch? Iedereen heeft recht op zijn eigen geheimen.

Peter: Ik moet wel. Ik heb het er te moeilijk mee.

Ik: Hoe denk je dat ik zal reageren?

Peter: Je zult heel teleurgesteld zijn en misschien een beetje walgen.

Ik: Welke straf heb je verdiend?

Peter: Ik hoef geen straf. Wat ik gezien heb is al erg genoeg.

Ik (*doe deur open*): Jezus, wat heb je gedaan?

Peter (*huilend*): Ik heb P-O-R-N-O gegoogeld.

21.20 uur: in de woonkamer

Linda: Ik snap niet waarom 'huisgenoot' zo'n vies woord is. Bijna iedereen die meer dan tien jaar getrouwd is, is huisgenoot geworden en als ze het niet willen toegeven, liegen ze.

Nedra: Kate en ik zijn geen huisgenoten.

Ik: Jullie zijn ook niet getrouwd.

Linda: Lesbiennes tellen niet.

Nedra: Gouden lesbiennes. Daar zit het verschil.

Ik: Wat is een gouden lesbienne?

Kate: Een lesbienne die nog nooit met een man is geweest.

William: Ik ben een gouden hetero.

Nedra: Alice, vind jij dat William en jij meer huisgenoten zijn?

Ik: Wat? Nee! Nooit!

William: Soms.

Ik: Wanneer?

22.10 uur: In Nedra's studeerkamer

William: Waar zijn we in hemelsnaam mee bezig? Waarom doen we dit?

Ik: Omdat Peter bijkans getraumatiseerd was. Ik moet weten wat hij gezien heeft.

William (*zucht*): Wat is Nedra's wachtwoord?

Ik: *Nedra*. Moet PORNO met hoofdletters?

William: Volgens mij maakt dat niet uit.

Ik (*naar adem happend*): Is dat een wortel?

William: Is dat een lolly?

Ik: Och, arme schat!

William: Duidelijke zaak, Alice. Snel, voordat Nedra's mailbox straks vol zit met advertenties voor penisverlengingen.

Ik: Dat vergeet ik altijd. Niet over mijn schouder kijken. Ga maar vast. Ik check even mijn Facebook.

William: Wat onbeleefd. Er zitten daar allemaal mensen.

Ik (*hem wegwuivend*): Ik kom zo.

(*vijf minuten later*) Ik heb een vriendschapsverzoek. John Yossarian wil vrienden worden. John Yossarian? Die naam heb ik eerder gehoord.

GOOGLE SEARCH "John Yossarian"

Catch-22, 1961 door Joseph Heller, All time 100 Novels, _TIME_
Kapitein John Yossarian is piloot in een bommenwerper die probeert te overleven tijdens WOII.

John Yossarian... Gravatar-profiel
Ik ben John Yossarian. Ik ben naar Zweden geroeid om aan de oorlog te ontsnappen.

<u>**Kapitein John Yossarian:** *Catch-22*</u>

John Yossarian brengt het grootste deel van zijn tijd door in de ziekenboeg, waar hij doet of hij ziek is zodat hij niet hoeft te vliegen (...) levensbehoud.

Ik *(een glimlach verschijnt op mijn gezicht)*: Bingo, Onderzoeker 101.
(klik op bevestig vriendschap)
(stuur bericht) Aha… Yossarian leeft nog.

38

38. 'Dat is geen La-Z-Boy.'

'Alice, wat denk jij?'

'Dat hangt ervan af. Hebben we het over de stoel of de man?' vroeg ik.

William had een Clio gewonnen voor zijn La-Z-Boy-commercial en Peavey Patterson had speciaal voor hem een feestje georganiseerd bij Michaela's. We hadden het hele restaurant afgehuurd. Ik zat aan een tafel met alleen maar copywriters.

De stoel was natuurlijk spuuglelijk, maar hij had de firma genoeg opgebracht en nu zat ik hier op dit fancy feestje, dus ik mocht niet klagen. De man was het tegenovergestelde van lui: hij was zonder overdrijven één brok ambitie en potentieel, zoals hij daar stond in zijn donkerblauwe pak van Hugo Boss.

Ik bekeek hem onopvallend. Ik zag dat Helen zag hoe ik hem onopvallend bekeek, maar het kon me niet schelen; iedereen staarde. Mensen benaderden William schuchter, alsof hij een soort god was. En hij was een god, een god van lelijke relaxstoelen, Peavey Pattersons persoonlijke creatieve, onhandelbare belofte voor de toekomst. Mensen fladderden om hem heen, raakten zijn arm aan en schudden zijn hand. Het was opwindend om het succes aan te kunnen raken, omdat er altijd die kleine mogelijkheid was dat een klein beetje van dat succes op jou af zou stralen. William was beleefd. Hij luisterde en knikte, maar zei weinig. Zijn ogen zochten mij en als ik niet beter wist zou ik geloven dat hij boos was, zo intens was zijn blik. Maar gedurende de hele avond bleef hij me voortdurend volgen met zijn ogen, uitdagend. Het was alsof ik een glas wijn was waarvan hij elke keer dat hij de kamer rondkeek een slok nam.

Ik keek naar mijn bord. Mijn *linguine con cozze al sugo rosso* was heerlijk maar bijna onaangeroerd omdat zijn steelse blikken mij licht in het hoofd maakten.

'Speech, speech!'

Helen leunde naar voren, fluisterde in Williams oor, en een paar minuten later liet William zich door Mort Rich, de artdirector, naar het midden van het restaurant begeleiden. Hij nam een stuk papier uit zijn binnenzak, streek het glad en begon te lezen.

'Tips voor het houden van een speech.

Zorg dat je niet net op de wc zit als je je speech moet houden.

Bedank de mensen die je hebben geholpen met het winnen van de prijs.

Pauze!

Zeg nooit dat je het niet waard bent. Dit is beledigend voor de mensen die al het werk hebben gedaan en ervoor gezorgd hebben dat jij met de eer kunt strijken.

Bedank geen mensen die niets te maken hebben met het behalen van de prijs.

Dat zijn bijvoorbeeld echtgenoten, vriendinnen, vriendjes, bazen, obers en barmannen.

Bij nader inzien, bedank de barman toch maar, die heeft alles te maken met het behalen van deze prijs.

Pauze!

Noem als je tijd hebt iedereen bij naam en bedank ze uitbundig.'

William kijkt op zijn horloge. 'Geen pauze.

Glimlach, kijk bescheiden en dankbaar.

Sluit af met een inspirerende quote.'

William vouwde zijn blaadje op en stopte het terug in zijn zak.

'Inspirerende quote.'

Iedereen barstte als één man in lachen uit en applaudisseerde. Toen William weer aan tafel ging zitten, nam Helen zijn gezicht in haar handen, keek hem diep in de ogen, en kuste hem op de mond. Er klonk gefluit en gelach. De kus duurde zeker tien seconden. Ze keek even naar mij met een opgejaagde maar triomfantelijke blik, en ik wendde me af, geraakt, de tranen in mijn ogen.

'Wow, zijn ze al verloofd?' vroeg de vrouw naast mij.

'Ik zie geen ring,' zei een andere collega.

Had ik me vergist? In ons flirten? Blijkbaar wel, want de rest van de avond negeerde William me totaal. Wat een idioot was ik. Onzichtbaar. Stom. Ik had een vleeskleurige panty aan die, zoals ik nu zag, helemaal niet vleeskleurig was maar bijna oranje.

Rond middernacht passeerde ik hem onderweg naar de wc in de gang. Het was een smalle gang en onze handen raakten elkaar terwijl we langs elkaar schoven. Ik was vastbesloten hem dood te zwijgen. Onze sportafspraken waren verleden tijd. Ik zou vragen of ik overgeplaatst kon worden. Maar toen onze knokkels elkaar raakten, golfde er een stroom van onmiskenbare elektriciteit door ons heen. Hij voelde het ook, want hij bevroor.

We keken ieder een andere kant op. Hij keek het restaurant in. Ik keek richting de wc's.

'Alice,' fluisterde hij.

Opeens besefte ik dat ik hem nog niet eerder mijn naam had horen zeggen. Tot dit moment had hij mij altijd Brown genoemd.

'Alice,' herhaalde hij met een diepe, schorre stem.

Hij zei 'Alice' op een manier die niet betekende dat hij iets ging zeggen of vragen. Hij zei mijn naam als was het een feit, een zekerheid. Alsof hij na een lange reis (een reis die hij niet bewust had gemaakt of had willen maken) eindelijk aangekomen was bij mijn naam. Bij *mij*.

Ik staarde naar de wc-deur. Ik las DAMES, DONNA. Ik las HEREN, UOMO.

Hij reikte naar mijn vingers, deze keer niet per ongeluk. Het was een o zo vluchtige aanraking, een aanraking alleen voor ons, voor mij. Ik zocht steun bij de muur met mijn andere hand, slap in de knieën door de combinatie van te veel wijn, opluchting en lust.

'Ja,' zei ik en haastte me de wc in.

39. Slurp het naar binnen.

40. Dat weet ik niet meer.

41. We lijken een stel te zijn waar mensen jaloers op zijn.

42. Vraag dat later nog maar eens.

39

Lucy Pevensie

Gestudeerd aan *Oxford College* **Geboren op** *24 april, 1934* **Huidige werkgever** *Aslan* **Familie** *Edward, Peter en Susan* **Werk** *Alles om niet in een rots te veranderen.* **Over jou** *De jaren lijken wel minuten.*

Ja, ik ben bang dat de geruchten kloppen, Echtgenote 22. De berichten over mijn overlijden zijn zwaar overdreven.

Ook hier zijn geruchten, Onderzoeker 101. Er *is* een andere wereld aan gene zijde van de kast. Er zijn fauns en witte heksen gesignaleerd.

Leuk om je profiel te lezen.

Niet leuk om jouw profiel te lezen, Onderzoeker 101. Werkgever: Netherfield Center. Is dat alles? En die foto? Zo'n klein silhouet. Had je die niet wat op kunnen smukken? Een geel vlot, of zoiets?

Ik zal erover denken.

Nu we vrienden zijn, moeten we misschien onze instellingen veranderen zodat mensen ons niet kunnen vinden.

Heb ik al gedaan. Nieuwe vragen zijn onderweg, per mail. Ik ga echt geen vragen over de chat sturen.

Fijn dat je in het konijnenhol bent afgedaald om me te vinden.

Dat is mijn werk. Had je niet verwacht dat ik het zou doen?

Ik wist het niet zeker. Ik weet dat je niet van Facebook houdt. Maar misschien verbaas je jezelf nog; straks ga je het nog leuk vinden. Het is directer dan een mailtje. E-mail zou weleens helemaal kunnen verdwijnen, op dezelfde manier als de handgeschreven brief.

Ik hoop van harte van niet. E-mail lijkt me zoveel beschaafder dan sms'jes, berichtjes en Twitter. Wat komt hierna? Communiceren in maximaal drie woorden?

Goed plan. Dan noemen we het Twi. Zinnen van drie woorden kunnen behoorlijk veel zeggen.

Geloof ik niet.

Probeer het eens.

Laten we dat maar niet doen.

Je bent hier niet zo goed in.

Hoe gaat het met je man? Kan ik iets voor jullie doen?

Zorgen dat hij zijn oude baan terugkrijgt.

Iets anders?

Mag ik je iets vragen?

Natuurlijk.

Ben je getrouwd?

Ik mag in principe geen persoonlijke informatie geven.

Dat verklaart je profiel. Of het gebrek eraan.

Ja, sorry. De ervaring leert dat hoe minder je van de onderzoeker weet, hoe openlijker je antwoorden zijn.

Dus ik moet jou zien als die gps-stem?

Dat hebben anderen ook gedaan.

Wie, Onderzoeker 101?

Andere respondenten natuurlijk.

Gezinsleden?

Dat kan ik bevestigen noch ontkennen.

Ben je een computerprogramma? Zeg het dan. Zit ik met een computer te chatten?

Kan niet antwoorden. Accu bijna leeg.

Kijk nou, Je twit. Ik wist wel dat je het in je had.

Moet ik het zeggen wanneer ik moet gaan of typ ik gewoon got to go? Ik wil niet onbeleefd zijn. Wat zijn de regels?

Het is GTG, niet '*got to go*'. En het leuke van chatten is dat er geen sprake is van langgerekte afscheidsrituelen.

Wat jammer, ik ben gek op langgerekte afscheidsrituelen.

Echtgenote 22?

Echtgenote 22?

Ben je offline?

Ik ben ons afscheid aan het rekken.

40

Alice Buckle
Gestudeerd aan *Mass* **Geboren op** *4 september* **Huidige werkgever**
Kentwood Basisschool **Familie** *William, Peter, Zoe* **Werk** *Alles om geen*
rots te worden. **Over jou** *De minuten lijken wel jaren.*

Henry Archer > Alice Buckle
Stop maar, nichtje... het heeft duidelijk al maanden niet geregend in
Californië!
4 minuten geleden

Nedra Rao > Kate O'Halloran
Je boeit me mateloos.
13 minuten geleden

Julie Staggs
Is het kindermishandeling om je dochter met handen en voeten aan haar
bed te binden met Hello Kitty-lintjes? Geintje!!!
23 minuten geleden

William Buckle
Vrij
1 uur geleden

Deel 2

41

William is ontslagen. Niet beboet, niet gewaarschuwd, niet gedegradeerd, maar ontslagen. Midden in een recessie. Midden in ons leven.

'Wat heb je gedaan?' schreeuw ik.

'Hoe bedoel je, wat heb *ik* gedaan?'

'Om ontslagen te worden?'

Hij kijkt me verbijsterd aan. 'En bedankt voor het medeleven, Alice. Ik heb niets gedaan. Het is een kwestie van boventalligheid.'

Ja ja, van buitensporigheid zal je bedoelen. Van door je grote mond je baan verspelen, denk ik.

'Bel Frank Potter. Zeg hem dat je bereid bent voor minder te werken. Zeg hem dat je tot alles bereid bent.'

'Dat kan toch niet, Alice.'

'We kunnen ons geen valse trots veroorloven, William.'

'Het heeft niets met trots te maken. Ik hoor gewoon niet bij KKM. Het was geen match meer. Misschien moest dit gebeuren. Misschien had ik dit nodig om wakker te worden.'

'Meen je dat nou? We kunnen het ons ook niet veroorloven om wakker te worden.'

'Dat ben ik niet met je eens. We kunnen juist niet blijven slapen.'

'Heb je soms Eckhart Tolle zitten lezen?' gil ik.

'Natuurlijk niet,' zegt hij. 'We hadden toch afgesproken om vooral niet in het moment te leven?'

'We hebben zoveel afgesproken. Doe dat raam eens open, ik stik bijna.'

We zitten in de auto op de oprit. Dit is de enige plek waar we rustig kunnen praten. Hij start de auto en doet het raam open. Mijn Susan Boyle-cd schalt uit de boxen: *I dreamed a dream in time gone by.*

'Jezus!' zegt William, terwijl hij op STOP drukt.

'Dit is mijn auto. Jij hebt niets over mijn muziek te zeggen.'

Ik zet de cd weer aan. *I dreamed that love would never die.* Jezus! Ik druk op STOP.

'Ik kan die meuk niet hebben,' kreunt William.

Ik heb de neiging om naar mijn computer te rennen om nog wat budget-berekeningen te maken, prognoses tot en met 2040, maar ik weet al wat de uitkomst zal zijn. Met al onze onkosten, inclusief de bedragen die we elke maand naar onze beide vaders overmaken om hun schamele AOW aan te vullen, zullen we het een kleine zes maanden uit kunnen zingen.

'Je bent zevenenveertig,' zeg ik.

'Jij bent vierenveertig,' zegt hij. 'Wat is je punt?'

'Mijn punt? Mijn punt is dat je je haar moet gaan verven,' zeg ik met een blik op zijn grijzende slapen.

'Waarom zou ik mijn haar gaan verven?'

'Omdat het verdomd moeilijk gaat worden om een baan te vinden. Je bent te oud. Je bent te duur. Niemand wil je aannemen. Ze gaan liever voor iemand van achtentwintig zonder kinderen of hypotheek, voor de helft van het geld, die actief is op Facebook, Tumblr en Twitter.'

'Ik zit op Facebook,' zegt hij. 'Ik heb er alleen nog een leven naast.'

'Je vertelt er alleen wel even aan de rest van de wereld dat je ontslagen bent.'

'"Vrij" kan op veel manieren geïnterpreteerd worden. Luister Alice, het spijt me dat je bang bent, maar er zijn nu eenmaal momenten in het leven dat je de sprong moet wagen. En als je te bang bent om de sprong te wagen, komt er uiteindelijk iemand langs om je genadeloos over de rand te duwen.'

'Je leest dus tóch Eckhart Tolle! Wat doe je nog meer waar ik niets van af weet?'

'Niets,' zegt hij toonloos.

'Dus je bent al langer niet blij op je werk, is dat wat je zegt? En wat wil je nu dan? Weg uit de reclame?'

'Nee, ik wil alleen even iets anders.'

'Hoe anders?'

'Ik wil werken aan dingen die me iets doen. Ik wil producten verkopen waar ik achter sta.'

'Dat klinkt fantastisch. Dat willen we allemaal wel, maar ik ben bang dat dat in de huidige economie een illusie is.'

'Waarschijnlijk, maar sinds wanneer mogen wij geen illusies meer najagen?'

Ik begin te huilen.

'Alsjeblieft niet, zeg. Niet huilen.'

'Waarom huil je?' vraagt Peter, plotseling opduikend voor mijn raam.

'Ga naar binnen, Peter. Dit is een privégesprek,' zegt William.

'Blijf,' zeg ik. 'Straks weet hij het toch. Je vader is ontslagen.'

'Ontslagen als in de laan uitgestuurd?'

'Nee, ontslagen. Als in ontslagen. Dat is wat anders,' zegt William.

'Betekent dat dat je meer thuis zal zijn?' vraagt Peter.

'Ja.'

'Mag iedereen het weten?' vraagt Peter.

'Wie iedereen?' zeg ik.

'Zoe.'

'Zoe is niet iedereen. Dat is familie,' zeg ik.

'Nee, zij is iedereen. Dat hebben we lang geleden al geaccepteerd,' zegt William. 'Luister, alles komt goed. Ik vind wel iets anders. Vertrouw me. Ga je zus maar halen,' zegt hij tegen Peter. 'We gaan uit eten.'

'Gaan we vieren dat je eruit gevlogen bent?' vraagt Peter.

'Ontslagen. En ik stel voor dat we dit als een nieuw begin zien, niet als een eind,' zegt William.

Ik doe mijn portier open. 'We gaan helemaal niet uit. We hebben nog kliekjes die op moeten.'

Die nacht kan ik niet slapen. Ik word om drie uur wakker en besluit me zonder aanwijsbare reden te wegen. Waarom niet? Iets anders heb ik toch niet te doen. Zestig kilo... op een of andere manier ben ik drie kilo kwijt! Ik schrik. Vrouwen van mijn leeftijd raken niet op magische wijze drie kilo kwijt! Ik volg geen dieet, hoewel ik nog steeds elke maand een bedrag betaal voor een onlineprogramma van Weight Watchers, dat ik nu zeker op moet zeggen. En naast mijn pathetische poging tot een rondje rennen met Caroline, heb ik in geen weken aan sport gedaan. Andere leden uit mijn huishouden doen echter bovenmatig aan sport. Misschien vliegen de calorieën er alleen al af door in de nabijheid te zijn van Zoe's 750 sit-ups per dag en Williams rondes van zeven kilometer met Caroline. Of misschien heb ik maagkanker. Of misschien is het schuldgevoel. Dat is het. Ik zit zonder dat ik het wist al weken op een schuldgevoeldieet.

Wat een briljant idee voor een boek! Dieetboeken gaan als warme broodjes. Ik vraag me af of ik de eerste ben met dit idee.

GOOGLE SEARCH 'Schuldgevoeldieet'
Ongeveer 9.850.000 resultaten (0,17 seconden)

<u>Gilt groupe</u>
Exclusief design en modemerken met meer dan 70% korting...

<u>**Werkende moeders... Schuldgevoel**</u>
Soms voel ik me een beetje schuldig als de hulp mijn lakens wast en ik aan een door de baas betaalde lunch zit bij...

<u>**Schaamteloze sushi**</u>
Schaamteloos sushi eten is niet altijd makkelijk...

Ik ben niet op zoek naar afgeprijsde designkleding en hoewel ik een werkende moeder ben, heb ik me daar nooit schuldig over gevoeld en Zoe heeft het eten van sushi verboden (uitgezonderd een paar soorten gecertificeerde sushi zoals de gewone inktvis, waar ik geen enkele moeite mee heb), maar hoera: er is geen schuldgevoeldieet te vinden op internet.

'We zijn los!' jubel ik tegen Jampo, die aan mijn voeten zit. Ik krabbel een briefje naar mijzelf dat ik morgenochtend verder zal denken over het schuldgevoeldieet, wat tegen die tijd waarschijnlijk het belachelijkste idee aller tijden zal blijken te zijn, maar voor de zekerheid.

Ik open Facebook en ga naar Williams prikbord. Hij heeft geen nieuwe *post*, wat me vreemd genoeg tegenvalt. Wat had ik verwacht?

William Buckle
Vrouw dwingt me te luisteren naar Susan Boyle, maar ik ben ontslagen dus ik heb het verdiend.

William Buckle
Vrouw lijkt slanker, ik vermoed een lintworm.

Of waarschijnlijk meer iets in de trant van...

William Buckle
'Het verleden kan het heden niet veranderen.' Eckhart Tolle

42

43. Na die nacht dat we Williams Clio vierden, gingen er drie tergende weken voorbij. Drie weken waarin William me negeerde. Onze sportlunches stopten abrupt. Als hij me moest spreken, vermeed hij mijn blik en keek naar mijn voorhoofd, wat behoorlijk verwarrend was en ervoor zorgde dat ik stomme dingen zei als *volgens de focusgroep willen vrouwen vooral weten dat wc-papier niet scheurt terwijl je het gebruikt omdat mannen hun handen veel minder vaak wassen dan vrouwen en als ze ze wel wassen dan gebruiken ze meestal geen zeep.* Hij noemde me ook weer Brown, zoals eerst, dus ik kon alleen maar concluderen dat hij (net als ik) die avond dronken was geweest en geen enkele herinnering had aan het knokkelincident in de gang bij de dames-wc. Of zich bij het wakker worden in nuchtere toestand zo schaamde dat hij me de hele avond had aangestaard, dat hij nu uit alle macht deed alsof het niet gebeurd was.

Ondertussen waren Helen en hij onafscheidelijk. Ze sloop zeker drie keer per dag zijn kamer in, waarna de deur achter hen dichtging, en elke middag haalde ze hem op en vertrokken ze naar Rob Roys in het Copley Hotel of naar een of andere pretentieuze bijeenkomst in het Isabelle Gardner Museum.

En toen, net toen ik op het punt stond een uitnodiging voor een blind date te accepteren, kreeg ik de volgende mail:

Van: williamb <williamb@peaveypatterson.com>
Onderwerp: Tom Kha Gai
Datum: 4 augustus, 10:01
Aan: alicea <alicea@peaveypatterson.com>

Zoals je waarschijnlijk wel gemerkt heb, ben ik al twee dagen ziek thuis. Ik doe een moord voor een portie Tom Kha Gai. Wil je dat voor me halen? Maar ga wel naar King and Me, niet naar King of Siam. De vorige keer dat ik bij King of Siam at, rende er een muis over mijn voet. Duizendmaal dank. Acornstraat 54, tweehoog. Apt. 203.

Van: alicea <alicea@peaveypatterson.com>
Onderwerp: RE: Tom Kha Gai
Datum: 4 augustus, 10:05
Aan: williamb <williamb@peaveypatterson.com>

Bangkok Princess heeft de beste Tom Kha Gai van Beacon Hill, King and Me is een verre tweede. Ik zal je moord voor soep doorsturen naar Helen, waar dit verzoek waarschijnlijk voor bedoeld was.

Van: williamb <williamb@peaveypatterson.com>
Onderwerp: RE: Tom Kha Gai
Datum: 4 augustus, 10:08
Aan: alicea <alicea@peaveypatterson.com>

Het verzoek was voor jou bedoeld.

Van: alicea <alicea@peaveypatterson.com>
Onderwerp: RE: Tom Kha Gai
Datum: 4 augustus, 10:10
Aan: williamb <williamb@peaveypatterson.com>

Dus als ik het goed begrijp, moet ik omdat jij zin in Tom Kha Gai hebt midden op de dag mijn werk uit mijn handen laten vallen, over de brug rennen en jou persoonlijk je soep komen bezorgen?

Van: williamb <williamb@peaveypatterson.com>
Onderwerp: RE: Tom Kha Gai
Datum: 4 augustus, 10:11
Aan: alicea <alicea@peaveypatterson.com>

Ja.

Van: alicea <alicea@peaveypatterson.com>
Onderwerp: RE: Tom Kha Gai
Datum: 4 augustus, 11:23
Aan: williamb <williamb@peaveypatterson.com>

Waarom zou ik dat doen?

Hij antwoordde niet en dat was ook niet nodig. We wisten allebei donders-
goed waarom.

Vijfenveertig minuten later klopte ik op zijn deur.

'Kom binnen,' riep hij.

Ik duwde de deur open met mijn voet, een papieren zak met twee plastic
bakjes Tom Yum Goong in mijn handen. Hij zat op zijn bank, natte haren, wit
T-shirt en spijkerbroek. Ik had hem nog nooit in iets anders gezien dan een
pak of zijn hardloopshorts en in deze kleren leek hij jonger en op een of
andere manier nog meer macho. Had hij speciaal voor mij gedoucht?

'Ik heb koorts,' zei hij.

'Ja, en ik heb Tom.'

'Tom?'

'Tom Yum Goong.'

'Tom Kha Gai was verhinderd?'

'Niet zeuren. Het is Thaise soep, het begint met Tom en ik heb anderhalve
kilometer gelopen om het jou te brengen. Waar ligt je bestek?' vroeg ik.

Ik raakte hem terwijl ik langs hem liep en hij pakte mijn arm en trok me
naast hem op de bank. Geschrokken (hij leek minstens zo geschrokken als
ik) keken we allebei strak voor ons uit alsof we naar een lezing zaten te
luisteren.

'Ik wil niet ook ziek worden,' zei ik.

'Ik heb het uitgemaakt met Helen,' zei hij.

Hij verplaatste zijn been een klein stukje en onze knieën raakten elkaar.
Was dat expres? Daarna bewoog hij zijn bovenbeen zodat het tegen het
mijne aan lag. Ja dus.

'Het ziet er niet uit alsof je het uitgemaakt hebt,' zei ik. 'Ze woonde de
afgelopen dagen zowat in jouw kamer.'

'Dat was omdat we het aan het uitmaken waren.'

'Hoe bedoel je?'

'Zij wilde niet. Ik wilde wel.'

'Dit kunnen we niet maken,' zei ik, waarmee ik bedoelde: *druk je been harder tegen mijn been*.

'Waarom niet?'

'Je bent mijn baas.'

'En...'

'En dat betekent dat er een machtsverhouding is.'

Hij lachte. 'O ja, een machtsverhouding... tussen óns. Jij bent ook zo'n zwak, onderdanig typje. Dat altijd op haar tenen door het kantoor loopt.'

'Jezus.'

'Zeg dat ik moet stoppen en ik stop.'

'Stop.'

Hij legde zijn hand op mijn dij en er ging een rilling door mijn lijf.

'Alice.'

'Geen spelletjes, maatje. Niet mijn naam zeggen als je het niet meent. Wat is er met Brown gebeurd?'

'Dat was om mezelf te beschermen.'

'Waartegen?'

'Tegen jou. Jou, Alice. Verdomme. Jou.'

Daarna draaide hij zich naar me toe om me te kussen en ik voelde zijn koorts en ik dacht *nee nee nee nee nee* tot het moment dat ik *ja, stomme klootzak* dacht.

En precies op dat moment ging de deur open en kwam Helen binnen met een plastic tas van King of Siam; de boodschap over het ongedierteprobleem van het betreffende restaurant had haar blijkbaar nooit bereikt. Ik was zo overvallen dat ik een kort, hoog gilletje slaakte en naar de andere kant van de bank sprong.

Helen keek al net zo verbaasd.

'Klootzak,' zei ze.

Ik was in de war. Had ik William hardop klootzak genoemd? Had ze me gehoord?

'Bedoelt ze mij?' vroeg ik.

'Nee, ze bedoelt mij,' zei William en hij stond op.

'Je secretaresse zei dat je ziek was. Ik heb Pad Thai voor je gehaald,' zei Helen met een verwrongen gezicht.

'Je zei dat het uit was tussen jullie,' zei ik tegen William.

'Hij zei dat het uit was tussen jullie,' zei ik tegen Helen.

'Gisteren!' schreeuwde Helen. 'Minder dan vierentwintig uur geleden.'

'Luister… Helen,' zei William.

'Slet,' zei Helen.

'Bedoelt ze mij?' vroeg ik.

'Ja, nu bedoelt ze jou,' verzuchtte William.

Ik was nog nooit voor slet uitgemaakt.

'Dat is niet erg aardig van je, Helen,' zei hij.

'Kop dicht. Je liep als een loopse teef achter hem aan.'

'Ik zei toch dat het gewoon gebeurde. We hebben hier geen van beiden om gevraagd,' zei William.

'En dat maakt het minder erg voor mij? We waren zo goed als verloofd,' schreeuwde Helen. 'Vrouwen doen zoiets niet. Je gaat er niet met de man van een ander vandoor. Hoer dat je bent,' siste ze naar mij.

'Ik moest maar eens gaan,' zei ik.

'Je maakt een grote fout, William,' zei Helen. 'Je denkt dat ze sterk is, zelfverzekerd. Maar dat blijft niet zo. Het is een spelletje. Als het even slecht gaat, is ze weg. Dan verdwijnt ze.'

Ik had geen idee waar Helen het over had. Wegrennen en verdwijnen was iets voor drugsverslaafden of mensen in een midlifecrisis, niet voor drieëntwintigjarige jonge vrouwen. Maar later dacht ik terug aan dit moment en besefte ik dat Helens woorden griezelig voorspellend waren geweest.

'Kom alsjeblieft even zitten,' zei William. 'Laten we praten.'

Helens ogen vulden zich met tranen. William liep naar Helen, legde zijn arm om haar schouders en leidde haar naar de bank. *Kom vanavond terug* zei hij geluidloos tegen mij.

Ik glipte stilletjes naar buiten.

44. Wenkbrauwen plukken. Tanden flossen. Etensresten tussen tanden uit pulken. Rekeningen betalen. Over geld praten. Over seks praten. Praten over dat je kind seks heeft.

45. Verdriet.

46. Natuurlijk doe ik dat. Wie niet? Je wilt details, zeker? Oké, dat ik de lakens heb verschoond (als ik eigenlijk alleen de kussenslopen heb verwisseld). Dat ik niet degene was die de mooie messen in de vaatwasser had gedaan in plaats van ze met de hand af te wassen; en ik weet toevallig best dat de mooie messen de messen met het zwarte handvat zijn, ik ben niet debiel of zo, ik had gewoon haast. Dat ik geen trek heb in avondeten (als ik geen trek heb, dan komt dat omdat ik een uur voordat iedereen thuiskwam een gezinspak caramelrepen naar binnen heb gewerkt). Dat ik vijf dagen heb gedaan over die fles wijn (waarom staan er dan twee lege flessen in de bijkeuken?). Dat er vast iemand tegen mijn zijspiegel aan gereden is op de parkeerplaats van de supermarkt (asociale honden zijn het) en dat het helemaal niet gebeurd is toen ik achteruit uit de garage reed. Maar nee, niet dat ene. Dat is nooit een probleem geweest.

 **John Yossarian heeft een profielfoto toegevoegd**

Je lijkt verbluffend veel op een yeti, Onderzoeker 101.

En bedankt, Echtgenote 22. Ik hoopte al dat je dat zou zeggen.

Er hangt echter een nogal onyeti-achtig oor aan je hoofd.

Dat is geen oor.

Het lijkt wel een konijnenoor.

Dat is een hoed, als ik zo vrij mag zijn.

Ik herzie mijn mening. Je lijkt verbluffend veel op Donnie Darko. Hoor je dat vaker?

Dit is nou precies waarom ik geen foto had geplaatst.

Mag ik het even over de oranje broek hebben?

Nee, dat mag niet.

Oké, laten we het dan over vraag 45 hebben. Hij blijft me bezighouden. Dat was een moeilijke.

Vertel.

Nou, eerst dacht ik dat hij makkelijk was. Het antwoord was natuurlijk

verdriet. Maar nu ik er wat langer over nagedacht heb, vraag ik me af of stilstand niet een beter antwoord is.

Je vindt het vast leuk om te horen dat het bij meerdere respondenten gaat zoals bij jou; eerst zeggen ze het voor de hand liggende en zoeken dan door naar een meer genuanceerd antwoord. Waarom stilstand?

Omdat stilstand op een bepaalde manier familie is van verdriet, maar in plaats van in één keer helemaal doodgaan, ga je elke dag een klein beetje dood.

Hallo?

Ik ben er nog. Ik dacht even na. Ik begrijp het, vooral als je bekijkt wat je antwoord op vraag 3 (eens per week) en op vraag 28 (eens per jaar) was.

Ken je mijn antwoorden uit je hoofd?

Natuurlijk niet. Ze liggen hier voor me. Zal ik je antwoord veranderen naar stilstand?

Ja, verander het maar. Dat komt meer in de richting van de waarheid, in tegenstelling tot jouw profielfoto.

Daar ben ik niet zo zeker van. De waarheid is vaak nogal troebel als je het mij vraagt.

Echtgenote 22?

Sorry, mijn zoon belt. GTG.

44

Alice Buckle
Zieke zoon.
1 minuut geleden

Caroline Kilborn
Zere voeten. 55-kilometerweek!!
2 minuten geleden

Phil Archer
Wou dat zijn dochter het eens wat RUSTIGER aandeed en hem af en toe een berichtje stuurde.
4 minuten geleden

John F. Kennedy School
Vergeet niet dat wat vorig jaar nog prima kon nu ongepast kan zijn als gevolg van exponentiële fysieke ontwikkeling.
3 uur geleden

John F. Kennedy School
Ouders: let u erop dat de edele delen en onderkleding van uw kinderen niet zichtbaar zijn als zij het huis verlaten. Dat is uw verantwoordelijkheid.
4 uur geleden

William Buckle
'Er zijn eindeloos veel gevaren in het leven en één ervan is veiligheid.'
Goethe
een dag geleden

Sommige van mijn dierbaarste jeugdherinneringen hebben te maken met ziek zijn. Dan ging ik van bed naar bank met mijn kussen onder de arm. Mijn moeder dekte me toe met een dekentje. Eerst keek ik achter elkaar *Love, American Style*, *The Lucy Show* en *Mary Tyler Moore*, en uiteindelijk *The Price is Right*. Tussen de middag bracht mijn moeder me geroosterd brood met boter, priklimonade zonder prik en een appel, in partjes gesneden. Tussen de programma's door gaf ik over in een emmer die mijn moeder klaar had gezet naast de bank voor het geval ik het niet naar de wc zou halen.

Dankzij de moderne geneeskunde is een griepje tegenwoordig binnen vierentwintig uur verdreven, dus als Peter wakker wordt met koorts is het alsof ik een dagje ijsvrij heb. Net als we ons op de bank nestelen, komt William in zijn joggingbroek de woonkamer in.

'Ik voel me ook niet lekker,' zegt hij.

Ik zucht. 'Jij kunt niet ziek zijn, Pedro is ziek.'

'Daarom ben ik waarschijnlijk ook ziek.'

'Misschien heb ik het wel van jou,' zegt Peter.

Ik leg mijn hand op Peters voorhoofd. 'Je gloeit helemaal.'

William pakt mijn andere hand en legt die op zijn voorhoofd.

'37,2 maximaal. Misschien 37,5,' zeg ik.

'Als papa ziek is, moeten we zeker de hele dag 24Kitchen kijken,' zegt Peter.

'De eerste die ziek wordt krijgt de afstandsbediening,' zeg ik.

'Ik ben toch te ziek om te kijken,' zegt William. 'Ik ben duizelig. Ik vraag me af of ik een binnenoorontsteking heb. Ik ga slapen. Maak me maar wakker voor *Barefoot Contessa*.'

Ik heb een visioen van het verloop van de komende weken. William zittend op de bank. Ik steeds inventiever in het bedenken van redenen om zonder hem het huis te verlaten, voornamelijk voor zaken die met vrouwelijke lichaamsdelen te maken hebben. Maandverband nodig. Uitstrijkje halen. Een lezing over bio-identieke hormonen.

'Kun je me over een halfuur een boterham brengen?' roept William terwijl hij de trap op loopt.

'Wil je ook een sinaasappelsapje?' roep ik uit schuldgevoel.

'Dat zou lekker zijn,' klinkt de stem uit de verte.

The Sixth Sense is een van mijn absolute lievelingsfilms. Ik houd niet van horror, maar ik ben gek op psychologische thrillers. Ik houd van onverwachte wendingen. Helaas was er tot op heden niemand in mijn gezin die ik zover kon krijgen met me mee te kijken. Dus toen Peter in groep 6 voor de elfde keer *Captain Underpants* las, begon ik een korte-verhalen-club-van-moeder-en-zoon die ik in gedachten stiekem een moeder-traint-haar-zoon-om-enge-thrillers-met-haar-te-kijken-club noemde. Ik begon met hem Shirley Jacksons *The Lottery* te laten lezen.

'*The Lottery* gaat over het wel en wee van een klein stadje,' vertelde ik William.

'Het gaat ook over een vrouw die voor de ogen van haar kinderen dood-gegooid wordt met stenen,' zei William.

'Laten we Peter zelf laten beslissen,' zei ik. 'Lezen is per definitie een subjectieve bezigheid.'

Peter las de laatste regel van het verhaal hardop... 'en toen zaten ze op haar'... schudde zijn hoofd en ging terug naar *The Big Bad Battle of the Bionic Booger Boy*. Toen wist ik dat hij potentie had. In groep 7 gaf ik hem Ursula Le Guins *The Ones Who Walk Away from Omelas* en in groep 8 *A Good Man Is Hard to Find* van Flannery O'Connor. Met elk kort verhaal kreeg hij een dikkere huid en nu, aan de start van zijn derde jaar op de middelbare, is mijn zoon eindelijk klaar voor *The Sixth Sense*!

Ik begin de film te downloaden van Netflix.

'Je zult hem geweldig vinden. Dat kind is zo eng. En er zit een fantastische wending op het eind,' zeg ik.

'Het is geen horror, toch?'

'Nee, dit noemen ze een psychologische thriller,' leg ik uit.

Een halfuur later zeg ik: 'Super, toch? Hij ziet dode mensen.'

'Ik geloof niet dat ik het een leuke film vind,' zegt Peter.

'Wacht... het wordt nog beter,' beloof ik.

Vijfenveertig minuten later vraagt Peter: 'Waarom heeft die jongen maar een half hoofd?'

Twintig minuten later zegt hij: 'De moeder vergiftigt haar dochter door vloerwas in haar soep te doen. Jij zei dat dit geen horror was.'

'Dat is het niet. Ik beloof het. Trouwens, jij hebt *A Good Man Is Hard to Find* gelezen. Daarin vermoordt de slechterik een hele familie. Dat was veel erger dan dit.'

'Dat is anders. Dat is een kort verhaal. Daar zit geen beeld bij, of enge geluidseffecten. Ik wil niet meer kijken,' zegt hij.

'Je bent al zo ver. Je moet hem echt afkijken. De wending is nog niet eens geweest. Door die wending komt alles weer goed.'

Vijftien minuten later, na de wending (met luid geapplaudisseer van mijn kant, inclusief kreten als 'Is het niet geweldig, snap je het? Je snapt het niet... ik leg het uit. *Ik zie dode mensen?* Bruce Willis is dood en is de hele film al dood!')

Peter zegt: 'Niet te geloven dat je me die hele film hebt laten kijken. Ik zou je moeten aangeven.'

'Aan wie?'

'*Bij* wie. Papa.'

Een behoorlijk slecht begin van mijn korte-verhalen-club-van-moeder-en-zoon.

'Ik ga op de bank slapen,' zegt William die avond. 'Misschien ben ik besmettelijk. Ik wil jou niet aansteken.'

'Wat ontzettend aardig van je,' zeg ik.

William hoest. Hoest nog eens. 'Misschien is het een verkoudheid. Misschien is het wat anders.'

'Beter het zekere voor het onzekere nemen,' zeg ik.

'Welke lees je?' vraagt hij wijzend naar de stapel op mijn nachtkastje.

'Allemaal.'

'Tegelijk?'

Ik knik. 'Ik gebruik ze als slaapmiddel. In mijn slaap eet ik tenminste niet.'

Ik lees één pagina van een boek en val dan in slaap. Een paar uur later word ik wakker door Peter die aan mijn schouder schudt.

'Mag ik bij jou slapen? Ik ben bang,' snuft hij.

Ik doe het licht aan. '*Ik zie levende mensen*,' fluister ik.

'Dat is niet grappig.' Hij is bijna in tranen.

'O, liefje. Het spijt me.' Ik sla de deken open aan Williams kant van het bed en ben teleurgestelder dan ik dacht dat hij er niet is. 'Kom er maar bij.'

45

 John Yossarian heeft zijn profielfoto veranderd

John Yossarian heeft zijn status veranderd in
Het is ingewikkeld

John Yossarian heeft *Pina colada's* toegevoegd aan zijn Interesses

Je bent nog steeds onscherp, Onderzoeker 101.

Ik dacht dat je blij zou zijn. Ik vul mijn profiel in.

'Het is ingewikkeld' kun je van elke relatie zeggen.

Facebook geeft maar een beperkt aantal opties. Ik moest er eentje kiezen, Echtgenote 22.

Als je je eigen relatiestatus zou mogen schrijven, wat zou er dan staan? Ik stel voor dat je niet te lang over deze vraag nadenkt. De eerlijkste antwoorden komen altijd voort uit snelle mitrailleurantwoorden.

Getrouwd, twijfelend, hoopvol.

Ik wist dat je getrouwd was! En ik geloof dat bovenstaande bijvoeglijk naamwoorden allemaal onder 'Het is ingewikkeld' vallen.

Als jij je eigen relatiestatus zou mogen schrijven, wat zou die dan zijn?

Getrouwd. Twijfelend.

Niet hoopvol?

Nou, dat is het vreemde. Ik ben wel hoopvol, maar ik weet niet zeker of die hoop op mijn echtgenoot is gericht. Momenteel dan.

Waar is ze dan op gericht?

Geen idee, het is een soort rondzwevende hoop.

Aha, rondzwevende hoop.

Je gaat me toch niet vertellen hoe ik mijn hoop op mijn man kan richten?

Hoop is niet iets wat je van richting kunt laten veranderen. Ze landt waar ze landen moet.

Klopt. Maar het is fijn dat jij hoop hebt voor je huwelijk.

Dat heb ik niet zo gezegd.

Wat zei je dan?

Dat weet ik niet precies.

Wat bedoelde je dan?

Ik bedoelde dat ik hoopte de hoop te hebben. Later, in de toekomst.

Dus nu heb je die niet?

Die is een beetje in lucht opgegaan.

Ach zo, in lucht zoals op je profielfoto?

Ik hoop dat we vaker zo met elkaar kunnen praten.

Ik dacht dat je niet van chatten hield?

Met jou chatten vind ik wel leuk. En ik raak eraan gewend. Ik ga sneller denken. Maar daar betaal ik ook een prijs voor.

Hoezo?

Met tempo komt losbandigheid: kijk bijvoorbeeld naar de eerste zin van mijn vorige opmerking.

En dat baart je zorgen?

Eh, ja.

Met tempo komt ook de waarheid.

Een bepaald soort waarheid.

Je wilt het graag allemaal heel precies benoemen, is het niet, Onderzoeker 101?

Dat zit in de aard van het beestje.

Ik zou liever niet weten dat je van mierzoete cocktails houdt.

Dat is jouw gemis, Echtgenote 22.

46

'Is dat Jude?' vraag ik.

'Waar?'

'Bij de haarproducten?'

'Ik betwijfel het,' zegt Zoe. 'Hij doet niets aan zijn haar. Dat hoort niet bij zijn singer-songwriter-image.'

Zoe en ik zijn bij de drogist. Zoe heeft tanspons nodig en ik ben op zoek naar de parfum die ik droeg als tiener. Door de flirterige ondertoon van de chats met mijn Onderzoeker 101 voel ik me twintig jaar jonger. Ik heb me proberen voor te stellen hoe hij eruitziet. Vooralsnog is hij een kruising tussen een jonge Tommy Lee Jones en Colin Firth, oftewel een doorleefde, enigszins gehavende, profane Colin Firth.

'Pardon,' zeg ik tegen iemand die een schap aan het vullen is. 'Hebben jullie ook een parfum dat Love's Musky Jasmine heet?'

'We hebben Love's Baby Soft,' zegt ze. 'Schap zeven.'

'Nee, ik wil geen Baby Soft. Ik wil Musky Jasmine.'

Ze haalt haar schouders op. 'We hebben Circus Fantasy.'

'Wat voor debiel noemt een parfum Circus Fantasy?' vraagt Zoe. 'Wie wil er nou naar pinda's en paardenstront ruiken?'

'Britney Spears,' zegt de medewerker.

'Je zou dat synthetische spul toch niet moeten gebruiken, mama. Het is zo egoïstisch. Luchtvervuiling. Wat dacht je van mensen met MCS? Heb je weleens aan hen gedacht?' zegt Zoe.

'Ik hou van dat synthetische spul, het doet me denken aan mijn middelbareschooltijd, maar blijkbaar maken ze het niet meer,' zeg ik. 'Wat is MCS?'

'*Multiple chemical sensitivity*, overgevoeligheid voor geuren en chemicaliën.'

Ik rol met mijn ogen.

'Wat? Het is echt een handicap,' zegt Zoe.

'Wat dacht je van Jeetje, Wat Ruikt je Haar Lekker?' vraag ik de medewerker. 'Hebben jullie dat?'

Sinds wanneer zijn tampons zo duur? Gelukkig heb ik bonnen. Ik kijk naar de kleine lettertjes en knijp met mijn ogen, om ze vervolgens aan Zoe te geven. 'Ik kan het niet lezen. Hoeveel doosjes moeten we kopen?'

'Vier.'

'Er lagen nog maar twee doosjes,' zeg ik tegen de jongen achter de kassa. 'Maar de bon is voor vier pakjes.'

'Dan heb je er vier nodig,' zegt hij.

'Maar ik zei net dat er maar twee waren.'

'Mama, laat maar, neem die twee nou maar,' fluistert Zoe. 'Er staat een rij achter ons.'

'Het is twee dollar korting per stuk. Ik laat niets. We gebruiken de bonnen. We zijn vanaf nu op de bon.'

Tegen de kassajongen zeg ik: 'Kan ik de ontbrekende doosjes later ophalen?'

De kassabediende klapt met zijn kauwgom en spreekt in de microfoon. 'Ik heb een tegoedbon nodig,' zegt hij. 'Tampax.' Hij pakt een doosje tampons op en bestudeert de tekst. 'Staan er maten op deze dingen? Waar staat het dan? O... oké. Daar. Tampax, super plus. Vier doosjes,' vertelt hij aan de hele winkel.

'Twee,' fluister ik.

Zoe kreunt van schaamte. Ik draai me om en zie Jude een paar plekken achter ons in de rij staan. Hij was het tóch. Hij steekt schaapachtig een hand op en zwaait.

Als de kassajongen de rekening heeft opgemaakt en me een tegoedbon heeft gegeven, sprint Zoe de winkel uit.

'Jouw moeder heeft zoiets vast nooit bij jóú gedaan,' sist ze, vijf meter voor mij uit lopend. 'Lullige plastic tasjes. Je kijkt er dwars doorheen. Iedereen kan precies zien wat je hebt gekocht.'

'Niemand kijkt,' zeg ik als we bij de auto zijn, en ik bedenk me hoe ik er alles voor over zou hebben om door mijn moeder voor schut te worden gezet met de aankoop van te veel tampons bij de drogist toen ik zo oud was als Zoe.

'Hé, Zo,' zegt Jude als hij ons ingehaald heeft.

Zoe negeert hem. Judes gezicht betrekt en ik heb met hem te doen.

'Dit is niet het goede moment, Jude,' zeg ik.

'Doe de auto open,' zegt Zoe.

'Ik hoorde over je vaders baan,' zegt Jude. 'Ik wou jullie alleen even zeggen hoe erg ik het vind.'

Ik vermoord Nedra. Ik heb haar laten zweren dat ze naast Kate aan niemand zou vertellen dat William ontslagen was.

'We hebben haast, Jude. Zoe en ik gaan lunchen,' zeg ik terwijl ik mijn tas op de achterbank gooi.

'O, leuk,' zegt Jude. 'Een echt moeder-dochterding.'

'Ja, een moeder-dochterding,' zeg ik en ik stap in. Zelfs al wil de dochter niets met de moeder te maken hebben.

Eenmaal geïnstalleerd zet ik de achteruitkijkspiegel goed en kijk hoe Jude terugloopt naar de drogist. Zijn schouderbladen scherp afgetekend onder zijn T-shirt. Hij is altijd knokig geweest. Hij ziet eruit als een jongetje van één meter tachtig. O, Jude.

'Ik heb geen trek,' zegt dochter.

'Je krijgt vanzelf trek als we er zijn,' zegt moeder.

'We hebben geen geld om uit eten te gaan,' zegt dochter. 'We zijn op de bon.'

'Ja, laten we naar huis gaan en crackers eten,' zegt moeder. 'Of broodkruimels.'

Tien minuten later zitten we aan een tafeltje in de Rockridge Diner.

'Vind je het erg dat Jude net doet of er niets gebeurd is? Achter je aan loopt? Mag ik een slok van je thee?' vraag ik.

Zoe geeft me haar glas. 'Niet blazen. Ik heb er een hekel aan als je in mijn thee blaast terwijl het al afgekoeld is. Jij hoeft niets te vinden van mij en Jude.'

'Haargel en een pincet.'

'Wat?'

'Dat zat er in zijn tasje.'

Zoe haalt haar neus op.

'Een ham-kaastosti en pindakaas met hagelslag,' zegt de serveerster die onze bestelling komt brengen glimlachend tegen Zoe. 'Nooit te oud voor pindakaas met hagelslag. Wil je ook een glas melk, lieverd?'

Zoe kijkt op naar de serveerster, die waarschijnlijk halverwege de zestig is. We komen al jaren in de Rockridge Diner en zij is hier altijd. Ze heeft Zoe in alle fases van haar leven meegemaakt: als moedermelk lurkende baby, friet smijtende peuter, Lego-bouwende kleuter, Harry Potter-verslaafde basisschoolleerling, obstinate puber, en nu vintage dragende tiener.

'Graag, Evie,' zegt Zoe.

'Oké,' zegt de serveerster en ze raakt even haar schouder aan.

'Weet jij hoe ze heet?' vraag ik als Evie achter de toonbank is verdwenen. 'Ze bedient ons al jaren.'

'Ja, maar ze heeft toch nooit haar naam gezegd?'

'Jij hebt het haar nooit gevraagd.' Plotseling staan Zoe's ogen vol tranen.

'Je huilt, Zoe. Waarom huil je? Om Jude? Wat een onzin.'

'Kop dicht, mam.'

Dat was 'm. Je krijgt één 'kop dicht' per maand en dit was 'm. 'Nu is het klaar. Ik snap niet dat je nog moet huilen over die jongen. Sterker nog, ik vind het ronduit belachelijk. Hij heeft je gekwetst,' zeg ik.

'Weet je, mam,' bijt ze. 'Jij denkt dat je alles van me weet. Ik weet dat je dat denkt, maar weet je? Dat is niet zo.'

Mijn telefoon pingt. Is het een nieuw bericht van Onderzoeker 101? Ik probeer mijn verwachtingsvolle blik te maskeren.

Zoe schudt haar hoofd. 'Wat is er met jou?'

'Niets,' zeg ik, zoekend in mijn tas naar de telefoon. Ik kijk snel naar het scherm. Het is een Facebook-melding dat ik getagd ben in een foto. O, joepie, waarschijnlijk heb ik daarop een djellaba aan.

'Sorry, ik zet mijn telefoon uit.'

'Je doet raar,' zegt Zoe. 'Alsof je iets te verbergen hebt.' Ze kijkt vragend naar mijn telefoon.

'Dat is niet zo, maar waarom zou het niet mogen? Ik heb recht op een privéleven. Ik neem aan dat jij ook zo je geheimen hebt,' zeg ik met een bezorgde blik op haar broodje. Twee hapjes, misschien drie, ik vermoed dat dat alles is wat ze zal eten.

'Ja, maar ik ben vijftien. Ik hóór geheimen te hebben.'

'Natuurlijk mag je geheimen hebben, Zoe. Maar niet alles hoeft geheim te zijn. Je kunt me vertrouwen, dat weet je toch?'

'Jij zou geen geheimen moeten hebben,' zegt Zoe. 'Daar ben je veel te oud voor. Dat is te erg.'

Ik zucht. Ik ga vandaag niet verder komen met haar.

'Hier is je melk,' zegt Evie, op ons afkomend.

'Dank je, Evie,' fluistert Zoe met nog vochtige ogen.

'Gaat het wel?' vraagt Evie.

Zoe stuurt me een giftige blik.

'Evie, ik moet je mijn excuses aanbieden. Ik heb nooit naar je naam ge-vraagd. Dat had ik moeten doen. Het is verschrikkelijk onbeleefd van me dat ik dat nooit gedaan heb en het spijt me heel erg.'

'Bedoel je dat je ook een glas melk wilt, schat?' vraagt ze vriendelijk.

Ik kijk naar mijn bord. 'Graag.'

47

John Yossarian heeft zijn Favoriete Uitspraken bijgewerkt
Schrap overbodige woorden. – E.B. White

Even een kort hallo, Onderzoeker 101.

Hallo.

Lunchtijd – ham-en-kaastosti.

Ham & kaas. Nooit 'en' gebruiken als een &-teken ook volstaat. Tweede favoriete uitspraak: Schrap bijwoordelijke dialooglabels – Onderzoeker 101

Zonnig hier, zei ze zonnig.

Bewolkt hier.

Ik ben een slechte moeder.

Nee, dat ben je niet.

Ik ben een vermoeide moeder.

Begrijpelijk.

Ik ben een vermoeide echtgenote.

En ik een vermoeide echtgenoot.

O ja?

Soms, zei hij, remmeloos.

Schrap zelfbedachte woorden – Echtgenote 22

48

47. Leeftijd 19-27: Meer dan drie dagen per week (meer want actief seksle-ven, een beetje een slet eigenlijk). Leeftijd 28-35: minder dan twee dagen per week (minder door zwangerschappen, baby's, geen slaap = geen libi-do). Leeftijd 36-40: Meer dan zeven dagen per week (meer vanwege wan-hoop, de grote veertig nadert, je best doen voor een actief seksleven uit angst dat het helemaal voorbij is). Leeftijd 41-44: minder dan eens per maand (als de dokter ernaar vraagt vijf keer per week antwoorden en dat de dokter dan zegt: vijf keer per week wat? Stoelendans?).

48. Dit is een hoogst irritante vraag: pas!!!

49. Sjah Djahaan en Mumtaz Mahal, Abigail en John Adams, Paul Newman en Joanne Woodward.

50. Ben Harper. Ed Harris (ik heb iets met kale mannen met mooi gevorm-de schedels). Christopher Plummer.

51. Marion Cotillard (maar niet in de film over Édith Piaf, waarvoor ze haar haarlijn schoor). Halle Berry. Cate Blanchett (vooral als Queen Elizabeth). Helen Mirren.

52. Vaak.

53. Ik stopte mijn sleutel in het slot en deed de deur open. William was aan het werk. Hij stak een hand op. 'Stop,' zei hij. Hij pakte zijn blocnote op en begon hardop voor te lezen.

PEAVEY PATTERSON BRAINSTORMSESSIE

KLANT: ALICE A

BEDENKER: WILLIAM B

ONDERWERP: DINGEN WAAR ALICE ZICH NOOIT ZORGEN OVER ZOU MOETEN MAKEN

1. Of haar haar te lang is (pas te lang als het op haar enkels hangt en het lopen bemoeilijkt).

2. Of ze vergeten is lippenstift op te doen (heeft geen lippenstift nodig, lippen perfect frambozenrood).

3. Of haar jurk doorschijnt (Ja).

4. Of ze vandaag een slipje had moeten dragen naar haar werk (Nee).

'Jij eikel! Loop ik al de hele dag met mijn ondergoed te koop? Waarom heeft niemand iets gezegd?'

'Ik heb het je net gezegd.'

'Dat had je wel wat eerder kunnen doen. Ik schaam me kapot.'

'Nee joh. Het was het hoogtepunt van mijn dag. Kom hier,' zei William.

'Nee,' zei ik mokkend.

Hij veegde dramatisch al zijn papieren van tafel. Wie dacht hij dat hij was? Mickey Rourke in *9 1/2 Weeks*? God, wat een geweldige film was dat. Toen ik hem gezien had, kocht ik meteen jarretelles en kousen. Ik droeg ze een paar dagen en voelde me eindeloos sexy, tot ik het nadeel van jarretelles ontdekte. Heb je ooit een kous rond je enkel voelen slobberen terwijl je net een bus in stapt? Er is geen snellere manier om je een oude taart te voelen.

'Alice.'

'Wat?'

'Hier komen. Nu.'

'Ik heb altijd gefantaseerd over seks hebben op een tafel, maar ik weet niet of ik het iemand aan zou raden,' zei William een halfuur later.

'Insgelijks, meneer B.'

'Wat vond je van de pitch?'

'Ik weet niet of de klant overtuigd is.'

'Waarom niet?'

'De klant vindt het een beetje te expliciet. Kunnen we dit dan nu naar de slaapkamer verplaatsen?' Om naast elkaar te kunnen liggen op de tafel moesten we elk een arm en een been over de rand laten bungelen.

'Ik ben van gedachten veranderd. Ik vind het wel wat, de tafel.'

'Ach,' zei ik. 'Hij is hard, dat wel.' Mijn hand dwaalde langs zijn borst naar zijn middel.

'Dat is de aard van de tafel,' zei hij en hij legde zijn hand over de mijne en bewoog hem verder naar beneden.

'Je moet en zal de leiding hebben, of niet dan?'

Hij kreunde zacht toen ik hem aanraakte. 'Ik bedenk een nieuwe pitch, mevrouw A., dat beloof ik.'

'Niet zo zuinig. Vijf nieuwe pitches. De klant heeft het graag voor het kiezen.'

Uit respect voor Helen, omdat we het niet onder haar neus wilden wrijven (dat was mijn idee), besloten we dat we onze relatie op het werk beter geheim konden houden. De schijn ophouden was net zo spannend als vermoeiend. William kwam minstens tien keer per dag langs mijn bureau en omdat ik recht zijn kantoor inkeek (en elke keer als ik dat deed keek hij me recht aan), was ik in een constante staat van opwinding. 's Avonds bij het thuiskomen was ik doodop van de hele dag mijn lust bedwingen. Dan deed ik niets anders dan aan hem denken en aan zijn Levi's. En aan hoe hij eruitzag in die Levis. En als we samen op stap gingen voor een wandeling door het park of naar een wedstrijd van de Red Sox, of naar de achterlanden van Allston om naar een obscuur bandje te luisteren, was het net of we al deze dingen voor het eerst deden. Boston was een nieuwe stad met hem aan mijn zijde.

Ik weet bijna zeker dat we onuitstaanbaar waren. Vooral voor oudere stellen die niet hand in hand over de stoep liepen, die vaak niet eens leken te praten, een halve meter tussen hen. Ik was niet in staat te begrijpen dat hun stilte misschien wel een comfortabele, verworven stilte was, iets wat pas na jaren samenzijn ontstaat; ik dacht alleen maar dat het zo treurig was dat ze elkaar niets meer te zeggen hadden.

Maar genoeg over hen. William kuste me hartstochtelijk op de stoep, voerde me hapjes pizza, en soms, als er niemand keek, zaten zijn handen overal. Buiten ons werk liepen we of innig gearmd of met de handen in elkaars achterzak. Ik zie dit soort stelletjes nu, zo vol van zichzelf, ervan overtuigd niemand anders nodig te hebben dan elkaar, en het doet pijn ze te zien. Ik vind het moeilijk me voor te stellen dat wij ooit een van die stelletjes waren die naar mensen zoals wij keken, en dachten: *als jullie dan zo ongelukkig zijn, waarom gaan jullie dan niet uit elkaar?*

49

Lucy Pevensie
Geen fan van Turks fruit.
38 minuten geleden

John Yossarian
Heeft leverpijn.
39 minuten geleden

Wat vervelend dat je niet lekker bent, Onderzoeker 101.

Dank je, ik bevind me al enige tijd in de lappenmand.

Ik neem aan dat je morgen nog in de lappenmand blijft?

Ja, en de dag daarna, en de dag daarna, en daarna, tot deze verdomde oorlog voorbij is.

Maar niet zo ziek dat...

Ik je antwoorden niet kan lezen? Nee, zo ziek nooit.

Je wilt toch niet zeggen dat mijn antwoorden je bevallen, Onderzoeker 101?

Je beschrijft alles zo levendig.

Daar kan ik niets aan doen. Ik was vroeger toneelschrijver.

Dat ben je nog steeds.

Nee, ik ben zwak, saai en belachelijk.

En grappig.

Daar denkt mijn gezin anders over.

Over vraag 49. Ik vroeg me af... ben je ooit naar de Taj Mahal geweest?

Ik was er vorige week nog. Met dank aan Google Earth. Ben jij er ooit geweest?

Nee, maar het staat op mijn lijstje.

Wat staat er nog meer op je lijstje? En waag het niet om de *Mona Lisa* te zien in het Louvre te zeggen.

Een knoop leggen in een kersensteeltje met mijn tong.

Misschien moet je de lat iets hoger leggen.

Op een ijsberg staan.

Hoger.

Iemands huwelijk redden.

Te hoog. Veel succes.

Maar luister, ik moet het nog even hebben over je weigering om vraag 48 te beantwoorden. Dit soort weerstand betekent meestal dat we een gevoelige snaar hebben geraakt.

Je lijkt de Borg wel.

Mijn gok is dat jouw weerstand te maken heeft met de manier waarop de vraag gesteld was.

Ik kan me eerlijk gezegd niet herinneren hoe de vraag gesteld was.

Hij was totaal clichématig.

Nu weet ik het weer.

Jij voelt je beledigd door een vraag die duidelijk geformuleerd is voor de massa.

Je laat je niet graag in een groep plaatsen.

Nu klink je als een astroloog. Of een humanresourcesmanager.

Misschien kan ik vraag 48 stellen op een manier die je wel kunt verkroppen.

Ga je gang, Onderzoeker 101.

Beschrijf de laatste keer dat je voelde dat je man om je gaf.

50

Alice Buckle
Opgeblazen
24 minuten geleden

Daniel Barbedian Linda Barbedian
Je weet toch wel dat iets op Facebook zetten niet hetzelfde is als sms'en, mam?
34 minuten geleden

Bobby Barbedian Daniel Barbedian
Deze maand geen bijschrijving. Vraag mama.
42 minuten geleden

Linda Barbedian Daniel Barbedian
Net wat overgemaakt. Niet aan papa vertellen.
48 minuten geleden

Bobby Barbedian Daniel Barbedian
Geen zin meer om jouw sociale leven te financieren. Zoek werk.
1 uur geleden

William Buckle
Ina Garten: echt? Gouden rozijnen in ouderwets gemberbrood?
Gisteren

'Ik zag gisteren een muis,' zegt Caroline terwijl ze groenten opruimt uit een boodschappentas. 'Hij verdween onder de koelkast. Ik wil je niet op stang jagen, Alice, maar dat waren er al twee deze week. Misschien moet je een kat nemen.'

'Wij hebben geen kat nodig. Wij hebben Zoe. Zij is een fantastische muizenvanger,' zeg ik.

'Jammer dat ze nu nog hele dagen op school zit,' zegt William.

'Nou, misschien moet jij haar taak dan waarnemen,' zeg ik. 'Ik weet zeker dat ze het niet erg zal vinden.'

'Dit is echt een geweldige snijbiet!' zegt Caroline.

'Afgezien van die beestjes dan,' zei ik. 'Zijn het mijten?'

William bekijkt en bevoelt de groente. 'Dat is aarde, Alice, geen mijt.'

William en Caroline zijn net terug van een vroeg rondje boerenmarkt.

'Was de bluegrassband er ook?' vraag ik hem.

'Nee, maar er was wel iemand die *It Had to Be You* speelde op een koffer.'

'Wat mooi,' zeg ik, en ik ga met mijn vinger langs de gele en paarse stelen, 'maar je zou denken dat de kleur loslaat als je het kookt.'

'Misschien moeten we er een salade van maken,' oppert Caroline.

William knipt met zijn vingers. 'Ik heb het. Laten we Lidia's strangozzi met snijbiet en amandelsaus maken. En Ina's gemberkoek als perfect dessert.'

'Ik stem voor salade,' zeg ik, want als ik nog een zware maaltijd voorgeschoteld krijg, zal ik William persoonlijk *strangozziën*. Hij heeft een nieuwe hobby, of moet ik zeggen dat hij een oude passie heeft hervonden? Koken. De afgelopen week zaten we elke avond achter een uitgebreide maaltijd die William en zijn souschef moet-nog-een-baan-vinden-Caroline samen hadden bekonkeld. Ik weet niet goed wat ik ervan moet denken. Voor een deel ben ik opgelucht dat ik geen boodschappen hoef te doen, op de tijd hoef te letten, of hoef te koken, maar een ander deel van me is in verwarring door de onverwachte verschuiving in Williams en mijn rollen.

'Ik hoop dat we griesmeel hebben,' zegt William.

'Lidia gebruikt voor de helft griesmeel, voor de helft bloem,' zegt Caroline.

Geen van beiden merkt dat ik de keuken verlaat om me te verkleden voor mijn werk.

Het is drie weken voor de zomervakantie: voor mij zijn dit de zwaarste weken van het jaar. Ik regisseer zes stukken, één in elke klas. Ja, elk stuk is maar twintig minuten, maar geloof me als ik zeg dat aan die twintig minuten op het podium weken van casting, herschrijven, decorontwerp en repeteren voorafgaan.

Als ik die ochtend het lokaal binnenstap, staat Carisa Norman me op te wachten. Zodra ze me ziet begint ze te huilen. Ik weet waarom ze huilt; ze moet van mij een gans spelen. Groep 6 speelt dit jaar *Charlotte's Web*. Ik kijk naar haar betraande gezicht en vraag me af waarom ik haar niet de rol van Charlotte heb gegeven. Ze zou er perfect voor zijn. In plaats daarvan is ze een van de drie ganzen en ganzen hebben helaas geen tekst. Om dit te compenseren, heb ik de ganzen verteld dat ze mogen gakken wanneer ze daar maar zin in hebben. Vertrouw op jezelf. Ze zouden vanzelf aanvoelen wanneer het een goed moment was om te gakken. Dat was een vergissing; al snel bleek dat elk moment in het stuk een goed moment was om te gakken.

'Carisa, wat is er, lieverd? Waarom ben je geen pauze aan het houden?'

Ze geeft me een plastic zakje. Het spul dat erin zit lijkt op oregano. Ik doe het zakje open en ruik... marihuana.

'Carisa, waar heb je dit gevonden!'

Carisa schudt angstig haar hoofd.

'Carisa, liefje, je moet het me vertellen,' zeg ik, mijn uiterste best doend mijn bezorgdheid niet door te laten schemeren. Kinderen die wiet roken op de basisschool? Wordt er ook gedeald misschien?

'Ik zal niet boos op je worden.'

'Mijn ouders,' zegt ze.

'Is dit van je ouders?' vraag ik.

Ik geloof dat haar moeder in de ouderraad zit. Dit is geen goed nieuws.

Ze knikt. 'Ga jij het naar de politie brengen? Dat moeten kinderen altijd doen als ze drugs vinden.'

'En hoe weet jij dat?'

'CSI Miami,' zegt ze ernstig.

'Carisa, ga maar lekker buiten spelen met de rest en denk er maar niet meer aan. Ik zorg dat het in orde komt.'

Ze slaat haar armen om me heen. Haar baret valt bijna van haar hoofd. Ik speld 'm opnieuw vast en veeg het haar uit haar ogen.

'Zet het nadenkknopje maar even om, oké?' Dit zei ik altijd tegen mijn kinderen voordat ze naar bed gingen. Wanneer was ik daarmee opgehouden? Misschien moest ik het ritueel weer invoeren? Ik wou dat iemand mijn nadenkknopje eens omzette.

Tussen de lessen door worstelde ik met de juiste aanpak. Ik zou die wiet rechtstreeks naar het hoofd moeten brengen en haar vertellen wat ik wist; die lieve Carisa verlinkte haar ouders. Maar als ik dat doe, bestaat de kans dat het hoofd de politie erbij haalt. Dat wil ik natuurlijk niet, maar ik kan ook niet niets doen, want Carisa heeft hulp nodig. Als ik iets weet over zesdegroepers, is het dat ze niets geheim kunnen houden; uiteindelijk bekennen ze alles. Carisa kan niet terugnemen wat ze weet.

Tijdens de lunch doe ik de deur van mijn lokaal op slot en googel ik 'medisch marihuanagebruik' op mijn laptop. Misschien gebruiken de Normans marihuana op recept. Maar als dat zo was, zou die marihuana toch wel verstrekt worden in gelabelde verpakkingen in plaats van diepvrieszakjes? Misschien was er een professional die ik kon vragen hoe ze normaal hun product verkochten. Ik klik op 'Uitgeefpunt in de buurt' en probeer te kiezen tussen Smokey en het Groene Kruis als mijn mobieltje gaat.

'Kun je iets voor me doen? Kun je alsjeblieft Jude meenemen van school? Ik zit te wachten op een getuigschrift,' zegt Nedra.

'Nedra... wat een timing. Weet je nog wat je zei over het niet inlichten van de ouders over hun kinderen toen we naar die "Voorkomen van crystal-methverslaving bij kinderen"-bijeenkomst gingen op school? Dat ik mijn mond moest leren houden?'

'Dat hangt van de omstandigheden af. Gaat het over seks?' zegt Nedra.

'Ja, ik haal Jude wel op en nee, het gaat niet over seks.'

'Soa's?'

'Nee.'

'Seksueel losbandig gedrag?'

'Nee.'

'Plagiaat?'

'Nee.'

'Drugs?'

'Ja.'

'Harddrugs?'

'Valt wiet onder harddrugs?'

'Wat is er gebeurd?' verzucht Nedra. 'Is het Zoe of Peter?'

'Geen van beiden; iemand uit groep 6. Ze heeft haar ouders verlinkt en nu wil ik weten of ik haar ouders moet verlinken dat zij ze verlinkt heeft.'

Nedra is even stil. 'Hm, ik zeg nog steeds: niets doen. Maar vertrouw op je intuïtie. Daar is niets mis mee.'

Daar heeft Nedra het mis. Mijn instinct is als mijn geheugen: na een slordige veertig jaar begint het hier en daar scheurtjes te vertonen.

Je hebt voicemail, je hebt voicemail, je hebt voicemail.

'Hallo.'

'O, hoi. Hallo. Spreek ik met mevrouw Norman?'

'Jazeker.'

Ik ratel. 'Hoe is het met u? Bel ik gelegen? Het klinkt alsof u in de auto zit. Is het druk op de weg? Nou ja, het is eigenlijk altijd druk tegenwoordig.

Zeker hier. Maar toch is het hier heerlijk wonen, vindt u ook niet?'

'Met wie spreek ik?'

'O, pardon! Met Alice Buckle, Carisa's dramadocent?'

'Ja?'

Ik heb lang genoeg dramales gegeven om te weten wanneer een moeder mij wel kan schieten omdat ik haar dochter de rol van gans heb gegeven in het stuk van groep 6.

'Eh, er is een probleem.'

'O, heeft Carisa moeite met haar tekst?'

Zie je wel!

'Luister, Carisa was behoorlijk overstuur toen ze vanmorgen op school kwam.'

'O.'

De hardheid in haar stem verrast me. 'Laten jullie haar csi *Miami* kijken?' vraag ik.

Jezus, Alice.

'Belt u me daarover? Ze heeft een oudere broer. Ik kan echt niet bijhouden wat Carisa allemaal kijkt.'

'Daarom bel ik niet. Carisa had een zakje wiet bij zich. Van júllie.'

Stilte. Meer stilte. Heeft ze me gehoord? Sta ik in de wacht? Huilt ze?

'Mevrouw Norman?'

'Dat is onmogelijk. Mijn dochter heeft geen zakje wiet meegenomen.'

'Tja, ik begrijp dat het een gevoelige kwestie is, maar ze had wel een zakje wiet bij zich, want ik heb het hier voor me liggen.'

'Onmogelijk,' zegt ze.

Dit is de grotemensenvariant van je handen over je oren leggen en heel hard gaan zingen zodat je niet hoeft te horen wat er gezegd wordt.

'Zegt u dat ik zit te liegen?'

'Ik zeg dat u zich vergist.'

'Snapt u dat ik u tegemoet probeer te komen? Ik kan hierom mijn baan verliezen. Ik had het naar het hoofd kunnen brengen, maar dat heb ik niet gedaan. Voor Carisa. En omdat jullie misschien wel om medische redenen marihuana in huis hebben.'

'Medische redenen?'

Ziet ze niet dat ik haar een alibi probeer te geven?

'Ja, zoveel mensen gebruiken marihuana op voorschrift van de dokter; daar hoeft niemand zich voor te schamen. Bijvoorbeeld bij angsten of depressie.'

'Ik heb geen angsten en ik ben ook niet depressief, mevrouw Buckle. Het is aardig dat u zich zorgen maakt, maar als u ons blijft lastigvallen zal ik maatregelen moeten nemen.'

Mevrouw Norman hangt op.

Aan het eind van de dag rijd ik naar de McDonald's en gooi het zakje wiet in de container achter het restaurant. Daarna rijd ik als een voortvluchtige weg, wat betekent dat ik obsessief in mijn achteruitkijkspiegel blijf kijken en vijftig kilometer per uur rijd op een weg waar je tachtig mag, biddend dat er geen videobewaking was op de parkeerplaats van McDonald's. Waarom is iedereen zo hard? Waarom helpen we elkaar niet wat meer? En wanneer wás de laatste keer dat ik voelde dat mijn man echt om mij gaf?

51

KBD6 (Kentwood Basisschool Drama-ouderraad)
Forum nr. 129
KBD6ouderraad@yahoogroups.com

<u>Berichten (5)</u>

1. Was het eerlijk van Alice Buckle om de ganzen geen tekst te geven?
Geplaatst door: Queenbeebeebee

2. RE: Was het eerlijk van Alice Buckle om de ganzen geen tekst te geven?
Hé, misschien is dit niet wat sommige mensen willen horen, maar ik ga het toch
zeggen. Het is niet realistisch om te verwachten dat alle kinderen in het stuk
tekst zullen hebben. Dat is niet te doen. Niet met dertig kinderen. Het ene jaar
zal je kind geluk hebben en een goede rol krijgen. Andere jaren niet. Uiteindelijk
zal iedereen krijgen wat hij of zij verdient. **Door: Farmymommy**

3. RE: Was het eerlijk van Alice Buckle om de ganzen geen tekst te geven?
Nee, dat is niet eerlijk. En krijgt iedereen wel wat hij of zij verdient? Alice Buckle
is hypocriet! Denk je dat haar eigen kinderen ooit gans hebben hoeven spelen?
Ik denk het niet en ik kan het bewijzen: ik heb de programma's van de
afgelopen tien jaar. Haar dochter Zoe was mevrouw Squash, Verteller nummer
één, Leeuwentemmer met arm in het gips en Luie bij. Haar zoon Peter was
Stoute elf, Mollige trol, Bolle buffel (die wilde iedereen zijn) en Walnoot. Alice
Buckle is gewoon lui geworden. Hoe moeilijk is het om iedereen minstens één
regel tekst te geven? Misschien is mevrouw Buckle lang genoeg dramadocent
geweest. Misschien moet ze eens over haar pensioen gaan nadenken.
Door: Helicopmama

4. RE: Was het eerlijk van Alice Buckle om de ganzen geen tekst te geven?
Ik ben het eens met helicopmama. Mevrouw Buckle heeft het niet meer op een
rijtje. Ze zou toch een overzicht moeten hebben van elke klas? De stukken die
ze gedaan hebben en de rollen die de kinderen hebben gehad? Dan kan ze in
elk geval zorgen dat alles eerlijk verdeeld is. Als je kind vorig jaar maar één

regel had, zou het dit jaar een hoofdrol moeten krijgen. En als iemand geen tekst had, nou ja, breek me de bek niet open. Dat is gewoon niet acceptabel. Mijn dochter is ontroostbaar. Ontroostbaar. **Door: Storminnormandy**

5.RE: Was het eerlijk van Alice Buckle om de ganzen geen tekst te geven?
Mag ik even iets zeggen? Ik ben ervan overtuigd dat het aantal regels tekst dat uw kind in het toneelstuk van groep 6 heeft geen invloed zal hebben op zijn of haar toekomst. Geen enkele. En als ik me vergis en het mogelijk toch zo zou zijn, dan vraag ik u: overweeg eens te bedenken dat een kind met een kleine rol (één regel of geen tekst) uiteindelijk misschien wel meer zelfvertrouwen zal krijgen. Waarom? Omdat ze vanaf een jonge leeftijd hebben geleerd om te gaan met teleurstellingen en er het beste van te maken zonder af te haken of door te slaan als iets niet gaat zoals zij willen. Er zijn legio zaken in deze wereld die ons ontroostbaar zouden moeten stemmen. Groep 6 hoort daar niet bij.
Door: Davidmametlurve182

52

54. 'Hoi, mama,' riep ze vrolijk toen we aan kwamen rijden. Het was bijna middernacht en William en ik haalden haar op na het laatste schoolfeest van het jaar.

Ze stak haar hoofd door het raam en giechelde.

'Kunnen wij Dude naar huis brengen?'

'Wie?' zei ik.

'Dude!'

'Jude,' vertaalde William. 'Godsamme, ze is dronken.'

William draaide snel zijn raam dicht, net voordat ze overgaf over het bijrijdersportier.

'Heb je je telefoon bij je?' vroeg William.

We wisten dat dit moment eraan zat te komen, we hadden een actieplan en nu kwamen we in beweging. Ik sprong uit de auto met mijn iPhone in de hand en begon foto's te nemen. Ik maakte een paar klassiekers. Zoe leunend tegen de auto met de kotsvlekken in haar designpettycoat. Zoe die de auto in kruipt, op kousenvoeten, bezwete haarlokken plakkend in de nek. Zoe onderweg naar huis, haar hoofd tollend; mond wijd open. En de ergste: haar vader die haar het huis in draagt.

Vrienden hadden ons dit aangeraden. Als ze dronken zou worden, en dat zou ze – het was meer een kwestie van wannéér, dan van óf – moesten we alles documenteren, omdat ze te dronken zou zijn om zich er iets van te herinneren.

Het klinkt misschien hard, maar het werkte. De volgende morgen lieten we haar de foto's zien, waarvan ze zo schrok dat ze naar mijn weten nooit meer dronken is geweest.

55. Ik had William verkeerd ingeschat. Hij was geen oudgeld-, hooggeplaatst, zilveren-lepel-, Ivy League-elitekindje. Voor alles wat hij had bereikt had hij keihard gewerkt, zoals bijvoorbeeld een volledige studiebeurs voor Yale.

'Bier?' zei zijn vader, Hal, tegen mij, de deur van de koelkast openhoudend.

'Wil je Bud Light, Bud Light, of Bud Light?' vroeg William.

'Doe maar een Bud Light,' zei ik.

'Ze is leuk,' zei Hal. 'De vorige dronk water. Zonder ijs.' Hal schonk me een brede grijns. 'Helen. Zij maakte natuurlijk geen schijn van kans meer toen jij op het toneel verscheen, toch, slankie? Mag ik je slankie noemen?'

'Alleen als je Helen ook zo noemde.'

'Helen was niet slank. Volslank, ja.'

Ik was nu al gek op Hal.

'Ik zie waar William zijn charme van heeft.'

'William is een heleboel,' zei Hal. 'Gedreven, ambitieus, slim, arrogant, maar charmant: nee.'

'Wordt aan gewerkt,' zei ik.

'Wat gaan we eten?' vroeg Hal.

'Beef stroganoff,' zei William, die de boodschappen uitpakte.

'Mijn lievelingsmaal,' zei Hal. 'Jammer dat Fiona er niet bij kan zijn.'

'Je hoeft je niet te verontschuldigen voor mama. Jij kunt er niets aan doen,' zei William.

'Ze wilde echt komen,' zei Hal.

'Tuurlijk,' zei William.

Williams ouders gingen uit elkaar toen William tien was en zijn moeder, Fiona, hertrouwde heel snel met een man die al twee kinderen had. Hal en Fiona hadden in het begin samen de voogdij, maar tegen de tijd dat William twaalf was woonde hij fulltime bij zijn vader. William en Fiona hadden geen hechte band en hij zag haar sporadisch; op feestdagen en andere speciale gelegenheden. Weer een verrassing. Beiden ontmoederd.

56. Ik heb een ei voor je bewaard.

57. Maak je geen zorgen. Daar zorg ik voor.

53

 John Yossarian heeft zijn profielfoto veranderd.

Wat schattig, Onderzoeker 101! Hoe heet ze?

Sorry, dat mag ik niet zeggen.

Oké. Kun je wel zeggen wat je het leukst aan haar vindt?

Hem. De manier waarop hij elke dag om zes uur 's ochtends zijn koude neus tegen mijn hand duwt. Eén keertje maar. Daarna gaat hij netjes naast mijn bed zitten wachten tot ik wakker word.

Wat lief. Wat nog meer?

Nou, op dit moment duwt hij zijn snuit onder mijn arm terwijl ik met jouyrtfg. Sorry. Hij is altijd jaloers als ik op de computer bezig ben.

Wat ontzettend fijn voor je. Hij klinkt als een droom.

O, dat is ie ook.

Ik heb geen droomhond. Sterker nog, onze hond gedraagt zich zo slecht dat mijn man hem weg wil geven.

Zo erg kan het toch niet zijn?

Hij heeft op mijn mans kussen geplast. Ik ben bang om mensen thuis uit te nodigen.

Misschien moet je een training volgen.

Training is niet het punt.

Met je man, bedoel ik.

Haha!

Ik maak geen grap. Van dieren houden is niet voor iedereen vanzelfsprekend. Sommige mensen moeten het leren.

Dat ben ik niet met je eens. Liefde zou je niet moeten leren.

Zei zij bij wie de liefde vanzelf gaat.

Waarom zeg je dat, Onderzoeker 101?

Ik kan tussen de regels lezen.

De regels van mijn antwoorden?

Ja.

Nou ja, ik beweer niet dat de liefde vanzelf komt, maar ik kan wel zeggen dat alles ermee begint.

Moet gaan. Ik mail je binnenkort de volgende set vragen.

Wacht, voordat je gaat wil ik je iets vragen. Gaat het wel goed met je? Je bent dagen niet op Facebook geweest.

Niets aan de hand, gewoon druk.

Ik dacht dat je misschien boos was.

Daarom heb ik zo'n hekel aan online communiceren. Je weet nooit wat iemands werkelijke stemming is.

Dus je bent boos?

Waarom zou ik boos zijn?

Ik dacht dat ik je misschien beledigd had.

Waarmee?

Geen antwoord geven op vraag 48.

Het is je goed recht om vragen over te slaan.

Dus ik heb je niet beledigd?

Je hebt niets gedaan om me te beledigen, eigenlijk het tegenovergestelde, dat is nu juist het probleem.

54

'Mail,' kondigt Peter aan en hij gooit een tijdschrift van een pensioenfonds op mijn bureau. Hij gluurt over mijn schouder. 'Wat is papa toch allemaal aan het posten? En wie is Helen Davies?'

'Iemand die bij ons werkte.'

'Ben jij ook vrienden met haar?'

Nee, Helen Davies, Helena van Troje, heeft mij niet als vriend toegevoegd. Ze heeft alleen mijn man bevriend. Of heeft hij haar bevriend? Maakt het uit wie wie bevriend heeft? Ja, dat maakt waarschijnlijk wel uit.

Ik kijk naar het grijze stel op de cover van het tijdschrift. Fuck! Ik wil geen gebruikmaken van een speciale aanbieding voor oogdruppels, noch heb ik behoefte om te weten hoeveel ik nog kan zien vanachter het stuur, want ik ben nog géén vijftig en dat zal ik nog zeker zes jaar niet zijn. Waarom blijven ze me dit tijdschrift sturen? Ik dacht dat ik daar iets aan gedaan had. Vorige maand heb ik nog gebeld om te zeggen dat de Alice Buckle die recentelijk vijftig is geworden in Charleston, South Carolina woont, in een heerlijk oud huis met een enorme veranda. 'En hoe wist ik dat?' vroegen ze. 'Omdat ik haar gegoogel-earth-d heb,' vertelde ik ze. 'Googel-earth Alice Buckle in Oakland, Californië en je vindt een vrouw die op haar oprit staat en tijdschriften teruggooit naar de postbode.'

Oude vriendinnen die opduiken. Vroegtijdig pensioneringstijdschriften ontvangen. Niet de beste manier om een zaterdag te beginnen. Ik googelmonkey yoga. Over twintig minuten begint er een les. Als ik opschiet kan ik het nog halen.

'En... *savasana*, allemaal.'

Eindelijk, lijkhouding! Mijn favoriete yogastandje. Ik rol op mijn rug. Normaal gesproken lig ik aan het eind van de les bijna te slapen. Vandaag niet. De energie is tot in mijn vingertoppen voelbaar. Ik zou moeten gaan rennen met Caroline; geen zonnegroeten maken.

'Ogen dicht,' zegt de lerares, door de zaal lopend.

Ik staar naar het plafond.

'Maak je hoofd leeg.'

Wat gebeurt er met me?

'Voor degenen die een mantra willen, probeer het met *Ong So Hung*.'

Hoe kan ze dat zeggen zonder te grinniken?

'Dat betekent "Schepper, ik ben U".'

Ik heb geen mantra nodig. Ik heb een mantra die ik de afgelopen vierentwintig uur obsessief heb herhaald en herhaald. *Je hebt niets gedaan om me te beledigen, eigenlijk het tegenovergestelde, dat is nu juist het probleem.*

'Alice, probeer te stoppen met frunniken,' fluistert de lerares als ze naast mijn matje staat. Ik doe mijn ogen dicht. Ze hurkt en legt de palm van haar hand op mijn solar plexus.

Dat is nu juist het probleem? Laten we die zin voor de vijftigste keer ontleden. Het probleem is dat ik hem niet beledig. Het probleem is dat hij wou dat ik hem kon beledigen. Het probleem is dat hij wou dat ik hem beledigde omdat ik nu precies het tegenovergestelde doe. Wat is het tegenovergestelde van beledigen? Pleasen? Behagen? Het probleem is dat ik hem behaag. Te veel. O god.

'Ademhalen, Alice, ademhalen.'

Mijn ogen gaan wijd open.

Ik ben in de kleedkamer en kleed me om, als een naakte vrouw voorbijloopt op weg naar de douche. Naaktheid is niet iets waar ik gemakkelijk mee omga. Dat zou natuurlijk anders liggen als ik net zo'n geweldig lichaam had als deze vrouw; perfect verzorgd, gemanicuurd, gepedicuurd, geen schaamhaar te bekennen.

Even staar ik, niet in staat iets anders te doen; ik heb nog nooit een echte levende vrouw gezien met een Brazilian wax. Is dit waar mannen van houden? Is dit wat ze *behaagt*?

Na mijn yogales heb ik met Nedra afgesproken om te lunchen. Als ze net een hap wil nemen van haar burrito, vraag ik: 'Wax jij je daarbeneden?'

Nedra legt haar burrito neer en zucht.

'Als je het niet doet, maakt het ook niet uit. Misschien hebben lesbo's wel andere schaamhaarcodes.'

'Ik wax, lieverd,' zegt Nedra.

'Hoeveel?'

'Alles.'

'Ga jij voor de Brazilian?' roep ik. 'En je vertelt mij niet dat ik dat ook moet doen?'

'Om precies te zijn heet het een Hollywood als je alles weghaalt. Wil je het nummer van mijn salon? Vraag naar Hilary. Zij is de beste en snelste; je voelt er bijna niets van. Kunnen we het dan nu over iets anders hebben? Misschien iets wat meer past bij de lunch?'

'Oké. Weet jij een antoniem voor "beledigen"?'

Nedra kijkt me onderzoekend aan. 'Ben je afgevallen?'

'Hoezo, lijkt dat zo?'

'Je gezicht is dunner. Ben je aan het sporten?'

'Ik sport veel te veel. School stopt over twee weken. Ik probeer zes stukken op poten te krijgen.'

'Nou, het staat je goed,' zegt Nedra. 'En je hebt eindelijk eens geen fleece aan. Ik zie zowaar je lijf. Leuk zo'n hemdje met vest. Past bij je. Je hebt echt een heel sexy halslijn, Alice.'

'Sexy hals?' Ik denk aan Onderzoeker 101. Ik denk dat ik Nedra Lucy Pevensies Facebook-pagina maar eens moet laten zien.

Nedra pakt haar mobieltje. 'Ik ga Hilary bellen en een afspraak voor je maken, want jij gaat dat natuurlijk nooit doen.' Ze toetst het nummer in, zegt drie dingen, roept *dankjewel, schat*, en klapt de telefoon dicht.

'Iemand heeft afgezegd. Over een uur kun je terecht. Ik betaal.'

'Nedra zei dat je snel was, en pijnloos.'

'Ik doe mijn best. Heb je weleens gedacht over *vajazzling*? Of *vatooing*?' vraagt Hilary.

Denkt die vrouw nu echt dat ik het met haar over *vajazles* ga hebben terwijl zij mijn *vatoo* bewerkt met een laagje hete was?

Hilary roert in het potje was met een tongstokje. 'Eens even kijken.' Ze tilt het papieren broekje omhoog en klakt met haar tong. 'Iemand heeft haar bikinilijn verwaarloosd.'

'Het is al even geleden,' zeg ik.

'Hoe lang?'

'Vierenveertig jaar.'

Hilary's ogen worden groot. 'Wauw, een bikiniwaxmaagd. Die zien we niet vaak. Nog nooit je bikinilijn laten waxen?'

'Nou, ik hou het wel bij. Ik scheer.'

'Dat telt niet. Zullen we maar beginnen met een Brazilian met een landingsbaan van drie centimeter? Dat is dan eigenlijk een American. Dan beginnen we gewoon rustig.'

'Nee, ik wil een Hollywood. Dat heeft iedereen toch, tegenwoordig?'

'Veel jonge mensen, ja. Maar vrouwen van jouw leeftijd willen het meestal gewoon een beetje netjes.'

'Ik wil alles eraf.'

'Prima,' zegt Hilary.

Ze vouwt een kant van het papieren broekje opzij en ik sluit mijn ogen. De hete was drupt op mijn huid. Ik span mijn spieren in afwachting van het brandende gevoel, maar in plaats daarvan voelt het bijzonder aangenaam. Dit is helemaal niet erg. Hilary legt een strip neer en strijkt hem glad.

'Ik ga tot drie tellen,' zegt ze.

Ik voel opeens paniek opkomen en grijp haar pols. 'Nog niet.'

Ze kijkt me rustig aan.

'Nee, alsjeblieft. Oké, wacht, wacht, geef me even... bijna klaar.'

'Eén,' zegt ze en trekt de strip eraf.

Ik gil. 'Wat is er met "twee" gebeurd?'

'Het is beter om het onverwacht te doen,' zegt ze terwijl ze fronsend het gebied bestudeert. 'Je gebruikt zeker geen retinol of iets dergelijks?'

'Op mijn vatoo niet, nee.'

'De eerste keer is het ergst. Daarna wordt het telkens makkelijker.' Ze geeft me een spiegel.

'Ik hoef het niet te zien,' zeg ik met tranen in mijn ogen. 'Maak het maar af.'

'Weet je het zeker?' vraagt ze. 'Zullen we even pauze houden?'

'Nee,' roep ik net iets te hard.

Ze trekt een wenkbrauw op.

'Sorry. Ik bedoel, maak het alsjeblieft af voor ik niet meer durf, dan zal ik proberen om niet te huilen.'

'Dat mag wel hoor. Je bent niet de eerste,' zegt ze.

Ik heupwieg Hilary's salon uit met een halve-prijs-kortingsbon voor mijn volgende beurt en een nazorgadvies (géén Dode Zeezoutbaden in de komende vierentwintig uur... dat lijkt me geen probleem, Hilary) en een sexy geheim dat niemand weet behalve ik. Ik glimlach naar andere vrouwen en voel me alsof ik toegetreden ben tot de stam van perfect verzorgde vrouwen, vrouwen die korte metten maken met de 'zuidelijke zone'. Ik voel me zo licht (en opgelucht dat ik pas over een maand weer hoef) dat ik bij de Green Light-boekhandel stop om wat tijdschriften te bekijken, wat ik zelden doe, omdat ik altijd haast heb.

Michelle Williams staat op de voorkant van *Vogue*. Volgens *Vogue* is MiWi de nieuwe hit. Twee pagina's zijn gewijd aan MiWi's avondje uit in Austin. Hier neemt de lieftallige MiWi een duik in de Barton Springs. Hier zit ze in een bar in Fado met een cocktail. En een uur later past ze de meest skinny van de hipste skinny jeans aan in de duurste boetiek. Was Michelle twee jaar geleden ook niet de nieuwe hit? Worden nieuwe hits gerecycled? Dat is toch niet eerlijk? Zouden ze andere nieuwe hits zoals ik geen kans moeten geven?

NIEUWE HIT ALICE BUCKLE GAAT UIT VAN DE TELEFOON BEANTWOORDEN EN PARKEREN, TOT VOLKOMEN VALS ZINGEN IN DE AUTO.
VIER UUR MET ALBU OP EEN VRIJDAGAVOND

18.01 uur: Neemt haar mobieltje op (iets waar ze achteraf spijt van heeft)

'Ja, natuurlijk heb ik zin om mee te gaan naar een film over een mooie Franse vrouw die een bananenplantage heeft in Congo en die op het eind in stukken gehakt wordt door de mannen die voor haar werkten,' zegt Alice Buckle, een vierenveertigjarige moeder die helaas nog steeds geen bikinilichaam heeft, ondanks dat ze onlangs vijf kilo is afgevallen (het moet gezegd dat 59 kilo op je vierenveertigste er heel anders uitziet dan 59 kilo op je vierentwintigste). 'Ik verheug me op een man met extreem lange benen die tijdens de hele voorstelling met zijn knieën in mijn rug prikt,' zegt Alice.

18.45 uur: AlBu gesignaleerd terwijl ze hyperventileert

De nieuwste hit, Alice Buckle, rijdt rondjes over de parkeerplaats van het winkelcentrum op zoek naar een plekje en mompelt 'Uit de weg, stomme koe,' tegen alle mensen die rondjes rijden op de parkeerplaats op zoek naar een plekje. 'Bekijk het maar, ik zet 'm gewoon ergens neer,' roept Alice. 'Het kan altijd erger,' lacht ze vrolijk terwijl ze naar de bioscoop draaft. 'Het had ook de première van *Toy Story 8* kunnen zijn.'

18.55 uur: AlBu in enorme rij voor de kassa

'Het is de première van *Toy Story 8*,' meldt Alice Buckle.

19.20 uur: De nieuwste hit Alice Buckle kruipt met haar nog-niet-klaar voor-een-bikini-lichaam over een stel ouden van dagen heen om de plaats te bereiken die haar beste vriendin, Nedra, voor haar bezet houdt

'Je hebt het beste deel gemist, waarin de zoon wordt opgeroepen om met de Hutu's mee te vechten,' zegt Nedra.

19.25 uur: AlBu in diepe slaap

21.32 uur: AlBu gesignaleerd terwijl ze op de oprit van de buren parkeert omdat ze denkt dat ze thuis is

AlBu is nachtblind. Haar stemming daalt, ze maakt zich zorgen over vroege maculadegeneratie. Stemming klaart weer op na het beluisteren van *Dance with Me* van Orleans in de auto. 'Ik ben weer helemaal terug op de middelbare school,' roept ze en ze begint vervolgens te huilen. 'Het is niet eerlijk. Waarom zien Franse vrouwen er altijd zo goed uit zonder make-up? Als alle vrouwen in Amerika nou zouden stoppen met het dragen van make-up, zouden we er allemaal beter uitzien. Na een paar maanden dan.'

22.51 uur: AlBu gaat naar bed zonder haar make-up te verwijderen

'Het was fantastisch, maar ik zal eerlijk zijn: de nieuwste hit zijn is dodelijk vermoeiend,' biecht Alice op terwijl ze in bed kruipt. 'Draai je om, schat, je snurkt,' zegt ze en ze tikt haar man op zijn schouder, die haar onmiddellijk in het gezicht likt. 'Jampo!' gilt Alice en ze neemt de kleine hond in haar armen. 'Ik dacht dat je William was!' Het is moeilijk om boos te worden op zo'n schattige, blije hond, zelfs al heeft hij William uit bed verjaagd. De twee kruipen dicht tegen elkaar aan en een paar uur later wordt Alice wakker om het lieve cadeautje te ontdekken dat Jampo heeft achtergelaten op het hoofdkussen van haar echtgenoot.

'Pardon, gaat u dat tijdschrift kopen?' verstoort een jonge verkoopster haar dagdroom.

'O, sorry.' Ik sla de *Vogue* dicht en strijk de voorkant glad. 'Waarom, wil jij ook even kijken?'

Ze wijst naar een handgeschreven briefje. 'Het is niet toegestaan de tijdschriften te lezen. We houden ze graag netjes voor de mensen die ze kopen.'

'Echt waar, joh? Maar hoe weet je dan welke je moet kopen?'

'Kijk naar de voorkant. Op de voorkant staat aangekondigd wat erin staat.' Ze kijkt me venijnig aan.

Ik zet het tijdschrift terug in het rek. 'Dit is precies waarom tijdschriften uitsterven,' zeg ik.

Die avond, terwijl de kinderen de tafel afruimen, zeg ik tegen William dat ik een probleem heb met mijn computer, iets met *cookies*, en vraag of hij me wil helpen. Ik lieg. Ik ben prima in staat mijn eigen cookies te verwijderen.

'Peter kan je wel helpen,' zegt hij.

'Dat is makkelijk, mama. Je hoeft alleen maar naar voorkeuren te gaan en...'

'Dat heb ik al geprobeerd,' onderbreek ik hem. 'Het is ingewikkelder. William, ik wil graag dat jij even kijkt.'

Ik volg hem naar mijn studeerkamer en doe de deur achter ons dicht.

'Het is zo gebeurd,' zegt hij, naar mijn bureau lopend. 'Je klikt op het appeltje en gaat...'

Ik doe mijn spijkerbroek open en trek hem uit.

'Naar voorkeuren,' maakt hij zijn zin af.

'William,' zeg ik terwijl ik uit mijn slipje stap.

Hij draait zich om en zegt niets.

'Tadaa.'

Hij heeft een vreemde blik op zijn gezicht. Ik weet niet of hij het afschuwelijk of opwindend vindt.

'Heb ik voor jou gedaan,' zeg ik.

'Niet waar,' zegt hij.

'Voor wie zou ik het anders doen?'

Wat bezielde me? Dit gaat helemaal fout. Is het spontaan bij gaan houden van de bikinilijn geen ondubbelzinnige aanwijzing dat je wederhelft vreemdgaat? Ik ga niet vreemd, maar ik flirt met een man die niet mijn echtgenoot is en die net heeft toegegeven dat ik hem behaag, wat een enorme opsteker is geweest voor mijn libido, waardoor ik nu voor het eerst mijn bikinilijn heb laten waxen. Telt dat? Weet hij het?

William maakt een vreemd geluid vanuit achter in zijn keel. 'Je hebt het voor jezelf gedaan, geef het maar toe.'

Ik begin te trillen. Heel licht.

'Kom hier, Alice.'

Ik aarzel.

'Nu,' fluistert hij.

Vervolgens hebben we de heetste seks sinds maanden.

55

58. *Planet of the Apes.*

59. Niet veel. Of nou ja, bijna nooit. Ik zou niet weten waarom. We moeten het toch samen doen, dus waarom zouden we en zeg nou zelf, waar haal je de energie vandaan? Vroeger wel, hoor. Onze grootste ruzie hadden we voordat we getrouwd waren en het ging erover dat ik Helen wilde uitnodigen voor de bruiloft. Ik dacht dat het een mooi zoenoffer zou zijn. Ze zou waarschijnlijk toch niet komen, maar haar uitnodigen was een goede zet, vooral omdat we bijna alle collega's van Peavey Patterson uit zouden nodigen. Toen hij zei dat hij niet van plan was een vrouw op zijn bruiloft uit te nodigen die mij voor hoer had uitgemaakt (en die hem grondig leek te haten), herinnerde ik hem eraan dat ik technisch gesproken 'die ander' was geweest toen ze me zo noemde en konden we het haar wel kwalijk nemen dat ze ons haatte? Was het geen tijd om te vergeven en vergeten? Hierop antwoordde hij dat dat makkelijk was voor mij omdat ik had gewonnen. Daar werd ik zo kwaad om, dat ik mijn verlovingsring afdeed en uit het raam gooide.

Je moet weten dat dit geen ring van de plaatselijke juwelier was. Het was mijn moeders verlovingsring, die al jaren in haar familie was, hiernaartoe gebracht vanuit Ierland door haar grootmoeder. Hij was niet erg kostbaar; een kleine diamant met twee piepkleine smaragdjes aan weerszijden. Het onbetaalbare van de ring zat 'm in de geschiedenis, en in het feit dat mijn vader hem aan William had gegeven om aan mij te geven. Er was iets ingegraveerd. Iets onwaarschijnlijk liefs, op het randje van ondraaglijk zoet, wat ik me niet kan herinneren. Het enige wat ik nog weet is het woord 'hart'.

Het probleem is dat we in de auto zaten toen ik de ring uit het raam gooide. We waren net weggereden van het huis van mijn vader en reden langs een park toen William dat zei, dat ik *gewonnen* had. Ik wilde hem alleen maar bang maken. Ik gooide de ring uit het raam en we bleven gewoon doorrijden, allebei in shock. We reden terug en probeerden te bepalen waar ik hem uit het raam had gegooid, maar zelfs na het systematisch afzoeken van het grasveld bleef hij onvindbaar.

Ik was ontroostbaar. In stilte gaven we elkaar de schuld. Hij gaf mij natuurlijk de schuld omdat ik de ring had weggegooid. Ik gaf hem de schuld omdat hij zo bot was geweest. Het verlies van de ring was een klap voor ons allebei. Iets verliezen, of in mijn geval weggooien, van zulke onschatbare waarde, nog voordat ons gezamenlijke leven begonnen was; was dat een voorteken?

Ik kon het niet over mijn hart verkrijgen om mijn vader te vertellen wat er echt gebeurd was, dus we logen erom en vertelden hem dat er ingebroken was in ons appartement en dat de ring gestolen was. We bedachten zelfs wat we zouden zeggen als hij vroeg waarom ik de ring niet om had gehad. Ik had hem afgedaan omdat ik een gezichtsbehandeling ging doen en ik wou geen groene smurrie in het broze filigreinen vlechtwerk krijgen, die ik er dan met een tandenstoker uit zou moeten pulken. Sindsdien heb ik geleerd dat je bij het vertellen van een leugen het best zo min mogelijk details kunt vermelden. Het zijn de details die je uiteindelijk op zullen breken.

60. 'Lo-li-ta: de punt van de tong zet drie stapjes op je verhemelte om op drie tegen de tanden te landen. Lo-li-ta.'

61. Lange, ranke vingers. Grote handpalmen. Nagelriemen die nooit teruggeduwd hoeven worden. Chet Baker op de stereo. Hij was paprika's aan het snijden voor de salade. Ik keek naar die handen en ik dacht: dit wordt de vader van mijn kinderen.

62. Wat zou je doen als je ooit zou stoppen met praten? Ik schreef: 'Dat gaat NOOIT gebeuren. William en ik bespreken alles. Dat probleem zullen wij nooit hebben.' En nee, dat heeft anders uitgepakt.

63. In de achtertuin van het appartement van mijn neef Henry, met uitzicht op de haven van Boston. Het was avond. De lucht rook naar zee en knoflook. Onze trouwringen waren eenvoudig en simpel, wat ons gepast leek na het debacle met de verlovingsring. Als mijn vader al boos was over de ring, liet hij dat niet aan ons merken. Hij zei trouwens überhaupt niet veel die avond, zo overmand was hij door emotie. Voor de ceremonie pakte hij om de vijf minuten even mijn schouders beet en knikte me stevig toe. Toen het tijd was om me weg te geven bracht hij me naar het altaar, tilde mijn sluier op, en kuste me op de wang. 'Daar ga je, liefje,' zei hij, en toen begon ik te huilen. Ik bleef de hele ceremonie huilen, wat William tamelijk nerveus maakte. 'Alles is goed,' bleef hij maar fluisteren terwijl de priester zijn ding deed. 'Dat weet ik,' fluisterde ik terug. Ik huilde niet omdat ik ging trouwen. Ik huilde omdat mijn hele verleden met mijn vader zo goed weergegeven werd door die vier perfect geplaatste woorden. De enige reden waarom hij deze zo gewoontjes lijkende woorden op deze manier kon zeggen, was omdat ons leven samen precies het tegenovergestelde was geweest.

56

Heb je het artikel over meer kaas eten gelezen, Alice?

Waarom reageer je niet meer op mijn sms'jes, Alice?

Lieverd?

Sorry pap. Einde van het schooljaar. Te druk om te reageren. Te druk om te eten.

Ik maak me zorgen of je wel genoeg kaas eet. Vrouwen van jouw leeftijd hebben proteïne en calcium nodig. Nu niet vega gaan worden daar in Cali.

Wees maar niet bang. Kaas-inname dik in orde.

Nieuws. Ben verliefd aan het worden, denk ik.

Wat??? Op wie??

Conchita.

Conchita Martinez, onze buurvrouw Conchita met wier zoon Jeff ik ging en die ik dumpte in het laatste jaar?

Ja! Die. Herinnert zich jou als lieve schat. Jeff niet zo. Lang boos geweest.

Waarom klink je als een indiaan uit *The Great Sioux Uprising*? Zijn jullie veel samen?

Elke avond. Hr huis of het mijne. Meestal het mijne want Jeff woont nog thuis. Sukkel.

O pap, ik ben zo blij voor je.

Ook blij voor jou. Al zo lang gelukkig getrouwd. Supertrots. Alles toch nog goed gekomen voor ons, maar beloof me dat je vandaag een paar dikke plakken brie eet. Wil niet dat je instort. Mijn tere bloempje.

57

John Yossarian
Openlijk praten wordt onderschat.
23 minuten geleden

Luister, ik ben bang dat ik een probleem voor je aan het worden ben, Onderzoeker 101.

Waarom, Echtgenote 22?

Ik beledig je niet genoeg.

Dat kan ik niet tegenspreken.

Prima. Ik zal mijn best doen je voortaan vaker te beledigen, want volgens antoniem.com is behagen het tegenovergestelde van beledigen, en ik zou je niet onverhoeds willen behagen.

Men mag niet verantwoordelijk worden gehouden voor de manier waarop men ontvangen wordt.

Jou behagen was nooit mijn bedoeling.

Is dit jouw idee van openlijk praten, Echtgenote 22?

Is het niet merkwaardig hoe onze gesprekken maar door en door gaan? Het is als een rivier. We blijven er maar in springen en in duiken. Als we bovenkomen, zien we misschien wel dat we kilometers zijn afgedreven van waar we begonnen te praten, maar dat kan ons niet schelen, het is dezelfde rivier. Ik tik op je schouder. Je draait je om. Je roept. Ik antwoord.

Wat vervelend dat je je verlovingsring kwijt bent. Het klinkt traumatisch. Heb je je vader ooit verteld wat er echt gebeurd is?

Nee, daar heb ik nog altijd spijt van.

Waarom zeg je het nu niet?

Er is te veel tijd overheen gegaan. Waarom zou ik? Het zou hem alleen maar verdriet doen.

Weet je dat volgens synoniem.net de definitie van probleem is: een moeilijke situatie die opgelost moet worden?

Is dat jouw idee van openlijk praten, Onderzoeker 101?

Na al deze weken met je gecommuniceerd te hebben, Echtgenote 22, ben ik ervan overtuigd dat bepaalde zaken schreeuwen om oplossingen.

Dat kan ik niet tegenspreken.

Ik kan ook zeggen (iets minder overtuigd om je niet af te schrikken) dat ik graag je verlosser zou zijn.

58

64. Toen ik drie maanden zwanger was van Zoe, was ik zo ziek als een hond maar ook bijzonder goed in het verbergen van dat feit. Ik was inmiddels drie kilo afgevallen van de misselijkheid, dus niemand in het theater kon zien dat ik zwanger was, behalve natuurlijk Bunny met haar laserogen, die maar naar me hoefde te kijken om te weten wat er aan de hand was. We hadden elkaar pas één keer gezien, in Boston, toen ze me opzocht om het geweldige nieuws te brengen dat *The Barmaid* had gewonnen. Ze liet ook meteen weten dat het stuk dan wel gewonnen had, maar dat er nog wel aan gewerkt moest worden. Ze vroeg of ik bereid was het een en ander te herschrijven. Dat was ik natuurlijk, maar ik verwachtte niet meer dan een paar kleine aanpassingen.

Ik kwam op een middag in september aan in Blue Hill. Ik had een paar zware weken achter de rug. William wilde niet dat ik ging, zeker niet met mijn misselijkheid. We hadden die ochtend nog ruziegemaakt en ik was het huis uit gestormd, hem beschuldigend van het saboteren van mijn carrière. Ik was de hele rit beroerd geweest, maar nu ik op de drempel van het theater stond en naar het podium keek, was ik licht in mijn hoofd van opwinding. Hier was het, recht voor mijn voeten; mijn leven als toneelschrijver zou hier aanvangen. Het Blue Hill-theater rook precies zoals een theater moet ruiken; sterk naar stof en papier met een ondertoon van popcorn en goedkope wijn. Ik drukte mijn script tegen de borst en liep door het gangpad om Bunny te begroeten.

'Alice! Je bent zwanger,' zei ze. 'Gefeliciteerd! Heb je trek?' Ze hield me een pak cakejes voor.

'Hoe wist je dat? Ik ben pas twaalf weken onderweg. Je ziet het nog niet eens.'

'Je neus. Die is opgezwollen.'

'Echt waar?' zei ik en ik voelde aan mijn neus.

'Niet ernstig. Een heel klein beetje. Overkomt de meeste vrouwen, maar dat zien ze niet omdat de membranen geleidelijk aan opzwellen, niet in één keer.'

'Luister, zou je het alsjeblieft niet meteen aan iedereen willen vertellen...'

De penetrante zoete lucht van Bunny's cakejes dreef mijn neus in en ik sloeg een hand voor mijn mond.

'Lobby, rechtsaf,' wees Bunny en ik rende terug door het gangpad om over te geven op de wc.

De repetitieweken waren intensief. Dagen achtereen zat ik naast Bunny in het halfdonkere theater, waar ze me probeerde te coachen. In het begin was Bunny vooral bezig me aan te leren het cliché los te laten. 'Ik geloof het gewoon niet, Alice,' zei ze vaak over een scène. 'Zo praten mensen niet in het dagelijks leven.' Naarmate de repetities vorderden werd ze botter en vasthoudender, want ze vond duidelijk dat er iets niet goed zat. Ze bleef me onder druk zetten om de nuance en het grijze gebied te zoeken dat zij miste in de karakters. Maar ik was het niet met haar eens. Ik dacht dat de diepere laag er al was, dat zij die gewoon nog niet zag.

Een week voor de première hield de hoofdpersoon ermee op. De eerste repetitie in vol kostuum was een ramp; de tweede een klein beetje beter, en uiteindelijk, op het aller-allerlaatst, zag ik *The Barmaid* door Bunny's ogen en sloeg de schrik me om het hart. Ze had gelijk. Het stuk was een karikatuur. Een stoer, glanzend oppervlak, met weinig, zeer weinig inhoud. Veel gordijn maar geen bodem.

Op dit punt was het te laat om nog iets te veranderen. Ik moest het stuk laten gaan. Het zou helemaal alleen tegen de storm in moeten gaan of schipbreuk lijden.

De première ging goed. Het theater zat bomvol. Ik bad dat alles die avond op miraculeuze wijze op zijn plek zou vallen en als ik het enthousiaste publiek mocht geloven, leek dat ook het geval te zijn. William week de hele avond niet van mijn zijde. Ik had inmiddels een klein buikje, wat zijn beschermende instinct wakker had geschud; zijn hand lag ononderbroken in de holte van mijn onderrug. De volgende morgen verscheen een recensie in de *Portland Press Herald*. De volledige cast vierde het succes met een cruise op een kreeftensloep. Sommigen werden dronken. Anderen (zoals ik) gaven over. Niemand wist dat dit het enige moment van glorie was dat *The Barmaid* mee zou mogen maken, maar is er iemand die midden in het magische moment zelf ooit zal vermoeden dat de magie ooit op zal houden?

Ik zal niet zeggen dat William blij was dat het stuk flopte, maar ik kan wel zeggen dat hij blij was dat ik weer thuis was, in afwachting van de baby. Hij zei nog net niet 'Ik heb het toch gezegd', maar elke keer als Bunny me weer een slechte recensie doormailde (zij was niet zo'n regisseur die geloofde in het negeren van recensies; integendeel, zij was er meer één van als-je-maar-genoeg-slechte-recensies-leest-word-je-vanzelf-immuun) kreeg hij een verbeten trek om zijn mond die ik alleen maar als blijk van gêne kon opvatten. Op een of andere manier was mijn publieke afgang de zijne geworden. Hij hoefde me niet aan te raden nooit meer een stuk te schrijven; dat had ik helemaal zelf ook al bedacht. Ik overtuigde mezelf dat er ook drie aktes zaten in een zwangerschap; een begin, midden en eind. Ik was feitelijk een levend toneelstuk, en dat zou voorlopig maar moeten voldoen.

65. Ik weet dat je geen 'huisgenoot' mag zeggen, maar wat dacht je hiervan: wat als huisgenoten zijn de natuurlijke toestand is van het middenstuk van het huwelijk? Wat als dat juist de bedoeling is? De enige manier om de lange, harde weg te gaan van het opvoeden van kinderen en het voorzien in je pensioen en het langzaam accepteren van het feit dat het pensioen als zodanig niet meer bestaat en we waarschijnlijk zullen moeten werken tot we erbij neervallen?

66. Een kwartier geleden.

59

'Lekker,' zegt Caroline.

'Dat kun je wel zeggen,' zegt William.

'Hoort het naar aarde te smaken?' vraag ik, mijn smoothie bestuderend.

'O, Alice,' zegt Caroline. 'Wat ben je toch altijd eerlijk.'

'Je bedoelt bot,' zegt William.

'Je zou echt met ons mee moeten rennen,' zegt Caroline.

'Ja, waarom doe je dat niet?' vraagt William volkomen onoprecht.

'Omdat er iemand moet werken,' zeg ik.

'Zie je, bot,' zegt William.

'Oké, nou, ik ga douchen en aankleden. Ik heb vanmiddag een tweede gesprek bij Tipi. Het is een interne functie, maar dan ben ik in elk geval binnen,' zegt Caroline.

'Wacht, wat is Tipi?' vraag ik.

'Microkrediet. Het is echt een geweldig bedrijf, Alice. Ze bestaan pas een jaar, maar ze hebben al meer dan 200 miljoen dollar aan leningen verschaft aan vrouwen in ontwikkelingslanden.'

'Heb je je moeder verteld dat je een tweede gesprek hebt? Ze zal het wel geweldig vinden.'

'Ik heb het niet verteld. En geloof mij maar dat ze het verre van geweldig zou vinden,' zegt Caroline. 'Zij vindt dat ik mijn informaticatitel verspil. Als het nou PayPal was of Facebook, of Google, zou ze een gat in de lucht springen.'

'Dat klinkt niet als jouw moeder.'

Caroline haalt haar schouders op. 'Dat is mijn moeder. Alleen niet dat deel van mijn moeder dat de rest van de wereld te zien krijgt. Ik ben weg.' Ze stopt een aardbei in haar mond en loopt de keuken uit.

'Nou, in elk geval mooi dat ze zo serieus op zoek is,' zeg ik.

'Bedoel je dat ik níét serieus op zoek ben?' zegt William. 'Ik heb tien gesprekken gehad, ik praat er alleen niet over.'

'Ben jij tíén keer op gesprek geweest?'

'Ja, en ik ben niet één keer teruggebeld.'

'O... William, mijn god, tíén gesprekken? Waarom heb je niets gezegd? Ik had kunnen helpen. Dit overvalt me. Het is een moeilijke tijd. Niet alleen voor jou. Laat me helpen. Ik kan helpen. Alsjeblíéft?'

'Er valt niets te helpen.'

'Nou, laat me je dan steunen. Achter de schermen. Ik ben superinvoelend. Subliem zelfs...'

Hij onderbreekt me. 'Ik heb geen medelijden nodig, Alice. Ik heb een plan nodig. En ik zou graag willen dat je me met rust laat tot ik er een bedacht heb. Ik kom er wel uit. Dat is me altijd gelukt.'

Ik breng mijn glas naar de gootsteen en spoel het om. 'Prima,' zeg ik langzaam. 'En dit is mijn plan. Ik heb een brief naar de ouderraad gestuurd met het verzoek om mijn functie vanaf de herfst te verhogen naar fulltime. Elk blok zes stukken is genoeg voor een fulltimefunctie.'

'Wíl je dan fulltime drama doceren?' vraagt William.

'Ik wil dat we onze kinderen kunnen laten studeren.'

William vouwt zijn armen voor zijn borst. 'Caroline heeft gelijk. Je moet maar weer gaan rennen. Dat zal je goeddoen.'

'Jij hebt het toch leuk met Caroline?'

'Ik ga liever met jou,' zegt hij.

Hij liegt. Ik vraag me af of Onderzoeker 101 een hardloper is.

'Wat?' vraagt hij.

'Hoe bedoel je "wat"?'

'Je keek zo raar.'

Ik zet mijn glas in de vaatwasser en gooi de deur dicht. 'Zo kijk ik altijd als ik je alleen laat om je zaakjes uit te zoeken.'

'Ganzen uit Californië, wij zijn onvergetelijk. Snip snap snater, lekker in het water. Witte veren om te zoenen. Gak gak gak gak gak gak gak. Gak gak gak.'

Snip snap, om te zoenen? Wat bezielde me? Ik sta in de coulissen van het podium van Kentwood Basisschool en vraag me af of het slim was om ganzen te nemen voor mijn parodie op Katy Perry's *California Girls* als slotlied van *Charlotte's Web*. De lavendelkleurige pruiken die ik bij de feestwinkel vond geven de ganzen iets sletterigs (net als het rondhupsen en heupwiegen) en afgaande op de jaloerse gezichten van Wilbur en Charlotte en de rest van de cast, ben ik bijna zeker te ver doorgeschoten in mijn poging de ganzen te compenseren voor hun gebrek aan tekst. Toen ik om drie uur in de ochtend wat zat te klikken op YouTube, leek het zo'n geweldig idee; zeker daar ik mijzelf ervan had overtuigd dat Katy Perry gehuld in niets anders dan een wolk om haar blote achterste een post-feministisch statement maakte.

Ik begin redenen te verzinnen om weg te moeten voordat het stuk is af-gelopen. Zonder aanwijsbare reden zijn deze allemaal gebitsgerelateerd. Ik was bonbons aan het eten en toen is mijn kroon losgekomen. Ik at een broodje en toen stak er een korst dwars door mijn tandvlees.

Ik hoor de opmerkingen en het gefluister van de ouders terwijl de gan-zen hun nummer afronden, wat inhoudt dat ze op een rij gaan staan als cancanmeisjes met de armen om elkaar heen en verleidelijke kusjes het publiek inblazen. De ganzen zijn klaar na nog een extra ondeugende draai van de billen. Een laf applaus klinkt en de ganzen waggelen van het podi-um. O, jezus, god. Helicopmama heeft gelijk; ik doe dit al veel te lang. Dan zie ik de jongen die Wilbur speelde met een bos anjers in zijn armen. Het volgende moment word ik het podium op geduwd waar ik het boeket in mijn handen krijg gedrukt. Ik draai me om naar een publiek dat me voor-namelijk afkeurend bekijkt, op drie gezichten na: de moeders van de gan-zen, waarvan er een de stralende mevrouw Norman is, die me lijkt te heb-ben vergeven voor mijn beschuldiging van junkie aan haar adres.

'Nou,' zeg ik, 'Charlotte's Web. Het blijft een geweldig stuk. En hadden we geen geweldige Charlotte dit jaar? Misschien vraagt u zich af of Charlotte's Web wel een geschikt stuk is, vooral omdat Charlotte uiteindelijk sterft, maar ik heb de ervaring dat het theater een heel veilige plek is om te wer-ken met moeilijke onderwerpen als de dood. En hoe dat voelt. Doodgaan.'

Zo voelt dat dus.

'Ik wil jullie hartelijk bedanken voor het aan mij toevertrouwen van jul-lie kinderen. Het is niet altijd makkelijk om dramadocent te zijn. Het leven is niet eerlijk. Niet iedereen is gelijk. Iemand moet de bijrol spelen. Iemand anders zal de ster zijn. Ik weet dat we in een tijd leven waarin we proberen te doen alsof dit niet zo is.'

Ouders pakken hun camera's in en vertrekken.

'We proberen onze kinderen te behoeden voor teleurstellingen. Voor het zien van dingen die ze nog niet zouden moeten zien. Maar we moeten re-alistisch blijven. Er is veel ellende daarbuiten. Vooral op internet. Laatst nog zei mijn zoon... Wat ik bedoel is dat het onmogelijk is om ze een film te laten zien en de film door te spoelen bij alle enge stukken. Vinden jullie ook niet?'

De aula is nu bijna leeg. Mevrouw Norman zwaait naar me vanaf de eer-ste rij.

'Goed, allemaal bedankt voor het komen. Eh, fijne zomer en tot volgend jaar!'

'Wanneer kunnen we de dvd verwachten?' vraagt mevrouw Norman. 'We zijn zo trots op Carisa. Wie had gedacht dat ze zo'n danseresje was? Ik wil er graag drie.'

'De dvd?' vraag ik.

'Van het stuk,' zegt ze. 'Je hebt het toch wel op laten nemen?'

Dat kan ze niet menen. 'Ik heb een heleboel ouders gezien met camera's. Ik neem aan dat er wel iemand is die een kopie voor je kan maken.'

Ze schudt haar hoofd. 'Carisa, ga je tas halen. Wacht op me op het plein.'

We kijken de wegstuivende Carisa na.

'Die pruik was een vergissing. Sorry.'

'Hoe bedoel je? De ganzen stalen de show,' zegt mevrouw Norman. 'De pruiken waren fantastisch. Net als de keuze voor dat nummer.'

'Was het niet een beetje... te volwassen?'

Mevrouw Norman haalt haar schouders op. 'De wereld is veranderd. Acht is het nieuwe dertien. Meisjes krijgen borsten in groep 7. Ze vraagt nu al om een beha. Ze maken ze in heel kleine maatjes, wist je dat? Piepklein. Met vulling. Superschattig. Maar luister, ik wilde me verontschuldigen voor vorige week. Je overviel me. Ik moet je bedanken. Ik ben echt heel dankbaar voor wat je gedaan hebt.'

Eindelijk iets van dankbaarheid!

'Heel graag gedaan. Ik denk dat elke moeder dat gedaan had.'

'Dus waar zullen we afspreken? Ik weet dat we dit beter niet op school kunnen doen.'

'Dat zit wel goed,' zeg ik. De aula is leeg. 'Niemand kan ons horen.'

'Wil je het hier doen? Had je het de hele tijd bij je? In je tas?' Ze wijst naar de tas om mijn schouder. 'Super!' Ze houdt haar hand op en trekt hem dan snel terug. 'Misschien moeten we dit even achter de coulissen doen.'

Deze vrouw denkt dat ik haar wiet nog heb? 'Eh, mevrouw Norman? Ik heb uw... spul niet. Ik heb het weggegooid. Meteen die dag dat ik u belde.'

'Heb je het weggegooid? Dat was bijna duizend dollar aan spul!'

Ik kijk naar haar minachtende vollemaansgezicht en denk aan Onderzoeker 101, wat mij de moed geeft om *openlijk* te praten.

'Mevrouw Norman, ik heb een zware dag gehad. Ik had de meisjes niet moeten vragen om het ganzenlied op te voeren. Ik bied mijn verontschuldigingen aan en hoop van harte dat u geen beha zult kopen voor Carisa. Ze is veel te jong en voor zover ik weet, vertoont ze nog geen spoor van borstvorming. Misschien is het goed eens met uw dochter te praten over het trauma dat ze opliep toen ze uw voorraad drugs vond in plaats van met mij te praten over hoe u het terug kunt krijgen. Het is een lief kind en ze is in de war.'

'Wat geeft jou het recht?' sist mevrouw Norman.

'Praat met haar. Het maakt niet uit wat u zegt, maar kaart het aan. Ze zal dit nooit vergeten. Geloof me.'

Gak gak gak gak gak gak, zegt mevrouw Norman, oftewel 'Jij waardeloze docent.'

Gak gak gak gak gak gak, zeg ik, oftewel 'Jij junkie van een moeder, goedendag.'

Ik zet de muziek in de auto op zijn hardst om rustig te worden, maar *I dreamed a dream in time gone by* is vandaag niet genoeg. Als ik thuis aankom, ben ik nog steeds hyper van alles wat er vanmiddag gebeurd is, dus ik doe iets waar ik waarschijnlijk alleen maar onrustiger van word: ik sluip Zoe's kamer in om te checken wat ze nog meer op voorraad heeft, iets wat ik wekelijks doe in de hoop er op een of andere manier achter te komen hoe mijn dochter duizenden chocolaatjes per week kan consumeren zonder een gram aan te komen.

'Ik denk niet dat het boulimia is,' zegt Caroline met haar hoofd om de deur. 'Als ze zou spugen, zou je dat wel merken.'

'Nou, er zijn wel twee muffins weg,' zeg ik.

'Had je ze geteld?'

'En ik hoor altijd water lopen in de wc als ze daar is.'

'Dat betekent niet dat ze overgeeft. Misschien vindt ze het gewoon vervelend als mensen haar horen plassen. Ik heb eens op haar gelet. Het is geen spuger. Ik denk niet dat ze zich overeet, echt niet. Alice, het is gewoon geen normaal kind.'

Ik geef Caroline een dikke knuffel. Ik vind het heerlijk dat ze er is. Ze is slim, grappig, moedig, creatief en zacht: precies het soort vrouw waarvan ik hoop dat Zoe het zal worden.

'Heb je ooit zo'n muffin gehad?' vraag ik.

Caroline schudt haar hoofd. Natuurlijk niet.

Ik geef haar er een.

'Ik bewaar hem voor later,' zegt Caroline met een twijfelachtige blik op de verpakking.

'Geef maar terug. Ik weet dat je die niet gaat opeten.'

Caroline trekt haar neus op. 'Klopt, ik ga hem niet eten, maar mijn moeder wel, je weet hoe gek ze is op troep. Zij en mijn vader komen langs. Deze zijn onbeperkt houdbaar, toch?'

'Komt Bunny naar Oakland?'

'Ik sprak haar vanmorgen. Ze hadden het net bedacht.'

'Waar gaan ze logeren?'

'Ik denk dat ze een huis willen huren.'

'Geen sprake van. Dat is veel te duur. Ze kunnen hier komen. Jij kan in Zoe's kamer en dan kunnen zij in de logeerkamer.'

'O, nee, ze wil niet lastig zijn. Je zorgt ook al voor mij.'

'Het is niet lastig. Het is allemaal eigenbelang. Ik wil haar graag zien.'

'Maar moet je het niet eerst met William overleggen?'

'William vindt het prima, echt waar.'

'Oké dan. Als je het zeker weet, laat ik het haar weten. Ze zal het heerlijk vinden. En Alice, ik dacht nog iets. Wat denk je ervan om met mij te gaan hardlopen? Dan doen we het stiekem. Rustig aan, in jouw tempo. Tot je uiteindelijk hetzelfde tempo loopt als William en dan kunnen jullie samen lopen.'

'Volgens mij wil William helemaal niet met mij lopen.'

'Daar vergis je je in. Hij mist je.'

'Heeft hij dat gezegd?'

'Nee, maar dat kan ik zien. Hij praat alleen maar over jou tijdens het rennen.'

'Dan klaagt hij, bedoel je.'

'Nee! Hij praat gewoon over je. Dingen die je gezegd hebt.'

'Echt waar?'

Caroline knikt.

'Nou, dat is dan best aardig, denk ik.'

Eigenlijk irriteert het me vooral. Waarom kan William mij niet gewoon laten merken dat hij me mist?

Ik pak de muffin van Caroline af. 'Je moeder eet het liefst roze koeken.'

Ik zie Bunny nog zo zitten achter in het Blue Hill-theater, kleine brokjes roze suiker naar binnen werkend terwijl ze een acteur aanspoort om *veeeeeel dieper* te gaan. Er is iets met theater en makkelijke koolhydraten.

'Toen ik klein was werden deze cakejes apart verpakt,' zeg ik. 'Ingepakt als een cadeautje. Een cadeautje dat je niet verwachtte.'

Net als het cakeje voelt Bunny's komst als meer dan toeval.

Drie dagen later begint de zomer officieel. De kinderen zijn vrij van school, en ik ook. Uit financiële overwegingen doen we deze zomer geen gekke dingen (behalve een kampeertripje naar de Siërra's over een paar weken).

Iedereen zal hele dagen thuis zijn, afgezien van Caroline, die een parttime-functie heeft gekregen bij Tipi.

Ik heb Carolines aanbod om samen te trainen aangenomen en nu sta ik midden op straat te hijgen, voorovergebukt als een oud wijf, handen op de knieën en spijt van mijn beslissing.

'Dat was twaalf minuten,' zegt Caroline met een blik op haar horloge. 'Goed gedaan, Alice.'

'Twaalf minuten? Dat is pathetisch. Ik wandel nog sneller,' hap ik naar adem. 'Vertel me nog eens waarom we dit doen?'

'Omdat het achteraf zo lekker voelt.'

'En tijdens voelt het alsof ik doodga en vervloek ik de dag dat ik je bij ons binnen heb gelaten.'

'Zoiets, ja,' zegt ze op en neer springend op haar tenen. 'Kom op, blijf bewegen. Je wilt toch niet dat je kuiten verzuren?'

'Nee, voor mij geen zure kuiten. Heel even nog op adem komen.'

Caroline staart afwezig in de verte.

'Wat is er?' vraag ik.

'Niets,' zegt ze.

'Kijk je uit naar de komst van je ouders?'

Caroline haalt haar schouders op.

'Heb je Bunny al verteld van Tipi?'

'Uh-huh.' Caroline rekt even kort en zet het op een drafje. Ik kreun en strompel achter haar aan. Ze draait zich om en rent achteruit. 'William vertelde dat je vroeger op tien kilometer per uur zat. Dat niveau gaan we weer halen. Zwaai met je armen. Nee, niet als een kip, Alice. Hou ze recht onder je schouders.'

Ik haal haar in en na een paar minuten kijkt ze op haar horloge en fronst. 'Vind je het goed dat ik deze laatste vijfhonderd meter een sprintje trek?'

'Ga maar,' hijg ik met een zwaaigebaar.

Zodra ze uit het zicht is, vertraag ik mijn tred tot een wandelpas en haal mijn telefoon tevoorschijn. Ik klik op de Facebook-app.

Kelly Cho
Dank voor je bijdrage, Alice!
5 minuten geleden

Nedra Rao
Huwelijkse voorwaarden, mensen, huwelijkse voorwaarden!
10 minuten geleden

Bobby Barbedian
Robert Bly zegt dat het prima is om vleugels te kweken als je op de
terugweg bent.
2 uur geleden

Pat Guardia
Droomt over Tita's loempia's. Hint hint.
4 uur geleden

Phil Archer
Ik heb mijn gelukskoekje van de dag gelezen!
De sensitiviteit die je anderen laat zien zal bij je terugkomen.
5 uur geleden

Saai. Niets spannends.
   Dan kijk ik op Lucy Pevensies pagina.

John Yossarian
Is gek op barmeiden.
5 uur geleden

Ik slaak een hoog gilletje.

60

John Yossarian
Waarom niet?
1 uur geleden

Oké, ik vraag het maar gewoon. Ben je met mij aan het flirten, Onderzoeker 101?

Geen idee. Flirt jij met mij?

Laat mij nu even de onderzoeker zijn. Geef antwoord op de vraag.

Ja.

Het is beter om te stoppen.

Echt?

Nee.

61

19.30 uur: Staand in Nedra's keuken

Ik: Hier zijn de gehaktballen!
Nedra (*trekt het plastic van de schaal en trekt haar neus op*): Zijn ze zelfgemaakt?
Ik: En hier is de cranberrysaus voor erbij.
Nedra: Nu snap ik waarom je Zweeds wilde koken. Omdat je geen goedkope kaarsen meer had. Alice, het hele idee van het internationale thema is dat je uit je comfortzone stapt en iets nieuws maakt, niet dat je het gaat kopen bij IKEA.
William: Blåbärspålt (*geeft haar een rollade*).
Nedra (*trekt het aluminiumfolie van de schaal en straalt*): Heb jij ook iets meegenomen?
William: Ik heb het zelf gemaakt. Het is een traditioneel Zweeds gerecht.
Nedra: William, lieverd, ik ben helemaal onder de indruk. Alice, zet jij die cranberrysaus op tafel? Leuk idee, dat schaaltje van piepschuim.

19.48 uur: Nog steeds staand in de keuken

Linda: Wacht maar tot jouw kind op kamers gaat. Het is net als bij een bevalling of een huwelijk; niemand vertelt je eerlijk dat het zo verdomd moeilijk is.
Kate: Kom op, zo zwaar kan het toch niet zijn.
Bobby: Hadden we al verteld dat de dubbele suite klaar is?
Linda: Eerst moest ik om vijf uur opstaan om in te loggen om Daniels verhuistijd op te zoeken. Het is wie het eerst komt, wie het eerst maalt, dus iedereen wil van zeven tot negen. Als je niet in dat blok zit, kun je het verder wel vergeten.
Nedra: Waarom liet je Daniel niet om vijf uur opstaan?
Linda (*met een handgebaar dat zegt dat het onmogelijk is van een achttien-*

jaar-oude puberzoon te verwachten dat hij zijn wekker op de juiste tijd zet):
Wij mochten van zeven tot negen. We kwamen om kwart voor zeven aan op de campus en toen stonden er al rijen ouders en kinderen te wachten op de liften. Blijkbaar was er een vijf-tot-zeven-de-regels-gelden-niet-voor-mij-want-ik-betaal-30.000-euro-per-jaar-blok waar ik niets van af wist.

Bobby: Ik slaap als een roos en Linda ook. En ons seksleven... ik zal jullie de details besparen, maar laten we zeggen dat het meer dan opwindend is om je een vreemdeling te voelen in je eigen huis.

Linda: Dus wij sleurden elk een koffer van dertig kilo de trap op naar Daniels kamer. Geen gemakkelijke opgave als je bedenkt dat we om de paar minuten opzij geduwd werden door de gelukkige ouders die vroeg genoeg waren geweest om met de lift te kunnen en stomme dingen zeiden zoals: 'Zo, jullie hebben aardig de handen vol' en 'Eindelijk verhuisdag, is het niet heerlijk om van ze af te zijn!' En toen we bij Daniels kamer aankwamen (O, hel!), was zijn kamergenoot al bijna klaar met inrichten. Toen de moeder van de kamergenoot ons zag, groette ze ons niet eens; ze was als een idioot aan het uitpakken en zo veel mogelijk ruimte aan het claimen. Blijkbaar had de kamergenoot een of ander syndroom waarbij zijn ene been langer was dan het andere en dat had hem speciale dispensatie opgeleverd om super-supervroeg in te checken, tussen drie en vijf.

Ik: William, wat zullen wij een geld uitsparen nu de kinderen niet gaan studeren en we ze niet hoeven te verhuizen.

Bobby: Ik vraag me vooral af waarom we zo lang gewacht hebben? We hadden jaren geleden al zo gelukkig kunnen zijn. Onze aannemer zei dat alle mensen met dubbele slaapkamers dat zeggen.

Linda: De kamergenoot leek zich trouwens wel te generen over de hoeveelheid spullen die hij bij zich had: een magnetron, kookplaat, koelkast, een fiets. We lieten Daniels koffer in de gang staan en besloten later terug te komen.

Bobby: Kom een keer langs, dan kun je het zien.

Linda: Dus we willen net gaan, zegt die kamergenoot: 'Raad eens wat ik heb? Een popcornmachine.' Ik zakte door de grond. Ik had ook een popcornmachine voor Daniel gekocht. Ik had ergens gelezen dat dat een van de dingen was die je mee moest nemen om populair te worden. Nu zouden ze twee popcornmachines hebben in een kamer van vier bij vier, wat één popcornmaker te veel was om populair te worden. Nu zouden de mensen zich afvragen hoe het zat met die malloten in 507 met die twee popcornmachines. Al die jaren van nauwkeurige sociale manipulatie, zorgen dat hij werd uitgenodigd op de populairste feestjes, af en toe een beetje bijsturen als hij bijvoorbeeld geen zin had om te 'schuren' op het schoolfeest, dan moest hij maar zeggen dat het tegen zijn geloof was of dat het niet mocht van zijn ouders. En toen hield ik het niet droog.

Ik: Wat is 'schuren'?

Kate: Droogneuken. Eigenlijk een soort van sekssimulatie op de dansvloer.

Bobby: Ik zei nog dat ze die tranen maar moest bewaren voor later, als iedereen afscheid ging nemen op de gang, wat blijkbaar de aangewezen ruimte was om dat te doen, maar luisteren, ho maar!

Linda: Ik huilde toen al. Ik huilde toen we die avond terugkwamen en die suffe moeder van de huisgenoot nog steeds aan het inrichten en redderen was en ik kon toch niet met goed fatsoen tegen een moeder met een zoon met een vier centimeter te kort linkerbeen zeggen dat ze op moest rotten, en toen huilde ik weer, in de gang, op het daarvoor gereserveerde moment.

Ik: Is het niet fijn dat er vanavond geen kinderen bij zijn?

Linda (*snikkend*): En nu moet ik het in augustus allemaal nog een keer doen met Nick. En dan zijn de kinderen weg. Dan hebben we officieel een leeg nest. Ik weet niet of ik dat aankan.

Bobby: Ik wed dat er bedrijfjes zijn die je kind zo voor je verhuizen.

William: Goed idee. Besteed het uit.

Nedra: Er is geen enkele moeder die haar kind door een vreemde laat verhuizen, sukkels.

Ik: Vertel nog eens wat over jullie dubbele slaapkamer? Heb je geen foto's? Is dat roze spul gravlox?

Nedra: Lax. Lox is Joods.

Ik: Hoe weet je dat?

Nedra: Hebfaq.com

20.30 uur: Op de patio, aan tafel

Nedra: Geloof mij nu maar, een goede scheiding bestaat echt.

Ik: Wanneer is een scheiding goed?

Nedra: Jij houdt het huis. Ik krijg het strandhuis. We delen het appartement op Maui.

William: Met andere woorden: geld.

Nedra: Dat helpt.

Kate: En respect voor elkaar. En het goed willen doen voor de kinderen. Niets verborgen houden.

William: Met andere woorden: vertrouwen.

Ik (*Williams blik vermijdend*): Maar vertel nu eens, Linda, hoe is het om twee slaapkamers te hebben? Hoe werkt dat?

Linda: We kijken televisie in zijn of mijn slaapkamer, dan is het knuffeltijd en pas als we echt gaan slapen, gaan we ieder naar onze eigen kamer.

Bobby: De suites zijn alleen om te slapen.

Linda: Slaap is zo belangrijk.

Bobby: Te weinig slaap leidt tot overeten.

Linda: En geheugenverlies.

Ik: En onderdrukte woede.

William: En seks?

Linda: Hoe bedoel je, seks?

Nedra: Wanneer doe je dat?

Linda: Net als vroeger.

Nedra: En dat is?

Bobby: Wil je weten hoe vaak?

Nedra: Ik heb me altijd afgevraagd hoe vaak per week heterostellen het doen.

William: Ik kan me zo voorstellen dat dat nogal afhangt van hoe lang ze getrouwd zijn.

Nedra: Dat klinkt niet echt als een aanbeveling voor het huwelijk, William.

Ik: Welke kleur zijn de muren, Linda?

Nedra: Een stel dat meer dan tien jaar getrouwd is... twee keer per maand, denk ik?

Ik: En de vloer? Hoogpolig is weer helemaal in, hè?

Linda: Veel meer.

Ik: *Ik* ga daar helemaal niet om liegen.

Linda: Denk je dat ik lieg?

Ik: Ik denk dat je de waarheid een klein beetje verdraait.

William: Mag ik de blåbärspålt?

Ik: Eén keer per maand.

William (*hoest*)

21.38 uur: In de keuken, de restjes in Tupperware-bakjes doend

Nedra: Mijn voorhoofd glimt. Ik heb te veel gegeten. Ik ben dronken. Doe die telefoon weg, Alice, ik wil niet op de foto.
Ik: Op een dag zul je me dankbaar zijn.
Nedra: Ik verbied je dit op Facebook te zetten. Ik heb genoeg vijanden. Ik heb liever dat ze niet weten waar ik woon.
Ik: Rustig maar. Ik zet je adres er toch niet bij?
Nedra (*grist de telefoon uit mijn handen en begint druk over het scherm te schuiven*): Het is bijna hetzelfde als mijn adres noemen. Als jouw telefoon GPS heeft, zitten er geotags in je foto's. In die tags staan de exacte lengte- en breedtegraad van de plek waar de foto genomen is. De meeste mensen weten niet van het bestaan van deze geotags, waar veel van mijn cliënten overigens goed gebruik van gemaakt hebben. Zo. Ik heb de locatievinder van je telefoon uitgeschakeld. Nu mag je een foto van mij nemen.
Ik: Laat maar. Nu is het niet leuk meer.
Nedra: Maar je overdrijft, toch? Jullie doen het toch wel vaker dan één keer per maand?
Ik (*zucht*): Nee, dat is het. De laatste tijd in elk geval.
Nedra: Misschien voelt het als eens per maand, maar het is vast meer. Waarom ga je het niet eens bijhouden? Er is vast wel een of andere app ontwikkeld om dat bij te houden.
Ik: Heb je die *Waarom ben ik zo'n zeikerd*-app gezien? Die is gratis. Die vertelt je precies op welke dag je zit in je cyclus. Er is ook een versie voor mannen, maar die kost 2,99 dollar. Dat is de *Waarom is mijn vrouw zo'n zeikerd*-app. En voor 3,99 dollar kun je upgraden naar de *Vraag nooit aan je vrouw of ze ongesteld moet worden*-app.
Nedra: Wat doet die dan?
Ik: Die geeft je elke keer dat je zo stom bent om je vrouw te vragen of ze ongesteld moet worden een boete van 3,99 dollar.
Nedra (*geschokt*): Waar ben jij mee bezig? Niet de blåbärspålt weggooien!

22.46 uur: Voor de badkamerdeur

Ik: Is daar iemand?
William (*doet de deur open*): Nee.

Ik (*bewegend van links naar rechts in een poging om langs William heen de badkamer in te schieten*): Kies een kant, William. Links of rechts?

William: Alice?

Ik: Wat? (*Ik probeer me langs hem heen te wurmen.*) Ik moet plassen.

William: Kijk me aan.

Ik: Als ik geplast heb.

William: Nee, kijk me nu aan. Alsjeblieft.

Ik (*blik op de vloer*): Oké, sorry, Ik had niet aan IEDEREEN moeten vertellen dat we het maar één keer per maand doen.

William: Dat maakt me niet uit.

Ik: Dat zou je wel iets uit moeten maken. Dat is privé.

William: Het zegt niets.

Ik: Het zegt mij wel wat. Het is trouwens waarschijnlijk wel meer dan eens per maand. We zouden het eens bij moeten houden.

William: Het is de laatste tijd maar eens per maand.

Ik: Zie je wel dat het je iets doet. (*Stilte.*) Waarom kijk je zo naar me? Zeg dan iets. (*Stilte.*) William, als je niet uit de weg gaat, plas ik in mijn broek. Links of rechts?

William (*lange stilte*): Die avond op jouw kantoor was geweldig.

Ik (*nog langere stilte*): Ja.

22.52 uur: Door de tuin slenterend

Bobby: Volgens mij zie jij zo'n dubbele slaapkamer ook wel zitten of niet?

Ik: Die lampjes zijn magisch. Het lijkt hier wel een soort Narnia.

Bobby: Ik mail je de naam van mijn aannemer door.

Ik: Als wij van onze slaapkamer twee kamers zouden maken, zouden we allebei een kamer ter grootte van een inloopkast hebben.

Bobby: Het heeft ons leven totaal veranderd. Dat zweer ik.

Ik (*mijn hand even tegen zijn wang leggend*): Dat is heerlijk voor jullie, Bobby. Echt waar. Maar ik denk dat gescheiden slaapkamers niet genoeg is om ons te redden.

Bobby: Ik wist het. Het gaat niet lekker tussen jullie.

Ik: Denk je dat Aslan ons op staat te wachten aan de andere kant van die heg?

Bobby: Sorry, ik had niet zo enthousiast moeten reageren op jullie problemen.

Ik: Het zijn geen problemen, Bobby. Het is een ontwaken. Ik word eindelijk wakker (*ga op het gras liggen*).

Bobby (*kijkt op mij neer*): Je ik-ben-wakker-gezicht lijkt verdacht veel op je ik-heb-vijf-glazen-wijn-op-gezicht.

Ik (*hap naar adem*): Bobby B! Er zijn zoveel sterren! Waar komen al die sterren vandaan? Dit gebeurt er als we vergeten omhoog te kijken.

Bobby: Niemand noemt me ooit nog Bobby B.

Ik: Bobby B, huil je?

23.48 uur: Naar boven lopend richting slaapkamer

Ik: Het zou zomaar kunnen dat ik een beetje dronken ben.

William: Hou mij maar vast.

Ik: Ik denk dat nu wel een goed moment is om iets aan seks te doen.

William: Je bent niet maar een beetje dronken, Alice.

Ik (*met dubbele tong*): Ben ik oncharmant dronken of charmant dronken?

William (*stuurt mij de slaapkamer in*): Kleed je uit.

Ik: Ik denk niet dat ik dat kan op het moment. Kleed jij mij maar uit. Dan doe ik even mijn ogen dicht om wat uit te rusten terwijl jij je ding doet. Dat telt toch wel? Voor ons maandelijks gemiddelde? Als ik in slaap val tijdens de daad? Ik hoop alleen dat ik niet moet overgeven.

William (*knoopt mijn blouseje open en trekt het uit*): Zit, Alice.

Ik: Wacht, ik ben nog niet klaar. Ik moet mijn buik nog inhouden.

William (*trekt mijn pyjamajasje over mijn hoofd, drukt me achterover in de kussens en dekt me toe*): Ik heb je buik al zo vaak gezien. Het is trouwens pikkedonker.

Ik: Nou, als het pikkedonker is, moet je maar net doen of ik Angelina Jolie ben. Pax! Zahara! Eet je volkorenmacaroni op of anders... En nu alle zes ophoepelen uit het grote bed: NU! Hé, kan jij dan Brad zijn?!

William: Ik ben geen liefhebber van rollenspellen.

Ik (*ga rechtop zitten*): Ik ben vergeten kaarsen te kopen bij IKEA. Nu moet ik weer terug. Ik haat IKEA.

William: Jezus, Alice. Ga slapen.

62

De volgende ochtend word ik wakker met barstende hoofdpijn. Williams kant van het bed is leeg. Ik kijk of hij iets op Facebook heeft gezet.

William Buckle
16 kilometer
een uur geleden

Of hij is op weg naar Parijs, of hij is gaan rennen. Ik til mijn hoofd een klein stukje op en de kamer tolt. Ik ben nog steeds dronken. Slechte vrouw. Slechte moeder. Ik denk terug aan de gênante dingen die ik gisteren gedaan heb tijdens het etentje en ik krimp in elkaar. Heb ik echt geprobeerd net te doen of ik de IKEA-gehaktballen zelf gemaakt had? Ben ik echt door een gat in de heg in Nedra's tuin gekropen om te kijken of het een poort was naar Narnia? Heb ik echt aan onze vrienden verteld dat wij het maar één keer in de maand doen?

Ik val weer in slaap. Twee uur later word ik wakker en zwakjes roep ik 'Peter' en dan 'Caroline' en dan 'Zoë'. Het lukt me niet om William te roepen, daarvoor schaam ik me te veel en bovendien wil ik niet toegeven dat ik een kater heb. Uiteindelijk roep ik in mijn uiterste wanhoop 'Jampo' en word onmiddellijk beloond met het snelle getrippel van zijn kleine pootjes. Hij sprint de slaapkamer in en springt vol overgave op het bed, hijgend in mijn gezicht alsof hij wil zeggen: 'Jij bent het enige op deze wereld wat ik leuk vind, het enige waar ik van hou, hetgene waar ik voor leef.' Daarna plast hij van opwinding de lakens onder.

'Stoute hond, stoute hond!' schreeuw ik, maar het heeft geen zin; hij kan moeilijk midden in de stroom ophouden, dus wacht ik maar tot hij uitgedruppeld is. Zijn onderlip zit op een of andere manier aan zijn tanden vastgeplakt, wat hem onbedoeld een soort treurige Elvis-grijns geeft die je makkelijk voor valsheid aan zou kunnen zien, maar waarvan ik weet dat het schuldbewustheid is. 'Het geeft niets,' vertel ik hem. Als hij klaar is, sleep ik mezelf uit bed, trek mijn pyjama uit, haal het dekbed, de lakens en de matrasbeschermer eraf en maak in mijn hoofd een lijstje van de dingen die ik vandaag kan doen om de schade te beperken.

1. Lauw water met citroen drinken.
2. Een sjaal breien. Een lange, smalle sjaal. Nee, een korte, smalle sjaal. Nee, een onderzetter, oftewel een extreem korte, korte sjaal.
3. Een lange frisse wandeling maken met Jampo: minimaal 30-45 minuten zonder zonnebril, misschien met een lage V-hals zodat ik zo veel mogelijk vitamine D kan absorberen via mijn netvlies en decolleté.
4. Citroenverbena planten in de tuin zodat ik kruidenthee kan gaan drinken en me organisch en puur kan voelen (mits 1. de verbenaplant die ik een maand geleden heb gekocht en die ik geen water heb gegeven noch verpot heb, nog leeft, en 2. ik ver genoeg kan bukken zonder over te geven).
5. De was.
6. Spaghetti bolognese maken en de hele dag laten sudderen zodat de andere gezinsleden straks thuiskomen in de geur van een knusse verse maaltijd.
7. Zingen, of als ik daar te misselijk voor ben, kijken naar *The Sound of Music* en net doen of ik Liesl ben.
8. Terugdenken aan hoe het was toen ik zestien was, bijna zeventien.

Het is een prima lijst, jammer dat ik niets doe van wat erop staat. In plaats daarvan maak ik een andere mentale lijst van zaken die ik absoluut NIET zou moeten doen en doe die vervolgens allemaal:

1. De wasmachine inladen en vergeten aan te zetten.
2. Acht minipindarotsjes van melkchocolade opeten en mezelf voorhouden dat dat hetzelfde is als vier gewone.
3. Nog acht pindarotsjes nemen.
4. Een laurierblaadje (want citroenverbena definitief overleden) in een mok heet water leggen en mezelf dwingen alles op te drinken.
5. Me geweldig voelen omdat ik dat laurierblad in het park had geplukt en in de zon had laten drogen (oké, in de droger, maar ik had het in de zon willen doen, als ik het niet in de zak van mijn fleecevest had laten zitten dat ik in de was had gedaan).
6. Me geweldig voelen omdat ik nu officieel een foerageur ben.
7. Een nieuwe carrière overwegen als laurierbladfoerageur/-leverancier voor de beste restaurants in de regio. Fantaseren over een interview met mij in de culinaire bijlage van de *New Yorker* met een foto van mij

met een boerenzakdoek om het hoofd en een rieten mandje met verse laurierblaadjes in mijn handen.

8. Googelen op laurierblad uit Californië en ontdekken dat voor het koken laurier uit mediterrane gebieden gebruikt wordt en dat de Californische variant weliswaar niet giftig is maar bij voorkeur niet geconsumeerd dient te worden.

9. Alle conversaties tussen mij en Onderzoeker 101 overlezen tot ik tussen alle regels door heb gelezen en elke hint en tinteling uit zijn woorden gewrongen heb.

10. Doodmoe in slaap vallen op de ligstoel in de zon, Jampo opgekruld tegen me aan.

'Je stinkt naar drank. Het stroomt uit je poriën.'

Ik doe langzaam mijn ogen open en zie dat William op me neerkijkt.

'Het is gebruikelijk iemand die heel diep ligt te slapen eerst even te waarschuwen,' zeg ik.

'Iemand zou om vier uur 's middags niet zo diep moeten slapen,' pareert William.

'Is het nu een goed moment om jullie te vertellen dat ik in de herfst graag naar de Pacific Boychoir Academy zou willen?' vraagt Peter terwijl hij en Zoe het terras op komen lopen.

Ik trek een wenkbrauw op naar William en trek mijn ik-zei-toch-dat-onze-zoon-homo-was-gezicht.

'Sinds wanneer hou jij van zingen?' vraagt William.

'Word je gepest?' vraag ik en ik voel het cortisolgehalte in mijn bloed stijgen bij de gedachte aan mijn jongen die gepest wordt.

'Mijn god, mama, je stinkt,' zegt Zoe. Ze wuift haar hand voor haar neus.

'Ja, dat zei je vader ook al. Waar was jij de hele dag?'

'Zoe en ik waren op Telegraph Avenue,' zegt Peter.

'Telegraph Avenue? Jullie twee? Sámen?'

Zoe en Peter wisselen een snelle blik. Zoe haalt haar schouders op. 'En?'

'En? Het is daar niet veilig,' zeg ik.

'Waarom, vanwege de daklozen?' vraagt Zoe. 'Als je maar weet dat onze generatie post-dakloos is.'

'Wat betekent dat?' vraag ik.

'Dat betekent dat we niet bang voor ze zijn. Wij hebben geleerd daklozen recht aan te kijken.'

'En ze te helpen met geld inzamelen,' zegt Peter.

'En waar was jij terwijl onze kinderen aan het bedelen waren op Telegraph Avenue?' vraag ik William.

'Ik heb er niets mee te maken. Ik heb ze afgezet bij het winkelcentrum, ze hebben zelf de bus genomen naar Berkeley,' zegt William.

'Pedro zong *Ode aan de vreugde* in het Duits. We hebben vijftien euro verdiend voor iemand!' zegt Zoe.

'Ken jij *Ode aan de vreugde*?' vraag ik.

'Er is een "Jij kunt Ludwig van Beethoven zingen in het Duits"-kanaal op YouTube,' zegt Peter.

'William, moet ik al beginnen met de aardappelen?' roept Caroline vanuit de keuken.

'Ik ga wel helpen,' zeg ik, mijzelf uit de stoel hijsend.

'Hoeft niet. Blijf maar hier. Alles is onder controle,' zegt William terwijl hij het huis in loopt.

Terwijl ik toekijk hoe iedereen druk is in de keuken, besef ik dat de zondagmiddag voor mij het eenzaamste moment in de week is. Met een zucht klap ik mijn laptop open.

John Yossarian vindt *Zweden* **leuk**
3 uur geleden

Lucy Pevensie
Weet niet meer waar ze haar toverdrank heeft gelaten.
3 uur geleden

Daar ben je. Heb je al onder de achterbank van de auto gekeken, Echtgenote 22?

Nee, maar wel onder de achterbank van de slee van de witte heks.

Waar is de toverdrank voor?

Heelt alle kwalen.

Ah, natuurlijk. Ben je ziek?

Ik heb een kater.

Wat vervelend.

Heb je Zweedse voorvaderen?

Daar kan ik helaas niets over zeggen.

Goed, kun je me dan vertellen wat je leuk vindt aan Zweden?

De neutraliteit. Het is een veilige haven om de oorlog uit te zitten; als je in oorlog bent, natuurlijk.

Ben jij een oorlog aan het vechten?

Misschien.

Hoe kun je nou 'misschien' oorlog voeren? Dat weet je toch?

Oorlog is niet altijd even duidelijk, zeker niet als het een oorlog met jezelf is.

Wat voor soort oorlog voert men over het algemeen met zichzelf?

Een oorlog in welke hij aan de ene kant denkt dat hij een grens overschrijdt en aan de andere kant denkt dat die grens erom vroeg om overschreden te worden.

Onderzoeker 101? Noem je mij een bedelaar?

Integendeel, Echtgenote 22.

Noem je me dan een grens?

Wellicht.

Een grens waar je overheen dreigt te gaan?

Zeg maar wanneer ik moet stoppen.

Echtgenote 22?

Je bent Zweeds.

Waarom denk je dat?

Je zegt regelmatig 'ah'.

Ik ben niet Zweeds.

Oké, dan ben je Canadees.

Beter.

Je bent opgegroeid op een ranch in Alberta. Je hebt leren paardrijden op
je derde; 's ochtends kreeg je thuis les met je vier broers en zussen,
's middags stroopte je koeien met de kinderen van de aangrenzende
Hutterietenstam.

Ik mis ze, mijn oude vrienden de Hutterieten.

Jij was de oudste, dus alle ogen waren op jou gericht, vooral als het om
het overnemen van de ranch ging. In plaats daarvan ging je studeren in
New York en kwam je één keer per jaar thuis om te helpen brandmerken.
Een evenement waar jullie allemaal jullie vriendinnetjes mee naartoe
namen om ze te laten schrikken en indruk te maken. Bovendien zag je er
geweldig uit in cowboybroek.

Ik heb de broek nog in de kast liggen.

Je vrouw werd verliefd op je toen ze je op een paard zag stappen.

Ben je helderziend?

Je bent al jaren getrouwd. Wellicht doet het haar niet zoveel meer als je
op een paard stapt, hoewel ik me voor kan stellen dat dat eeuwig kan
blijven boeien.

Dat ga ik niet ontkennen.

Je bent niet: saai, een gamer, een golfer, een sukkel, iemand die iemand anders' versprekingen corrigeert, iemand die honden haat.

Dat ga ik ook niet ontkennen.

Ga door.

Ga door met wat, Echtgenote 22?

Over mijn grenzen gaan.

63

67. Willen dat de mensen van wie je houdt gelukkig zijn. Daklozen in de ogen kijken. Niet willen wat je niet hebt. Wat je niet kunt hebben. Wat je niet hoort te hebben. Niet sms'en tijdens het rijden. Je eetlust bedwingen. Willen zijn waar je bent.

68. Toen de ochtendmisselijkheid van Zoe voorbij was, vond ik het heerlijk om zwanger te zijn. Het veranderde de dynamiek tussen William en mij totaal. Ik stond mezelf toe om kwetsbaar te zijn en hij liet zichzelf de beschermer zijn, en elke dag fluisterde een stomverbaasde, primaire, bumpersticker-achtige stem in mij *dat dit was hoe het moest zijn. Dat dit je bestemming in het leven was. Dat dit het leven was zoals het bedoeld was.* William was galant. Hij opende deuren en potten spaghettisaus. Hij warmde de auto op voordat ik instapte en pakte me bij mijn elleboog als we over een natte stoep liepen. We waren een geheel. Wij drieën, een heilige drie-eenheid, ver voordat Zoe geboren was. Ik had zonder problemen jarenlang zwanger kunnen blijven.

En toen kwam Zoe, een ziekelijke, kwijlende, gefrustreerde baby. William vluchtte elke dag naar de serene rust van zijn kantoor, ik had zwangerschapsverlof en verdeelde mijn dagen in tijdseenheden van vijftien minuten: borstvoeding geven, boeren, op de bank liggen met schreeuwende baby, proberen schreeuwende baby in slaap te zingen.

Dit was het moment waarop het verlies van mijn moeder het meest voelbaar was. Zij had me deze eerste ontluisterende maanden nooit alleen laten doorstaan. Zij zou meteen bij me ingetrokken zijn om me de dingen te leren die een moeder haar dochter leert; hoe de baby in bad moet, wat je doet tegen berg, hoe lang je boos mag blijven op je man als hij de baby niet goed vast heeft gemaakt in de schommel zodat ze eruit is gegleden.

En het voornaamste: mijn moeder zou me verteld hebben over tijd. Ze zou gezegd hebben: 'Liefje, het lijkt tegenstrijdig. In de eerste helft van je leven lijkt elke minuut wel een jaar te duren, maar in de tweede helft voelt elk jaar als een minuut.' Ze zou me verzekeren dat dat normaal was en dat het geen zin had ertegen te vechten. Dat is de prijs die we betalen voor het voorrecht om oud te worden.

Mijn moeder heeft dat voorrecht nooit genoten.

Elf maanden later werd ik wakker om te ontdekken dat de ontluistering voorbij was. Ik pakte mijn baby uit haar bedje, ze kirde liefjes en viel als een blok in slaap.

69. Lieve Zoe,

Dit is het verhaal van de start van jouw leven. Het kan in één zin samengevat worden. Ik hield van je en toen werd ik intens bang en toen hield ik meer van je dan ik ooit dacht dat iemand van iemand anders kon houden. Ik denk dat we meer op elkaar lijken dan we denken.

Dingen die je nog of niet meer weet:

1. Je bent altijd een trendsetter geweest. Toen je twee was, stond je op de schoot van de Kerstman en riep je 'Do, a deer' naar de geïrriteerde mensen die al een uur in de rij stonden. Iedereen begon met je mee te zingen. Jij deed al aan flashmobs toen niemand nog wist wat een flashmob was.

2. De eerste keer dat je vader en ik zonder jullie op vakantie gingen was naar Costa Rica. Weet je hoeveel meisjes door een paardenfase gaan? Nou, jij ging door een apenfase. Je had jezelf ervan overtuigd dat ik een kapucijneraapje voor je mee zou nemen. Toen we terugkwamen en ik je je cadeau gaf, een knuffelaap die Milo heette, zei je netjes dankjewel, toen ging je naar boven, deed je raam open, gooide hem in de takken van de Redwood in de achtertuin, waar hij tot op de dag van vandaag is blijven wonen. Soms, als het heel hard waait en de boom wiegt in de wind, vang ik een glimp op van zijn gezicht, een glimlach om zijn verschoten rode mond.

3. Ik wou heel vaak dat ik meer op jou leek.

Zoe, mijn schat, ik zit in de ik-sta-nog-steeds-achter-je-ondanks-dat-je-tegenwoordig-mijn-aanblik-amper-lijkt-te-kunnen-verdragen-fase. Het is niet makkelijk, maar ik houd me staande. Soja lattes helpen me de dag door, net als *Gone with the Wind* kijken.

Je liefhebbende mama

64

 **John Yossarian heeft zijn profielfoto veranderd**

Vind je het leuk om kringetjes te draaien, Onderzoeker 101?

Soms kan het heel heilzaam zijn om kringetjes te draaien.

Dat zou kunnen, als je het maar bewust doet.

Ik vraag me af hoe je eruitziet, Echtgenote 22.

Dat kan ik niet vertellen; ik kan je wel verklappen dat ik geen Hutteriet ben.

Je hebt kastanjebruin haar.

O ja?

Ja, maar je beschrijft het zelf liever als peper-en-zout omdat je nogal de neiging hebt jezelf te onderschatten, maar jij hebt van dat haar waar andere vrouwen jaloers op zijn.

Daarom word ik altijd zo vuil aangekeken.

Ogen: ook bruin. Misschien hazelnoot.

Of misschien blauw. Of misschien groen.

Je bent knap, en dat is een compliment. Knap zit tussen mooi en gewoontjes in, en volgens mij is knap de beste plek om te zijn.

Ik zou geloof ik liever mooi zijn.

Schoonheid maakt het moeilijk om een mens te worden met normen en karakter.

Dan ben ik geloof ik liever gewoontjes.

Gewoontjes; wat kan ik ervan zeggen? Het leven is vaak een loterij.

Dus je denkt aan me als we niet chatten?

Ja.

In je dagelijks leven? Als burger?

Vaak merk ik dat ik tijdens de meest basale bezigheden, zoals het uitruimen van de vaatwasser of het luisteren naar de radio, zomaar aan iets moet denken wat jij hebt gezegd, en dan verschijnt er een geamuseerde grijns op mijn gezicht en vraagt mijn vrouw wat er zo leuk is.

Wat zeg je dan?

Dat ik online een vrouw heb leren kennen.

Niet waar.

Nee, maar binnenkort moet het misschien wel.

65

Kelly Cho

Houdt ervan de touwtjes in handen te hebben.

5 minuten geleden

Caroline Kilborn

Zit vol.

32 minuten geleden

Phil Archer

Aan het poetsen.

52 minuten geleden

William Buckle

Verstop mij.

3 uur geleden

'Kun je alsjeblieft even stoppen met facebooken, Alice? Heel even maar?' vraagt Nedra.

Ik zet mijn telefoon op trillen en laat hem in mijn tas glijden.

'Dus, zoals ik al zei maar speciaal voor jou nog even zal herhalen, ik heb groot nieuws. Ik ga Kate ten huwelijk vragen.'

Nedra en ik zijn bij een juwelier.

'Wat vind jij van maanstenen?' gaat ze verder.

'O jee,' zeg ik.

'Hoorde je wat ik zei?'

'Ik heb het gehoord.'

'En alles wat je kan zeggen is "O, jee"? Mag ik die alstublieft even zien,' zegt Nedra, wijzend naar een ovale maansteen in een ring van achttien karaat goud.

De verkoopster geeft hem aan en ze laat hem om haar vinger glijden.

'Laat eens zien,' zeg ik, naar haar arm grijpend. 'Ik snap het niet. Wat hebben lesbo's met maanstenen? Iets met Sappho wat mij ontgaat?'

'Godsamme,' zegt Nedra. 'Waarom vraag ik dat ook aan jou? Jij hebt helemaal geen verstand van juwelen. Jij draagt zelfs helemaal niets en dat zou je wel moeten doen, schat. Het mag allemaal wel wat vrolijker.' Ze bestudeert bezorgd mijn gezicht. 'Slaap je nog steeds slecht?'

'Ik ga voor de Franse geen-make-uplook.'

'Sorry dat ik het zeg, maar die look werkt alleen in Frankrijk. Daar hebben ze ander licht. Zachter. Amerikaans licht is zo hard.'

'Waarom wil je nu trouwen? Jullie zijn al dertien jaar samen. Je wou toch nooit trouwen? Wat is er veranderd?'

Nedra haalt haar schouders op. 'Ik weet niet. We werden gewoon een keer wakker met het idee dat het goed zou zijn onze relatie te bezegelen. Het is echt raar. Misschien is het de leeftijd; de grote vijf-nul ligt op de loer. Ik neig gewoon naar traditie.'

'De grote vijf-nul ligt nog lang niet op de loer. Het duurt nog negen jaar voordat je vijftig wordt. En het gaat fantastisch tussen jou en Kate. Als jullie trouwen, gaat het acuut mis. Net als bij ons allemaal.'

'Betekent dat dat je mijn bruidsmeisje niet wil zijn?'

'Ga je voor het hele pakket? Met bruidsmeisjes en alles?' zeg ik.

'Is het mis bij jullie? Sinds wanneer?'

'Het is niet mis. We zijn gewoon... afstandelijk. We hadden veel stress. Dat hij ontslagen werd, en zo.'

'Hm. Mag ik die proberen?' vraagt Nedra de verkoopster, wijzend naar een ring met een marquise van diamanten.

Ze doet hem om haar vinger en strekt haar arm uit om haar hand te bekijken.

'Een beetje Assepoester is het wel, maar ik hou daar wel van. De vraag is of Kate het wat vindt? Alice, je bent gewoon chagrijnig vandaag. Laten we net doen of we dit niet gezegd hebben. Dit gaat er gebeuren. Ik bel je morgen. Jij zegt: "Hallo Nedra, nog nieuws?" En dan zeg ik: "Nou, ik heb Kate ten huwelijk gevraagd!" En dan zeg jij: "Tjonge, jonge, dat werd tijd! Wanneer gaan we jurken kijken? En mag ik mee taart proeven?"' Nedra geeft de ring terug aan de verkoopster. 'Te opzichtig. Ik wil iets subtiels. Ik ben echtscheidingsadvocaat.'

'Ja, het zou niet kies zijn als haar vrouw een diamanten verlovingsring van twee karaat om haar vinger zou hebben die bekostigd was door de mislukte huwelijken van anderen,' zeg ik.

Nedra kijkt me vuil aan.

'Sorry,' zeg ik.

'Luister, Alice. Het is simpel. Ik heb de persoon gevonden met wie ik de rest van mijn leven wil doorbrengen. En ze heeft de spectaculariteitstest doorstaan.'

'De spectaculariteitstest?'

'Toen ik Kate ontmoette was ze spectaculair. En een decennium later is ze nog steeds de spectaculairste vrouw die ik ooit gekend heb. Afgezien van jou, natuurlijk. Heb jij dat niet met William?'

Ik wil dat met William hebben.

'Nou, waarom zou ik niet willen wat jij hebt?' vraagt Nedra.

'Natuurlijk wil je dat. Natuurlijk wil je dat. Het is gewoon dat alles in jouw leven zo snel verandert. Ik kan het niet bijhouden. En nu ga je trouwen.'

'Alice.' Nedra slaat een arm om me heen. 'Voor ons verandert er niets. Wij zullen altijd beste vriendinnen blijven. Ik haat getrouwde stellen die belachelijke dingen zeggen zoals "Ik ben met mijn beste vriend getrouwd". Is er een snellere manier om op een seksloos huwelijk af te stormen? Mij niet gezien. Ik trouw met mijn minnaar.'

'Ik vind het geweldig voor je,' piep ik. 'En voor je minnares. Het is superfantastisch nieuws.'

Nedra fronst. 'Het komt helemaal goed met William. Jullie hebben het gewoon even moeilijk. Hou vol, lieverd. Er komen betere tijden aan. Ik beloof het. Mag ik je iets vragen? Waarom wil je mijn bruidsmeisje niet zijn? Is het woord *meisje* een probleem voor je?'

Nee. Het woord meisje stoort me niet. Het is de belofte van het huwelijk die me dwarszit. De belofte die ik in mijn laatste twee chats met Onderzoeker 101 verbroken heb.

'Mag ik die ring met smaragdjes zien?' vraagt Nedra.

'Goede keus. Smaragden staan symbool voor hoop en vertrouwen,' zegt de verkoopster als ze haar de ring geeft.

'Ah,' zegt Nedra. 'Hij is prachtig. Hier, Alice, probeer hem eens.'

Ze schuift de ring om mijn vinger.

'Die staat je geweldig,' zegt de verkoopster.

'Wat vind je ervan?' vraagt Nedra.

De glanzende smaragd ziet eruit alsof hij per heteluchtballon direct vanuit het Land van Oz naar Oakland is gevlogen als het perfecte symbool van Nedra's sprankelende levensstijl.

'Spectaculaire Kate zal hem geweldig vinden,' snuf ik.

'Maar wat vind jij ervan?' vraagt Nedra.

'Wat maakt het uit wat ik ervan vind?'

Nedra trekt de ring van mijn vinger en geeft hem met een zucht terug aan de verkoopster.

Toekijken hoe mijn beste vriendin mijn privémails en Facebook-chats zit te lezen is niet iets waar ik bijzonder blij van word. Maar het is wel wat ik het afgelopen halfuur gedaan heb. Ik heb ten einde raad Nedra in vertrouwen genomen over Onderzoeker 101 en afgaand op de minachtende uitdrukking op haar gezicht geloof ik niet dat dat een goed idee was.

Nedra gooit mijn telefoon op de keukentafel.

'Jij bent ongelooflijk.'

'Wat?'

'Waar ben je in hemelsnaam mee bezig, Alice?'

'Ik kan er niets aan doen. Je hebt het gelezen. Onze chats zijn als een drug. Ik ben verslaafd.'

'Hij is grappig, natuurlijk is hij dat, maar je bent getrouwd! Getrouwd, als in "Ik zal van je houden en alleen van jou tot aan het einde der dagen".'

'Ik weet het. Ik ben een verschrikkelijke vrouw. Daarom heb ik het ook verteld. Je moet me zeggen wat ik moet doen.'

'Nou, dat is makkelijk. Je moet alle contact verbreken. Er is nog niets gebeurd. Je hebt alleen in je hoofd een grens overschreden. Stop gewoon met chatten.'

'Ik kan niet stoppen,' zeg ik geschrokken. 'Dan denkt hij dat er iets aan de hand is.'

'Er ís ook iets aan de hand. Je moet bij je positieven komen, Alice. Nu meteen. Vandaag.'

'Ik denk niet dat ik dat kan. Gewoon stoppen met het onderzoek zonder iets te zeggen.'

'Je moet,' zegt Nedra. 'Je weet dat ik niet preuts ben. Een beetje flirten kan geen kwaad in een goed huwelijk, zolang je die seksuele energie maar terugstopt in je huwelijk, maar jij bent de fase van flirten al voorbij.'

Ze pakt mijn telefoon weer op en scrolt langs mijn chats. "Een oorlog waarvan hij enerzijds denkt dat hij een grens overschrijdt, en anderzijds gelooft dat die grens erom schreeuwde om overschreden te worden." Alice, dit is de onschuld voorbij.'

De woorden van Onderzoeker 101 hardop voorgelezen door Nedra geven me de rillingen, in de aangename betekenis. En hoewel ik besef dat Nedra gelijk heeft, weet ik ook dat ik niet in staat ben hem los te laten. Nog niet, in elk geval. Niet zonder afscheid te nemen. Of te weten wat zijn intenties zijn, als hij die tenminste heeft.

'Je hebt gelijk,' lieg ik. 'Je hebt helemaal gelijk.'

'Mooi,' zegt Nedra nu rustiger. 'Dus je houdt op met chatten? Je stopt met het onderzoek?'

'Ja,' zeg ik met tranen in mijn ogen.

'O, Alice, kom op, zo erg kan het toch niet zijn?'

'Het is gewoon dat ik eenzaam was. Ik wist niet hoe eenzaam ik was tot we begonnen te mailen. Hij luistert naar me. Hij stelt vragen. Belangrijke vragen, en mijn antwoorden doen ertoe,' zeg ik, en ik begin te huilen.

Nedra pakt over de tafel mijn hand. 'Liefje, dit zijn de feiten. Ja, William is af en toe een grote idioot. Nee, hij is niet perfect. Ja, jullie zijn even wat minder actief. Maar dit...' ze pakt mijn telefoon op en zwaait ermee. 'Dit is niet echt. Dat weet je toch?'

Ik knik.

'Wil je dat ik je de naam van een goede relatietherapeut geef? Ze is geweldig. Ze heeft zelfs een paar van mijn cliënten weer bij elkaar gebracht.'

'Stuur jij je cliënten naar een relatietherapeut?'

'Als ik denk dat er iets te redden valt, ja.'

Later die middag, als ik op de tribune zit en doe of ik naar Zoe kijk die volleybalt (elke vijf minuten roep ik 'Kom op, Trojans' en dan kijkt ze omhoog en kijkt me meewarig aan), denk ik aan William en mij. Iets van de schuld voor mijn emotionele dwaling valt ook hem ten deel; zijn slechte communicatieve vaardigheden. Ik wil met iemand zijn die naar me luistert. Die zegt: 'Begin bij het begin, vertel me alles, en sla niets over.'

'Hoi, Alice.' Jude ploft naast me neer. 'Zoe speelt goed.'

Ik zie hem naar Zoe kijken en voel ondanks mezelf iets van jaloezie. Het is zo lang geleden dat iemand zo naar mij gekeken heeft. Ik herinner me hoe het voelde als tiener. De absolute zekerheid dat de jongen in kwestie wel naar je moest kijken, dat jij de controle had, simpelweg door te bestaan. Woorden waren overbodig. Zijn blik sprak boekdelen. *Ik kan mijn ogen niet van je afhouden. Ik wou dat ik het kon, maar ik kan het niet, ik kan het niet.*

'Stop met haar te stalken, Jude.'

'Tic Tac?' Hij schudt drie stuks in mijn hand. 'Ik kan er niets aan doen,' zegt hij.

Zei ik een uur geleden niet precies hetzelfde tegen zijn moeder?

'Jude, lieverd. Ik ken je al vanaf dat je een baby bent, dus ik zeg dit uit pure liefde. Laat het los.'

'Ik wou dat ik het kon,' zegt hij.

Zoe kijkt omhoog naar de tribune en haar mond valt open als ze ons samen ziet.

Ik spring op. 'Kom op, Trojans! Go Zoe! Mooie smash!' roep ik.

'Zij legt 'm klaar, ze smasht niet,' zegt Jude.

'Goed gedaan, Zoe,' roep ik en ik ga weer zitten.

Jude haalt zijn neus op.

'Ze vermoordt me,' zeg ik.

'Ja,' zegt Jude. Zoe's ogen spuwen vuur.

'Ik heb nieuws,' zeg ik die avond tegen William.

'Wacht even, ik ben bijna klaar met de uien. Heb jij de wortels al gedaan, Caroline?' vraagt William.

'Vergeten,' zegt Caroline, al onderweg naar de koelkast. 'Wil je reepjes of blokjes?'

'Blokjes. Alice, kun je even ruimte maken? We hebben het aanrecht nodig.'

'Ik heb nieuws,' herhaal ik. 'Over Nedra en Kate.'

'Niets ruikt zo lekker als gekarameliseerde uien,' zegt William en hij houdt de pan onder Carolines neus.

'Mmm,' zegt ze.

Ik denk aan de manier waarop Jude naar Zoe keek. Met zoveel verlangen, zoveel lust. Precies zoals mijn man naar het hoopje slappe uien keek.

'Hoeveel dragon?' vraagt William.

'Twee theelepels, een eetlepel? Ik weet het niet meer,' zegt Caroline. 'Het kan trouwens ook dat het marjolein moet zijn in plaats van dragon. Kijk anders even op de site.'

Ik zucht en pak mijn laptop. William kijkt op. 'Niet weggaan. Ik wil je nieuws horen. Ik moet alleen even het recept checken.'

Ik steek overdreven mijn duim omhoog naar hem en vertrek naar de slaapkamer.

Ik ga naar Lucy's Facebook-pagina. Onderzoeker 101 is online. Ik kijk naar William. Hij is diep verzonken in zijn iPhone.

'Was het marjolein of dragon?' vraagt Caroline.

'Wacht even,' zegt William. 'Ik kan het recept niet vinden. Welke site was het ook alweer?'

Ik klik op chat en typ razendsnel.

Hoe is het?

Onderzoeker 101 heeft niet meer dan een paar seconden nodig om te antwoorden.

Gezien de hoeveelheid fenylethylamine die er door onze hersenen wordt gepompt best aardig.

Er gaat een rilling door mijn lijf. Onderzoeker 101's stem lijkt precies op die van George Clooney, in mijn fantasie althans. Ik schrijf:

Moeten we hiermee ophouden?

Nee.

Zal ik vragen of ik bij een andere onderzoeker ondergebracht kan worden?

Echt niet.

Heb je ooit eerder zo geflirt met een respondent?

Ik heb nog nooit met iemand anders dan mijn vrouw geflirt.

Jezus! Ik voel een warme stroom door mijn onderlijf gaan en ik kruis mijn benen alsof ik dat feit voor iemand wil verbergen; niet dat er iets te zien valt.

'Heb je het gevonden?' vraagt Caroline.

'Ja. Twee theelepels dragon,' antwoordt William, met zijn telefoon zwaaiend. 'Je had gelijk.'

Ik zit op de bank en probeer mijn hartslag tot een normaal tempo terug te dringen. Ik adem door mijn mond. Is dit hoe een paniekaanval voelt? William kijkt me aan vanaf de andere kant van de kamer.

'En wat was jouw nieuws, Alice?' vraagt hij.

'Nedra en Kate gaan trouwen.'

'O ja?'

'Je klinkt niet echt verbaasd.'

Hij is even stil en lacht. 'Ik ben alleen verbaasd dat ze zo lang gewacht hebben.'

66

70. Dat ik soms als ik alleen ben en ergens waar niemand mij kent met een Brits nepaccent praat.

71. Me zorgen maken. Peter vragen wanneer hij voor het laatst geflost heeft. De neiging bedwingen om Zoe's haar uit haar gezicht te vegen zodat ik haar knappe koppie kan zien.

72. Hoe geweldig het is om zijn trekken terug te zien in mijn kinderen.

67

 John Yossarian heeft zijn profielfoto veranderd

Morgen ben ik twintig jaar getrouwd.

En wat voor gevoel geeft dat je, Echtgenote 22?

Ambivalent.

Sorry, dit was nooit mijn bedoeling.

Met 'dit' bedoel je mij?

*Ik weet nog dat ik op de universiteit begon. Het was in een grote stad.
Ik zeg niet welke. Ik herinner me dat ik na het uitzwaaien van mijn ouders
door de straten liep en dat het zo geweldig was dat niemand me kende.
Voor het eerst in mijn leven was ik volledig los van iedereen van wie ik
hield.*

Ik herinner me dat ook. Ik vond de verwijdering doodeng.

*Realiseer je je dat de toekomstige generaties dit helemaal niet meer mee
zullen maken? Wij zijn elk moment van de dag bereikbaar.*

En wat wil je daarmee zeggen?

Jouw bereikbaarheid is behoorlijk verslavend, Echtgenote 22.

Is dat jouw hand op je profielfoto?

Ja.

Waarom heb je een foto van je hand gepost?

Omdat ik hoopte dat je je voor kon stellen hoe die achter in je nek zou voelen.

68

'We moeten dumplings nemen,' zegt Peter.

'We nemen altijd dumplings. Laten we loempia's doen,' zegt Zoe. 'Vegetarische.'

'Weten jullie zeker dat jullie ons bij jullie jubileum willen hebben?' zegt Caroline. 'Het is niet zo romantisch, lijkt me?'

'Alice en ik hebben twintig jaar lang de tijd gehad om romantisch te doen,' zegt William. 'We vinden het leuk om het zo te vieren. Wisten jullie dat het traditionele cadeau voor een twintigjarig huwelijk porselein is? Daarom heb ik bij P.F. Chang gereserveerd.' Hij tikt met zijn vinger op de menukaart. 'Chengdu pittig lamsvlees. China.'

China, ja. Vanmorgen heb ik William een herinneringsbord met foto gegeven dat ik in december al had besteld. Het was een foto van ons twintig jaar geleden bij de ingang van Fenway Park. Hij staat achter me met zijn armen om mijn nek. We zien er adembenemend jong uit. Ik weet niet of hij het een leuk cadeau vond. Er zat een houdertje bij het bord om het neer te zetten, maar hij propte het terug in de doos.

William kijkt verontwaardigd het restaurant rond. 'Waar is de ober? Ik moet iets drinken.'

'Twintig jaar, dus,' zegt Zoe. 'Hoe is dat nou?'

'O, Zoe, wat voor vraag is dat nu weer?' zeg ik.

'Zo'n vraag die je hoort te stellen op een jubileum. Een serieuze. Een soort inventarisatie,' zegt ze.

Waarom hadden we ze ook alweer meegenomen voor ons jubileumetentje? Als we gewoon met z'n tweeën waren gegaan, hadden William en ik over veilige dingen kunnen praten zoals aandelen, of de klemmende garagedeur. In plaats daarvan worden we ondervraagd over ons huwelijk.

'Hoe bedoel je, hoe is dat nu?' vraagt William. 'Je moet specifieker zijn, Zoe. Jullie generatie stelt altijd zulke vage vragen, ik haat dat. Jullie verwachten dat iedereen alles wel op zich neemt, inclusief onderzoeken wat je nu eigenlijk wilt vragen.'

'Shit, papa,' zegt Peter. 'Ze wilde gewoon iets aardigs zeggen.'

'Peter Buckle, dit is ons jubileumetentje. Ik had liever niet dat je "shit" zei,' zeg ik.

'Oké, wat mag ik dan wel zeggen?'

'Jemig. Chips. Of wat dacht je van "grutjes"?' opper ik.

'Dus: "Grutjes, papa, ze wilde gewoon iets aardigs zeggen"?' zegt Peter. 'Ik dacht het even niet.'

William knikt naar me vanaf de andere kant van de tafel en even voel ik me verbonden. Wat me weer stress oplevert als ik aan Onderzoeker 101 denk die me vraagt me voor te stellen hoe zijn hand in mijn nek zou voelen.

'Zal ik anders Peter en Zoe meenemen naar de Pizza Hut?' vraagt Caroline. 'Dan drinken we daarna samen nog iets. Waar heb jij zin in, Zoe?' Caroline trekt een wenkbrauw naar me op. Zij en ik zijn er nog niet over uit of ze nu wel of geen eetstoornis heeft.

'Vegetarische loempia's,' zegt Zoe met een vragende blik naar William.

'Het is al goed, ik wil samen met jullie eten,' zeg ik. 'En jullie vader ook. Toch, William?'

'Alice, wil je je cadeau nu of straks?' zegt William.

'Ik dacht dat P.F. Chang mijn cadeau was.'

'Dat is een deel van je cadeau. Zoe?' zegt William.

Zoe rommelt in haar tas en haalt een smal, rechthoekig pakje tevoorschijn in donkergroen pakpapier.

'Wist je dat smaragd de traditionele kleur is van het twintigjarig jubileum?' vraagt William.

Smaragd? Ik denk terug aan die keer bij de juwelier met Nedra. Dat ze me die smaragden ring liet proberen. O, god. Had William haar gecharterd om hem te helpen een ring uit te zoeken voor ons jubileum? Een ring met een smaragd zoals die van mijn moeder die ik een week voor de trouwdatum uit het raam gooide?

Zoe geeft me het pakje. 'Maak maar open,' zegt ze.

Ik kijk William stomverbaasd aan. Zijn cadeaus worden meestal op het allerlaatst in allerijl gekocht, zoals een dure jam of een bon voor een pedicure. Vorig jaar gaf hij me een boekje eeuwig geldige postzegels.

'Nu?' vraag ik. 'Kunnen we niet beter wachten tot thuis? Jubileumcadeaus zijn best privé, of niet dan?'

'Maak nou maar open, mama,' zegt Peter. 'Wij weten allemaal al wat het is.'

'Echt waar? Heb je het verteld?'

'Ik had een beetje hulp nodig,' geeft hij toe.

Ik schud met het doosje. 'We hebben niets te makken. Ik hoop dat je niets geks hebt gedaan.' Maar ik hoop met heel mijn hart dat het wel zo was.

Ik scheur het papier open en zie een wit doosje waar Kindle op staat.

'Wauw,' zeg ik.

'Mooi he?' zegt Peter en hij trekt het doosje uit mijn handen. 'Kijk, het doosje gaat net zo open als een boek. En papa heeft al dingen voor je geüpload.'

'Ik heb hem vorige maand al besteld,' zegt William, waarmee hij bedoelt: *ik hoop dat je begrijpt dat ik hier heel wat moeite voor gedaan heb.*

'Hij heeft *De beproeving* voor je gekocht. Zei dat het jouw lievelingsboek was op de middelbare school. En de complete *Twilight*-collectie, want dat schijnen heel veel moeders te lezen,' zegt Zoe. 'Ik vind het verschrikkelijk, maar goed.' Ze bekijkt me achterdochtig, zoals alleen vijftienjarige dochters naar hun moeder kunnen kijken. Ik knik zo onschuldig mogelijk en probeer daarbij dankbaar en blij over te komen.

'De nieuwste van Miranda July, *You Are She Who Knows Something I Used to But Forgot*,' zegt Zoe, 'of zoiets. Jij vindt het vast geweldig. Ze is te gek.'

'En *Pride and Prejudice*,' zegt Peter.

'Wauw,' zeg ik. 'Echt wauw. Ik heb *Pride and Prejudice* nooit gelezen. Wat een ontzettende verrassing.'

Ik stop de Kindle voorzichtig terug in zijn doosje.

'Je bent teleurgesteld,' zegt William.

'Nee, echt niet! Ik wil hem gaaf houden. Het is een heel lief cadeau.'

Ik kijk de tafel rond. Alles lijkt uit het lood. Wie is die man? Ik herken hem bijna niet. Zijn gezicht is smaller, door al het rennen. Zijn kaaklijn hard. Hij heeft zich al dagen niet geschoren en die lichte stoppelbaard staat hem goed. Als ik hem niet kende, zou ik zeggen dat hij een lekker ding was. Ik reik over tafel en klop William onhandig op de arm.

'Dat betekent dat ze er superblij mee is,' vertaalt Peter.

Ik kijk naar de menukaart. 'Absoluut,' zeg ik. 'Heel erg blij.'

'Fijn,' zegt William.

'Ik was twaalf toen ik begon met werken,' zegt Caroline. 'Na school veegde ik de vloeren van het theater terwijl mama repeteerde.'

'Horen jullie dat, jongens?' zeg ik terwijl ik voor de tweede keer Kung Pao Kip opschep. 'Ze was twaalf. Zo doen ze dat in Maine. Jullie zouden ook iets bij moeten dragen. Jullie zouden tuinen kunnen aanharken. Kranten bezorgen. Oppassen.'

'We redden het wel,' zegt William.

'Nou, dat is niet helemaal waar,' zeg ik. 'Mag ik de Chow Mein even?'

'Moet ik me zorgen maken? Is dit iets waar ik me zorgen over moet maken? Ik heb 53 dollar op mijn spaarrekening. Verjaardagsgeld. Dat mogen jullie hebben,' zegt Peter.

'Niemand hoeft zijn verjaardagsgeld in te leveren,' zegt William. 'We moeten het alleen wat zuiniger aandoen.'

Ik kijk schuldbewust naar mijn Kindle.

'Vanaf morgen,' zegt William. Hij heft zijn glas. 'Op twintig jaar,' toost hij.

Iedereen heft het glas, behalve ik. Ik had mijn oosterse perenmojito al achterovergeslagen.

'Ik heb alleen water,' zeg ik.

'Dan toost je toch met je glas water,' zegt William.

'Het brengt toch ongeluk om met water te toosten?'

'Niet als jij mijn kustwacht bent,' zegt William.

Ik hef mijn glas water en zeg wat er van me verwacht wordt. 'Op de volgende twintig.'

Zoe bestudeert mijn ambivalente uitdrukking. 'Je hebt net antwoord gegeven op mijn vraag hoe het is om twintig jaar getrouwd te zijn.'

Ze kijkt naar William. 'Zonder dat ik zelfs maar iets uit heb hoeven leggen.'

Thuis, een uur later, zakt William met een zucht onderuit in zijn stoel met de afstandsbediening in de hand om een tel later weer op te springen. 'Alice!' schreeuwt hij en hij grijpt naar zijn achterwerk.

Ik kijk naar de stoel waar hij op zat. Er zit een grote natte plek in de zitting. O, Jampo!

'Ik heb vanmiddag een glas water gemorst,' zeg ik.

William ruikt aan zijn hand. 'Het is pis.'

Jampo komt de woonkamer in gerend en springt op mijn schoot. Hij begraaft zijn kop in mijn oksel. 'Hij kan het niet helpen. Het is een pup,' zeg ik.

'Hij is twee!' schreeuwt William.

'Vierentwintig maanden. Een kind is ook niet zindelijk met vierentwintig maanden. Hij heeft het niet expres gedaan.'

'Dat heeft hij wel,' zegt William. 'Eerst mijn hoofdkussen en nu mijn stoel. Hij kent al mijn plekjes.'

'Nonsens,' zeg ik.

Jampo steekt zijn kop omhoog van onder mijn oksel en gromt naar William.

'Stoute hond,' fluister ik.

Hij gromt nog eens. Het lijkt wel of we in een tekenfilm zitten. Ik kan er niets aan doen. Ik begin te lachen. William kijkt me verbijsterd aan.

'Ik snap niet wat je hier leuk aan vindt.'

'Het spijt me, het spijt me, het spijt me echt,' zeg ik lachend.

Hij kijkt me indringend aan.

'Ik ga maar eens naar bed,' zeg ik, met Jampo stevig onder de arm.

'Gaat hij met je mee?'

'Tot jij komt, dan schop ik hem eruit,' zeg ik. 'Beloofd.'

Ik zwaai naar hem met mijn Kindle.

'Wat ga je eerst lezen?' vraagt William.

'*De beproeving*. Ongelooflijk dat je nog wist dat dat mijn favoriet was. Ik ben benieuwd of het nog net zo goed is als toen ik het voor het eerst las.'

'Dan ben ik bang dat je op een teleurstelling afstevent,' zegt William. 'Misschien is het slim om niet dezelfde standaard te hanteren.'

'Wat? Moet ik nieuwe standaarden bedenken?'

'Je bent geen zeventien meer. De dingen die toen belangrijk waren zijn dat nu niet meer.'

'Daar ben ik het niet mee eens. Als het me toen boeide, boeit het me nu nog. Daardoor weet je of een boek een klassieker is. Een blijver.'

William haalt zijn schouders op. 'De hond heeft mijn stoel geruïneerd.'

'Het is maar plas.'

'De hele zitting is doorweekt, tot aan het frame.'

Ik zucht. 'Gefeliciteerd met je jubileum, William.'

'Twintig jaar, dat is niet niks, Alice.'

William veegt het haar uit zijn ogen, een gebaar dat ik maar al te goed ken, en heel even zie ik de jongen die hij was op de dag dat ik hem ontmoette, bij mijn sollicitatie. Alles komt samen; verleden, heden en toekomst. Ik pak Jampo zo stevig vast dat hij piept. Ik wil iets tegen William zeggen. Iets om hem te laten weten dat hij moet ingrijpen om te zorgen dat ik niet over de rand ga.

'Kom je zo?'

'Ja,' zegt William met de afstandsbediening alweer paraat.

Die nacht slaapt hij op de bank.

69

John Yossarian heeft *Cluedo* **toegevoegd als Favoriete game**

Lucy Pevensie heeft Spare Oom **toegevoegd als Woonplaats**

Hoe was je jubileum, Echtgenote 22?

Verwarrend.

Is dat mijn schuld?

Ja.

Wat kan ik doen?

Zeg me hoe je heet.

Dat kan ik niet doen.

Ik denk dat je een ouderwetse naam hebt. Charles of James, of zoiets. Of misschien iets moderner, zoals Walter.

Besef wel dat alles anders wordt als wij elkaars namen weten. Het is makkelijk om jezelf bloot te geven tegenover een of andere vreemde. Het is veel moeilijker om eerlijk te zijn tegenover mensen die we kennen.

Zeg me hoe je heet.

Nog niet.

Wanneer?

Snel, dat beloof ik.

70

73. Ja, met Peter was het anders. Na de bevalling, toen ik een paar uur geslapen had, werd hij bij me gebracht. Het was diep in de nacht. William was naar huis gegaan. Naar Zoe.

Ik sloeg de omslagdoek open. Hij was zo'n baby die eruitziet als een oud mannetje, wat wil zeggen dat ik hem de mooiste baby vond die ik ooit had gezien (hoewel het formaat van zijn voorhoofd me wel zorgen baarde).

'Ik heb nu al een hekel aan zijn vrouw,' zei ik tegen de kraamhulp.

74. Geluk. Uitputting. Welkom-thuisfeestje. Te moe om schoon te maken. Te moe om seks te hebben. Te moe om William te groeten als hij thuiskomt uit zijn werk. Zoe probeert Peter te verstikken. Peter aanbidt Zoe ondanks dat ze dagelijks nieuwe manieren verzint om hem te verslaan. Meer dan veertig luiers per week. Is drie jaar te jong om de luiers van je kleine broertje te verschonen? Middagen op de bank, Peter slapend op mijn buik, Zoe urenlang televisiekijkend naar ongeschikte programma's. Ruziemaken met echtgenoot over of *Oprah* wel of niet geschikt is. Blousejes doordrenkt in babykots. Driepersoonshuishouden: uren van zes uur 's ochtends tot zeven uur 's avonds. Vierpersoonshuishouden: uren van zeven uur 's ochtends tot tien uur 's avonds. Tweepersoonshuishouden (William en ik): uren van tien uur 's avonds tot zes uur 's ochtends. Maak je geen zorgen, zeggen de boeken. De afstand tussen jou en je man is slechts tijdelijk. Als de baby vier maanden is, de nachten doorslaapt, vast voedsel eet, een jaar oud is, de peuterpuberteit ontgroeit, naar de kleuterschool gaat, leert lezen, meer plas ín het toilet dan eromheen mikt, hersteld is van de uitslag die overal zat, zelfs onder de voorhuid, de rugslag kan, zijn tetanusprik heeft gehaald, geen meisjes meer bijt, zijn eigen sokken aan kan trekken, nooit meer liegt over het poetsen van zijn tanden, geen slaapliedje meer nodig heeft, naar de middelbare school gaat, puber wordt en als trotse jonge homo opbloeit, dan wordt alles weer normaal tussen jou en William. Dan zal de afstand op miraculeuze wijze verdwijnen.

75. Lieve Peter,

Eerlijk gezegd schrok ik toen ik hoorde dat je een jongen zou worden.

Vooral omdat ik geen idee had hoe je een jongen moest opvoeden. Ik dacht dat het veel moeilijker zou zijn dan bij meisjes, omdat ik tenslotte zelf een meisje was. En nog ben, trouwens. Het meisje in mij leeft voort. Ik denk dat je haar weleens gezien hebt. Zij is degene die begrijpt waarom het af en toe heerlijk is om in je neus te peuteren, alleen liever niet en public, en daarna je handen wassen, oké?

Sommige dingen weet je misschien niet of ben je vergeten.

1. Toen je twee was en door een heftige oorontsteking niet meer kon stoppen met huilen, vond ik het onverdraaglijk om jou zoveel pijn te zien lijden dat ik bij je ben gaan liggen in je bedje om je vast te houden tot je in slaap viel. Tien uur lang heb je geslapen, je werd niet eens wakker toen we samen door je bedje zakten.

2. Op je derde stonden er maar twee dingen op je verlanglijstje voor onder de kerstboom: een aardappel en een wortel.

3. Grappige opmerking die je maakte toen ik je een keer pasta met boter voorschotelde voor het avondeten (de tomatensaus was op): dit kan ik niet eten. Deze pasta heeft geen hart.

4. Onmogelijke vraag die je me een keer stelde terwijl je me hielp met was opvouwen: waar was ik toen jij een klein meisje was?

5. Een opmerking van jou die mijn hart brak: als ik doodga ben ik nog steeds jouw kleine jongen. Ik heb het onbeschrijflijk fijn gevonden om jouw moeder te zijn. Jij bent mijn grappigste, liefste en stralendste ster.

Je liefhebbende mama

76. Eerste deel van de vraag: geen idee; tweede deel van de vraag: tot op zekere hoogte.

71

'O, lieverd, dit is heerlijk. Is het niet heerlijk? Waarom doen we dit niet vaker?' vraagt Nedra.

Nedra neemt me mee om make-up te kopen, op haar kosten. Ze zegt dat ze geprobeerd heeft om te wennen aan mijn Franse geen-make-uplook, maar dat ik na weken nog geen enkele gelijkenis vertoon met Marion Cotillard (Marie Curie, misschien) en dat er iets moet gebeuren. Ik vertel Nedra maar niet dat ik de make-up twee, misschien drie dagen zal dragen en daarna compleet zal vergeten. Ze weet dat het zo zal gaan, maar dat maakt haar niet uit. De werkelijke reden dat ze me meeneemt is dat ik straks niet meer kan weigeren haar bruidsmeisje te zijn. Ik weet zeker dat we toevallig langs Anthropology zullen komen en dat ik dan gedwongen word om jurken te passen.

De ochtendspits is net voorbij en het is nog druk op straat. Op een groot kruispunt vlak bij de universiteit zie ik twee kinderen op de vluchtheuvel staan met een stuk karton met een tekst erop.

'Wat treurig,' zeg ik en ik probeer te lezen wat er op het bordje staat, maar ze zijn te ver weg. 'Kun jij dat lezen, Nedra?'

Ze tuurt. 'Ik wou dat je nu eindelijk eens een leesbril ging halen. Hoe lang moet ik je ogen nog zijn? *Vader baan kwijt. Help ons alstublieft. Gratis liedje. Ook verzoeknummers.* O, jezus christus, Alice, kalm blijven,' zegt ze als we dichterbij komen en de twee kinderen veranderen in Peter en Zoe.

Ik neem een grote hap lucht en draai het raampje naar beneden. Peter zingt *After the Gold Rush* van Neil Young. De chauffeur van een Toyota die drie auto's voor ons staat steekt een briefje van vijf uit het raam. 'Je hebt een mooie stem, man,' hoor ik hem zeggen. 'Vervelend van je vader.'

Ondanks de schok krijg ik tranen in mijn ogen van Peters stem. Hij heeft inderdaad een mooie stem. Die heeft hij niet van William of van mij.

Ik steek mijn hoofd door het raam van de auto. 'Waar zijn jullie mee bezig?'

Ze kijken me verstijfd van schrik aan.

'Laat ze met rust, mens. Of geef ze liever wat,' schreeuwt de vrouw in de auto achter me. 'Je ziet eruit alsof je het wel kan missen.'

Ik zit naast Nedra in haar Lexus. 'Dit is mijn auto niet,' schreeuw ik terug. 'Ik heb een Ford, mocht het je interesseren!'

'Jij zei dat we een baantje moesten zoeken,' schreeuwt Zoe.

'Babysitten!'

'We zitten in een recessie, wist je dat niet? Er is twaalf procent werkeloosheid. Het heeft geen zin om te solliciteren. Je moet zelf je werk creëren,' schreeuwt Zoe.

'Dat is waar,' zegt Nedra.

'Dit is een superplek,' valt Peter haar bij. 'We hebben al meer dan honderd dollar verdiend.'

We stoppen naast het stel. Het licht wordt groen en de lucht gonst van het geluid van boze, ongeduldige claxons. Ik steek mijn hand op en gebaar dat de mensen door moeten rijden.

'Honderd dollar voor wie? Jullie geven dat geld maar aan de daklozenopvang. Ik schaam me kapot,' sis ik.

En ik ben dodelijk bezorgd; een of andere idioot had ze zo de auto in kunnen lokken. Hoe volwassen ze ook mogen lijken, Peter en Zoe zijn beschermd opgevoede, naïeve kinderen. Ik denk dat het tijd is voor een opfriscursus Praten met vreemden.

'Stelletje avonturiers,' zegt Nedra. 'Ik wist niet dat jullie het in je hadden.'

'Instappen,' zeg ik. 'NU.'

Zoe kijkt op haar horloge. Ze draagt een vintage Pucci-jurkje en balletschoentjes. 'We moeten nog tot twaalf uur.'

'O ja, heb je een contract om te bedelen?' zeg ik.

'Het is belangrijk om structuur aan te brengen en vaste werktijden te hanteren,' zegt Peter. 'Dat heb ik in papa's boek gelezen, *100 manieren om jezelf te motiveren: Verander je leven.*'

'Instappen, kinderen,' zegt Nedra. 'Doe wat je moeder zegt, anders moet ik voor de rest van mijn leven tegen haar bleke, afgetrokken gezicht aan kijken en dat is dan jullie schuld.'

Peter en Zoe stappen achterin.

'Jullie ruiken niet dakloos,' zegt Nedra.

'Daklozen kunnen er niets aan doen dat ze stinken,' zegt Peter. 'Het is niet alsof ze zomaar overal aan kunnen kloppen om te vragen of ze even onder de douche mogen.'

'Dat is lief gezegd,' zegt Nedra.

'Dat was leuk, Pedro,' zegt Zoe, en ze geven elkaar een boks.

Ik wist dat er een dag zou komen dat ik Pedro zou verliezen aan Zoe, als ze elkaar in vertrouwen gingen nemen en geheimen voor elkaar bewaarden, maar ik had nooit gedacht dat het zo snel of op deze manier zou gaan.

'Kunnen we alsjeblieft naar huis gaan?' zeg ik.

Nedra blijft rechtdoor rijden.

'Luistert er dan niemand naar me?' roep ik.

Nedra slaat rechts af richting winkelstraat en parkeert een paar minuten later de auto. Ze draait zich om. 'Wegwezen, kabouters. En om één uur hier weer terug zijn.'

'Je ziet er moe uit, mama.' Peter steekt zijn hoofd naar voren vanaf de achterbank.

'Ja, hoe kom je aan die donkere kringen onder je ogen?' vraagt Zoe.

'Laat dat maar aan mij over,' zegt Nedra. 'En nu ophoepelen.'

'Het is niet dat je ze met een enorme joint hebt betrapt,' zegt Nedra als we het warenhuis in lopen.

'Jij koos partij voor hen. Waarom mag jij altijd de coole tante zijn?'

'Alice, wat is er?'

Ik schud mijn hoofd.

'Wat?' herhaalt ze.

'Alles,' zeg ik. 'Dat begrijp je toch niet. Jij hebt een verloofde. Jij bent gelukkig. Jij hebt een gouden toekomst voor je liggen.'

'Ik haat het als mensen andere mensen denken te kennen,' zegt Nedra. 'En er ligt ook een heleboel moois op jou te wachten.'

'Maar als dat nou eens niet waar is? Wat als ik mijn beste tijd al gehad heb?'

'Zeg alsjeblieft niet dat dit over dat belachelijke huwelijksonderzoek gaat. Je hebt toch geen contact meer met die onderzoeker?'

Ik pak een tube auberginekleurige lipgloss op.

'Waar gaat het nou echt over?' vraagt ze, de lipgloss teruggleggend. 'Niet jouw kleur.'

'Ik denk dat Zoe een eetstoornis heeft.'

Nedra rolt met haar ogen. 'Alice, dit gebeurt elke zomer als de school dichtgaat. Dan word je paranoïde. Somber. Je bent gewoon iemand die bezig moet blijven.' Ik knik en laat me naar de poederstand afvoeren. 'Een getinte vochtinbrenger, niet te zwaar. Een likje mascara en een vleugje blush. En daarna gaan we heel snel, heel kort, echt even kijken bij Anthropology, oké?' zegt Nedra.

Die nacht kruipt Peter bij me in bed.

'Arme mama,' zegt hij en hij slaat zijn armen om me heen. 'Dat was een zware dag. Om je kinderen op straat te zien bedelen.'

'Ben jij niet te oud om bij me in bed te kruipen?' zeg ik, hem wegduwend omdat hij best een beetje straf verdient.

'Nooit,' zegt hij en kruipt nog dichter tegen me aan.

'Hoeveel weeg jij wel niet?'

'Vijfenveertig kilo.'

'Hoe lang ben je?'

'Eén meter vijfenvijftig.'

'Dan mag je nog vijf kilo en drie centimeter knuffelen, ongeacht wat er het eerst is.'

'Waarom maar vijf kilo en drie centimeter?'

'Omdat het daarna niet meer gepast is.'

Peter is even stil. 'O,' zegt hij zacht met zijn hand op mijn arm op precies dezelfde manier als hij als peuter al deed.

Hij was als klein jongetje zo op mij gericht dat het dodelijk vermoeiend was. Als er ook maar iets van zorgen op mijn gezicht te zien waren, kwam hij op me afgerend. *Alles is goed, mama. Alles is goed*, zei hij dan ernstig. *Zal ik een liedje voor je zingen?*

'Ik zal het ook missen, liefje,' zeg ik. 'Maar dan zal de tijd wel rijp zijn.'

'Kunnen we nog wel samen film kijken op de bank?'

'Natuurlijk. Ik heb er al eentje klaarliggen. *The Omen*. Daar zit een geweldige scène in waarin alle dieren van de dierentuin helemaal gek worden.'

We liggen even stil naast elkaar.

Iets is bijna voorbij. Ik leg mijn hand over mijn hart alsof ik datgene wat eruit stroomt tegen zou kunnen houden.

Lucy Pevensie heeft een profielfoto toegevoegd

Leuke jurk, Echtgenote 22.

Vind je? Ik doe hem aan voor mijn kroning. Het gerucht gaat dat ik binnenkort gekroond word tot Koningin Lucy de Dappere.

Ben ik uitgenodigd?

Dat hangt ervan af.

Waarvan?

Heb je wel iets om aan te trekken naar een kroning?

Ik denk het wel. Mijn beste vriendin heeft me gevraagd haar bruidsmeisje te zijn.

Aha, dus dit is een bruidsmeisjesjurk.

Nou, dit is wat ze zou willen dat ik droeg. Oké, niet per se deze jurk, maar wel zoiets.

Kan het zijn dat je een klein beetje overdrijft?

Zie jij het huwelijk ook weleens als een soort *Catch-22*? De dingen die je eerst zo aantrekkelijk vond in je wederhelft, zijn zwarte kant, zijn getob, zijn minimale communicatie, zijn stiltes, de dingen die in het begin zo charmant waren zijn nu de dingen waar je gillend gek van wordt?

Ik heb dit van meerdere respondenten gehoord.

Heb jij je ooit zo gevoeld?

Daar kan ik niets over zeggen.

Alsjeblieft. Zeg iets, Onderzoeker 101. Iets.

Ik krijg je niet uit mijn hoofd, Echtgenote 22.

73

77. Een dictatuur waar de dictator elke dag iemand anders is. Geen idee of democratie überhaupt mogelijk is.

78. Nou, veel mensen in deze tijd en op deze aarde geloven in het concept van ware liefde, en als ze daar dan in geloven leidt dat vaak tot het huwelijk. Dat komt jullie misschien voor als een stom instituut. Misschien is jullie soort zo ver vooruit dat jullie verschillende partners hebben in verschillende fases van jullie leven: eerste verliefdheid, huwelijk, voortplanting, opvoeding, het lege nest, en de langzame, en hopelijk pijnloze, dood. Als dat zo is loop je misschien die ene ware liefde mis, maar dat betwijfel ik. Je noemt het waarschijnlijk alleen anders.

79. Volgens mij pakt iedereen zijn of haar moment: achter de coulissen, tussen de rekwisieten, in een bijrol, daarna in het koor, daarna als hoofdrolspeler, en daarna, op het laatst, eindigen we allemaal in het publiek, toekijkend, een van de gezichtsloze liefhebbers in het donker.

80. Dagen en weken en maanden van blikken, van onbeantwoorde lust.

81. Op de top van een berg wonen met een quilten bedsprei en elke dag verse bloemen op tafel. Ik zou lange witte jurken van kant dragen en stoere cowboylaarzen eronder. Hij zou gitaarspelen. We zouden een tuin hebben, een hond, en vier lieve kinderen die op de vloer torens bouwden van blokken terwijl ik een stoofschotel met kip maakte.

82. Dat heb je nodig, net als zuurstof.

83. Kinderen. Gezelschap. Kan me geen leven zonder voorstellen.

84. Kan me een leven zonder voorstellen.

85. Je weet mijn antwoord.

86. Ja.

87. Natuurlijk!

88. Op een bepaalde manier wel. Op een andere niet.

89. Vreemdgaan. Liegen. Mij vergeten.

90. Lieve William,

Weet je nog dat we gingen kamperen in de Witte Bergen? We liepen de eerste dag het grootste deel van de wandeling. We zouden de volgende dag vroeg opstaan om naar de top van het Tuckerman-ravijn te wandelen, maar jij had te veel gedronken en werd wakker met een verschrikkelijke kater. Zo'n kater waar je alleen maar tegen kunt slapen. Jij kroop dus terug in je slaapzak en ik ging alleen richting de top.

Je werd pas laat in de middag wakker. Je keek naar je horloge en wist meteen dat er iets goed mis was; het was een wandeling waar ik twee uur over had moeten doen, maar het was nu al bijna zes uur later en jij wist bijna zeker wat er gebeurd was... ik was van de route afgeweken. Ik wijk altijd van de route af. Jij, aan de andere kant, bleef altijd netjes op de weg, maar zonder jou naast me, dwaalde ik af en raakte ik hopeloos verdwaald.

Dit was natuurlijk heel lang geleden. Voor internet. Voor mobiele telefoons. We waren nog jaren verwijderd van zoeken en klikken en bladeren en bevrienden. Dus kwam je me op de ouderwetse manier achterna. Je brulde als een beer, je riep mijn naam, en je rende. En toen je me tegen de schemering eindelijk vond, huilend aan de voet van een grote den, beloofde je me iets wat ik nooit ben vergeten. Waar ik ook ging, hoe ver ik ook afdwaalde, hoe lang ik ook weg was: je zou achter me aankomen en me naar huis brengen. Geen man had ooit zoiets romantisch tegen me gezegd. Wat het des te moeilijker maakt om te moeten constateren en accepteren dat we twintig jaar later weer van elkaar zijn afgedwaald. Schaamteloos afgedwaald. Zinloos afgedwaald. Alsof we alle tijd van de wereld hebben om op de top van Tuckerman te komen.

Als dit als een afscheidsbrief klinkt, spijt me dat. Ik weet niet of het afscheid is wat ik zoek. Het is meer een waarschuwing. Misschien is het goed eens op je horloge te kijken. Je zou bijvoorbeeld tegen jezelf kunnen zeggen: Alice is al heel lang weg. Misschien kun je me komen zoeken.

AB

74

Ik word wakker van aluminium tentstokken die op de hardhouten vloer kletteren.

'Waar is je moeder in godsnaam?' hoor ik William schreeuwen van beneden.

Ik wil alleen maar in bed blijven. Het is echter mijn eigen plan geweest om te gaan kamperen in de Sierra. Ik heb een paar maanden geleden gereserveerd. Toen leek het allemaal zo idyllisch; slapen onder de sterren omringd door naaldbomen en dennen, om nader tot elkaar te komen als gezin. Caroline en Jampo hebben een paar dagen het huis voor zichzelf.

'Godverdomme!' roept William. 'Kan er dan niemand een beetje normaal een tent inpakken?'

Ik kom uit bed. Een stuk minder idyllisch dan ik had gehoopt.

Een uur later zijn we onderweg en dit is hoe onze qualitytime met het gezin eruitziet: William luistert naar het nieuwste boek van John le Carré op zijn iPhone (wat trouwens hetzelfde is als wat ik luister, maar dan gewoon op de cd-speler in de auto, maar William zegt dat hij zich alleen kan concentreren als hij alleen voorgelezen wordt), Peter speelt Angry Birds op zijn iPhone met af en toe uitroepen als 'Chips' en 'Grutjes', en Zoe zit te sms'en alsof haar leven ervan afhangt, god weet met wie. Dit houden we zo'n tweeënhalf uur vol tot we over de pas moeten en we geen verbinding meer hebben. Dan lijken we te ontwaken uit een droom.

'Whoa, bomen,' zegt Peter.

'Is dat waar die mensen die mensen hadden opgegeten?' vraagt Zoe, starend naar het meer.

'Je bedoelt de Donner-expeditie,' zegt William.

'Borst of poot, Zoe?' vraagt Peter.

'Hi-la-risch, Pedro. Hoe moeten we dit eigenlijk doen?' vraagt Zoe.

'Ik heb voor drie nachten gereserveerd,' zeg ik. 'En het is geen werk of zo. Het is kamperen. Niemand *hoeft* iets. We zijn hier om het leuk te hebben en te ontspannen.'

'Ja, deze ochtend was uitermate ontspannen, Alice,' zegt William, naar buiten starend. Hij heeft al net zoveel zin als de kinderen.

'En hebben we dan geen bereik met onze mobieltjes?' vraagt Zoe.

'Nee joh, we zitten nu even in een gat. Papa zegt dat er op de camping wel WiFi is,' zegt Peter.

'Eh, dat is niet zo, sorry. Geen WiFi,' zeg ik.

Ik ben daar net gisteren achter gekomen toen ik mijn reservering bevestigde. Daarna sloot ik me op in de slaapkamer voor een fijne, geheime, milde paniekaanval bij de gedachte dat ik tweeënzeventig uur geen contact zou hebben met Onderzoeker 101. Nu heb ik het aanvaard.

Het geluid van naar adem happende mensen klinkt vanaf de achterbank.

'Alice, dat had je niet verteld,' zegt William.

'Nee, ik heb het niemand verteld, want dan zouden jullie nooit meegaan.'

'Ik kan niet geloven dat jij het overleeft zonder WiFi,' zegt Zoe tegen mij.

'Nou, geloof het nou maar,' zeg ik. Ik leun over William heen en leg mijn telefoon in het handschoenenkastje. 'Telefoons inleveren, jongelui. Jij ook, William.'

'Wat als er een noodgeval is?' zegt William.

'Ik heb een verbanddoos bij me.'

'Een ander soort noodgeval,' zegt hij.

'Zoals?'

'Zoals dat je iemand moet bereiken,' zegt hij.

'Dat is nu juist het punt. Elkaar bereiken,' zeg ik. 'IRL.'

'IRL?' vraagt William.

'*In real life*, in het echt,' zeg ik.

'Wat erg dat jij die afkorting kent,' zegt Zoe.

Een kwartier later zijn de kinderen, die blijkbaar niet in staat zijn iets anders te verzinnen (dagdromen, praten, of iets bedenken zonder daar een apparaat bij te gebruiken), in slaap gevallen op de achterbank. Ze blijven slapen tot we de camping op rijden.

'En nu?' zegt Peter als de tent staat.

'Nu wat? Dít is wat,' zeg ik met mijn armen wijd. 'Even weg van alles. Het bos, de bomen, de rivier.'

'De beren,' zegt Zoe. 'Ik ben ongesteld. Ik blijf in mijn tent. Bloed werkt als een rode lap.'

'Gatverdamme,' zegt Peter.

'Dat is een broodjeaapverhaal,' zegt William.

'Niet waar. Ze kunnen het van kilometers afstand ruiken,' zegt Zoe.

'Dan ga ik nu even overgeven,' zegt Peter.

'Laten we kaarten,' zeg ik.

Zoe steekt een vinger op. 'Te veel wind.'

'Hints,' opper ik.

'Wat? Nee! Het is nog niet eens donker. Alle mensen kunnen ons zien,' zegt ze.

'Prima. Zullen we dan hout gaan sprokkelen voor het vuur?' vraag ik.

'Je ziet er woest uit, mama,' zegt Peter.

'Ik ben niet woest, ik denk na.'

'Typisch hoe je denkende gezicht er precies zo uitziet als je woeste gezicht,' zegt Peter.

'Ik ga een dutje doen,' zegt Zoe.

'Ik ook,' zegt Peter. 'Van zoveel natuur word ik slaperig.'

'Ik ben ook best moe,' zegt William.

'Doe maar waar je zin in hebt. Ik ga naar de rivier,' zeg ik.

'Neem een kompas mee,' zegt William.

'Het is honderd meter lopen,' zeg ik.

'Waar?' vraagt Peter.

'Door het bos. Daar. Zie je het? Waar al die mensen zwemmen.'

'Is dat een rivier? Het lijkt meer op een stroompje,' zegt Zoe.

'Tucker, niet als een lijk in het water drijven, hoor!' horen we een vrouw schreeuwen.

'Waarom niet?' roept een jongen terug.

'Omdat de mensen dan denken dat je dood bent!' schreeuwt de vrouw terug.

'Zijn we helemaal hier naartoe gereden zodat jij met honderd andere mensen in een stroompje kan zwemmen? Dan hadden we ook naar het zwembad kunnen gaan,' zegt Peter.

'Wat zijn jullie zielig,' snuif ik en ik stamp weg.

'Wanneer kom je terug, Alice?' roept William me na.

'Nooit!' roep ik.

Twee uur later, gebronsd en gelukkig, raap ik mijn schoenen op en ga terug naar de tent. Ik ben doodmoe, maar op een goede manier, op de manier die je overkomt als je op een middag in juli verkoeling hebt gevonden in een ijskoude rivier. Ik loop langzaam, bang om de sfeer te verbreken. Heel af en toe heb ik dit soort bovennatuurlijke ervaringen waarin al mijn voorgaande levens lijken samen te komen: de tienjarige, de twintigjarige, de dertigjarige en de veertigplusser; ze zijn allemaal tot leven gekomen en kijken allemaal tegelijk uit mijn ogen naar de wereld. De dennennaalden knisperen onder mijn blote voeten. Mijn maag knort bij de geur van hamburgers op de barbecue. Ik hoor de vage klanken van een radio: Todd Rundgren met *Hello, It's Me*?

Het voelt gek om geen telefoon bij me te hebben. Het voelt nog vreemder om niet de hele tijd alert te zijn, wachtend op een inkomend bericht: een mail of een Facebook-post van Onderzoeker 101. In plaats daarvan voel ik leegte. Geen smachtende leegte, maar een heerlijke, gelukzalige leegte die over zal zijn op het moment dat ik bij onze tenten aankom.

Maar dat is niet wat er gebeurt. In plaats daarvan vind ik mijn gezin terug aan de picknicktafel, waar ze zitten te praten. PRATEN. Zonder apparaat, of spel, of zelfs een boek.

'Mama,' roept Peter. 'Is alles goed met je?'

Hij heeft me al zeker een jaar, als het er geen twee waren, geen mama meer genoemd.

'Heb je gezwommen?' vraagt William met een blik op mijn natte haar. 'In je korte broek?'

'Zonder mij?' zegt Zoe.

'Ik dacht dat je daar geen zin in had? Je hebt vanmorgen een halfuur je haar staan föhnen.'

'Als je het had gevraagd, was ik wel meegegaan,' snuft Zoe.

'We kunnen na het eten nog wel een keer gaan. Het is lang licht.'

'Zullen we een stuk gaan lopen?' zegt Peter.

'Nu?' zeg ik. 'Ik wilde eigenlijk even gaan liggen.'

'We hebben op je gewacht,' zegt William.

'Echt waar?'

De drie wisselen blikken uit.

'Oké. Leuk. Ik trek even iets anders aan en dan gaan we.'

'We maken niet genoeg lawaai,' zegt Zoe. 'Beren vallen alleen aan als ze schrikken. Of je ruiken. Woe-hoe-hoe-hoe beer!'

We lopen al meer dan drie kwartier. Vijfenveertig minuten van muggen doodslaan, paardenvliegengezoem, kindergezeik en verzengende hitte zonder zuchtje wind.

'Ik dacht dat dit een rondje was. Zouden we nu niet terug moeten zijn?' zegt Peter. 'En waarom heeft niemand een fles water meegenomen? Wie gaat er nu wandelen zonder water?'

'Ren maar vooruit, Pedro,' zeg ik. 'Ga maar verkennen. Dit komt me allemaal heel bekend voor. We zijn er vast bijna. Trouwens, ik hoor de rivier al.'

Dat lieg ik. Ik hoor niets anders dan het gezoem van ontelbare insecten.

Peter vertrekt en William roept hem na: 'Niet te ver vooruit! Ik wil je kunnen horen zingen. Dat is de regel.'

'Alsjeblieft, doe me dit niet aan,' zegt Zoe.

'*Once aai was afraid, aai was petrified...*' horen we Peter joelen.

Zoe rolt met haar ogen.

'Het is beter dan *woe hoe beer*,' zeg ik haar.

'Denk je echt dat we er bijna zijn?' vraagt William.

'*It's not fair and I think you're really mean.*'

'O nee, is dat niet dat nummer over eh, je-weet-wel?'

'Wat?' zegt William.

'Je weet wel, dat nummer waarin zij het heeft over... en dat hij...'

Hij kijkt me wezenloos aan.

'In bed,' fluister ik.

'Jezus, moeder, seks heet dat, zeg het maar gewoon,' zegt Zoe. 'Niet dat Peter dat weet, trouwens.'

'*Because I'm bad, I'm bad...*' Plotseling zwijgt Peter.

We lopen nog een paar minuten.

'Is er iets belachelijker dan een blanke jongen van twaalf die zichzelf "*bad*" noemt?' vraagt Zoe.

'Zoe, sst!'

'Wat?'

We stoppen om te luisteren.

'Ik hoor niets,' zegt Zoe.

'Precies,' zeg ik.

William schreeuwt door zijn handen: 'Blijven zingen, Peter!'

Stilte.

'Peter!'

Niets.

William sprint het pad af met Zoe en mij op zijn hielen. We komen de bocht om en vinden Peter stokstijf stilstaand, oog in oog met een muildier-hert dat op nog geen anderhalve meter van hem af staat. En dit is geen gewoon muildierhert. Het is een enorme prijsstier, ruim over de honderd kilo, geweihoorns zo lang als stokbroden, en Peter en hij lijken wel een of andere wedstrijd in aanstaren te houden.

'Doe heel langzaam een stap naar achteren,' fluistert William naar Peter.

'Vallen muilherten mensen aan?' fluister ik naar William.

'Langzaam,' herhaalt William.

De stier snuift en doet een paar stappen in Peters richting. Peter lijkt betoverd: een half lachje om zijn mond. Opeens begrijp ik wat ik zie. Het is een ritueel. Van hetzelfde soort als Peter al zo vaak doorstaan heeft in zijn videospelletjes, vechtend met buitenaardse wezens in alle soorten en maten, ogers, tovenaars en wollige mammoeten, maar hoe vaak krijgt een jongetje in de eenentwintigste eeuw nou de kans om echt fysiek contact te hebben met het wilde beest; om het in de ogen te kijken. Peter strekt zijn hand uit alsof hij het gewei van de stier wil pakken en zijn onverwachte beweging lijkt het hert wakker te schudden, waarop het stante pede het bos in galoppeert.

'Dat was ongelooflijk,' zegt Peter als hij zich met stralende ogen naar ons omdraait. 'Zag je hem naar me kijken?'

'Was je niet bang?' ademt Zoe.

'Hij rook naar gras,' zegt Peter. 'Naar steen.'

William kijkt naar mij en schudt verwonderd zijn hoofd.

Op de terugweg gaan we in ganzenpas door het bos. Peter voorop, dan Zoe, dan ik, dan William die de gelederen sluit. Soms piept de ondergaande zon even door de bomen... magenta, dan weer fel oranje. Ik kijk omhoog om de warmte op te vangen. Het licht voelt als een zegen.

William pakt mijn hand.

75

Ik word midden in de nacht wakker van een schreeuwende Zoe. William en ik zitten rechtop en kijken elkaar aan.

'Het *is* een broodjeaapverhaal', zegt hij, 'toch?'

In de paar seconden die het duurt voor we ons losgeworsteld hebben uit de slaapzakken en de tent opengeritst hebben, horen we nog drie tamelijk verontrustende geluiden: een grommende Peter, het geluid van rennende voetstappen langs de tent en dan Peter die ook schreeuwt.

'O god, o god, o god, o god', roep ik. 'Schiet op, naar buiten!'

'Geef me die zaklamp!' brult William.

'Wat ga je daarmee doen?'

'Ik ga die beer zijn kop inslaan, wat denk je dat ik ermee ga doen?'

'Veel lawaai maken. Schreeuwen. Met je armen zwaaien', zeg ik, maar William is al weg.

Ik haal diep adem, ga dan achter hem aan en tref het volgende aan: Zoe in haar nachtjapon op blote voeten, met een gitaar in haar handen als slaghout. Jude op zijn knieën, zijn hoofd gebogen alsof hij op het hakblok ligt. Peter languit op de grond en William aan zijn zij.

'Niets aan de hand', roept William naar mij.

Een paar mensen van de tenten om ons heen zijn naar ons toe komen rennen en staan in een kring om ons heen. Ze dragen allemaal hoofdlampen. Ze zien eruit als mijnwerkers, maar dan in pyjama.

'Alles is goed', zegt William tegen ze. 'Ga terug naar jullie tenten. Alles onder controle.'

'Wat is er gebeurd?'

'Het spijt me, Alice', zegt Jude.

'Huil je, Jude?' vraagt Zoe en ze laat de gitaar zakken, haar gezicht verzacht.

'Waar is de beer?' roep ik. 'Is hij weggerend?'

'Geen beer', kreunt Peter.

'Het was Jude', zegt Zoe.

'Jude heeft Peter aangevallen?'

'Ik wilde Zoe verrassen,' zegt Jude. 'Ik heb een liedje voor haar geschreven.'

Ik ren naar Peter. Zijn shirt is omhooggeschoven en ik zie een diepe snee in zijn buik. Ik sla mijn hand voor mijn mond.

'Pedro hoorde me schreeuwen en probeerde me te redden,' zegt Zoe. 'Met zijn stok waar we marshmallows aan geroosterd hebben.'

'Hij rende ermee,' zegt Jude. 'Hij bleef in de grond steken.'

'En toen heeft hij zichzelf doorboord,' zegt Zoe.

'Kop dicht,' kreunt Peter. 'Voor jou viel ik op mijn zwaard.'

'Het bloedt bijna niet. Dat is niet goed,' zegt William, die de wond bekijkt in het licht van de zaklantaarn.

'Wat is dat gele spul dat eruit sijpelt?' vraag ik. 'Pus?'

'Volgens mij is het vet,' zegt William.

Peter piept.

'Dat is prima, geen probleem, geen zorgen,' zeg ik in een poging te doen voorkomen dat het heel normaal is dat er vet uit wonden sijpelt. 'Iedereen heeft vet.'

'Dat betekent dat het behoorlijk diep is, Alice,' fluistert William. 'Hij moet gehecht worden. We moeten hem naar de eerste hulp brengen.'

'Ik heb net *Say Anything* gezien met John Cusack en werd geïnspireerd,' legt Jude uit.

'*In Your Eyes*. Ik ben gek op Peter Gabriel,' gromt Peter. 'Ik hoop dat het in elk geval een goed liedje is.'

'Heb je een liedje voor me geschreven?' vraagt Zoe.

'Is dat jouw auto, Jude?' vraagt William, duidend op de Toyota die voor de tenten staat.

Jude knikt.

William helpt Peter omhoog. 'Laten we gaan, jij rijdt. Peter kan op de achterbank liggen. Alice, rij jij achter ons aan met Zoe?'

'Je rijdt als een idioot. Je hoeft niet zo op de bumper te zitten,' bijt Zoe me toe.

'Wist jij dat Jude zou komen?'

'Nee! Natuurlijk niet.'

'Met wie zat je te sms'en op de heenweg?'

Zoe slaat haar armen over elkaar heen en kijkt uit het raam.

'Wat is er gaande tussen jullie?'

'Niks.'

'En "niks" is de reden dat hij midden in de nacht vijfhonderd kilometer rijdt om een liedje voor je te zingen?'

Ondanks dat ik woedend op hem ben – wat is er mis met een verrassing bij daglicht? – vind ik Judes actie ook intens romantisch. Ik vind *Say Anything* een geweldige film. Vooral die onvergetelijke scène waarin John Cusack op zijn auto staat met zijn gettoblaster in die trenchcoat met de enorme schoudervullingen. *I see the doorway to a thousand churches in your eyes*, elf woorden die bijna perfect samenvatten hoe het was om jong te zijn in de jaren tachtig van de twintigste eeuw.

'Ik kan er toch niets aan doen dat hij me stalkt?'

'Hij heeft een liedje voor je geschreven, Zoe.'

'Daar kan ik ook niets aan doen.'

'Ik zag wel hoe je naar hem keek. Je vindt hem nog leuk. Eindelijk!' zeg ik als we van het kampeerveld af rijden, de weg op, en Jude de snelheid opvoert.

'Ik wil er niet over praten,' zegt Zoe van onder haar arm die haar gezicht bedekt.

We rijden over een lege weg langs weilanden en velden. De maan lijkt vastgenageld in de lucht.

'Waar is dat verdomde ziekenhuis!' roep ik na tien minuten. Eindelijk zie ik rechts een paar gebouwen, in een zee van licht.

De parkeerplaats is nagenoeg uitgestorven. Ik dank stilletjes de Heer dat we in een verlaten gat zitten. Als dit het kinderziekenhuis in Oakland was geweest, hadden we vijf uur moeten wachten op onze beurt.

Ik was vergeten hoe dat ging met hechten. Sterker nog, ik was vergeten hoe dat ging met de verdovende prikken vóór het hechten.

'Misschien kunt u beter even de andere kant op kijken,' oppert de eerste-hulparts met de naald in zijn hand.

Als we films of televisieprogramma's kijken waar seks in voorkomt vraagt Peter altijd: 'Moet ik de andere kant op kijken?' Mijn antwoord hangt af van de scène; als het alleen een beetje volledig gekleed knuffelen op bed is, of kussen, of tegen elkaar aan schuren, zeg ik nee. Als het waarschijnlijk is dat er bepaalde lichaamsdelen in beeld komen, zeg ik ja. Ik weet dat hij op internet borsten gezien heeft, maar hij heeft ze nog niet gezien met zijn moeder naast zich op de bank. Ik weet niet wie zich ongemakkelijker zou voelen, hij of ik. Hij is er nog niet klaar voor. Hij is ook niet klaar voor een lidocaïne-injectie, trouwens.

'Kijk de andere kant op,' zeg ik tegen Peter.

'Ik had het eigenlijk tegen u,' zegt de arts.

'Ik heb geen probleem met naalden,' zeg ik.

Peter knijpt mijn hand fijn. 'Ik ga mezelf afleiden. Ik ga gewoon met jou over koetjes en kalfjes praten.'

Zijn ogen kijken intens in de mijne, maar mijn blik blijft afdwalen naar de naald.

'Mam, ik moet je iets vertellen waar je misschien van schrikt.'

'Uh-huh,' zeg ik, kijkend naar de arts die rondom de wond injecties geeft.

'Ik ben hetero.'

'Prima, schatje,' zeg ik als de arts nu ook injecties *in* de wond begint te geven.

'Je doet het geweldig, Peter,' zegt de arts. 'Bijna klaar.'

'Mevrouw Buckle,' zegt de arts. 'Gaat het wel?'

Ik ben duizelig. Ik zoek steun bij de rand van het bed.

'Dit gebeurt altijd,' zegt de arts tegen William. 'We waarschuwen de ouders dat ze beter niet kunnen kijken, maar ze kunnen het niet laten om te kijken. Ik had hier gisteren een vader die opeens flauwviel toen ik zijn dochters lip aan het hechten was. Klapte zo voorover. Grote kerel. Honderd kilo. Drie tanden beschadigd.'

'Laten we gaan, Alice,' zegt William en hij pakt mijn elleboog.

'Mam, heb je me gehoord?'

'Ja, liefje, je bent hetero.'

William dwingt me op te staan.

'Je zoon is hetero. En nu even stoppen met schudden, alsjeblieft?' zeg ik tegen William. 'Ik word er misselijk van.'

'Ik sta niet te schudden,' zegt William met een arm om mijn schouder. 'Jij schudt.'

'Er staat een bed in de hal,' zegt de arts.

Dat zijn de laatste woorden die ik hoor voordat ik flauwval.

76

De volgende dag, na een rit van zes uur (waarvan twee te midden van lang-zaam rijdend en stilstaand verkeer), ga ik linea recta naar boven en naar bed. Ik ben gesloopt.

Zoe en Peter volgen mij naar mijn kamer. Peter gooit zichzelf op het bed naast me, klopt een kussen op en pakt de afstandsbediening. 'Netflix?' zegt hij.

Zoe kijkt bezorgd naar mij.

'Wat is er?' vraag ik. Ik kan me de laatste keer dat ze me vriendelijk aan-keek niet herinneren.

'Misschien viel je wel flauw omdat je ziek aan het worden bent,' zegt ze.

'Dat is lief van je, maar ik viel flauw omdat ik zag hoe de dokter een naald in de open wond in Pedro's buik stak.'

'Zes hechtingen,' zegt Peter trots en hij trekt zijn shirt omhoog om het verband te laten zien.

'Overdrijf je niet een beetje? De dokter zei dat het vandaag weer hele-maal over zou zijn,' zegt Zoe.

'Zes hechtingen,' herhaalt Peter.

'Ja, Pedro, je was superdapper.'

'Gaan we dan nu *When Barry Met Wally* kijken, of hoe zit dat?' vraagt Peter.

Nadat Peter bekend had dat hij geen behoefte had aan het zien van *The Omen*, hief ik de enge-thriller-club-voor-moeder-en-zoon op. Nu zijn Peter en ik de enige leden van de romantische-komedie-club-voor-moe-der-en-zoon, en ik had beloofd om als we thuis waren te beginnen met de Nora Ephron-serie. We beginnen met de klassieker *When Harry Met Sally*, daarna *Sleepless in Seattle*, en als laatste *You've Got Mail*. Ik verwacht dat deze films Peter geen nachtmerries zullen bezorgen, afgezien van de grie-zelige realisatie dat mannen en vrouwen elkaar vaker niet dan wel begrij-pen.

'Ik haat romantische komedies,' zegt Zoe. 'Ze zijn zo voorspelbaar.'

'Is dat jouw manier om te zeggen dat je bij de club wilt?' vraagt Peter.

'Dat had je gedroomd, Wacko Jacko,' zegt ze terwijl ze de kamer verlaat.

'Moet ik de andere kant opkijken?' vraagt Peter na de eerste minuut als Billy Crystal zijn vriendin kust naast Meg Ryans auto.

'Moet ik de andere kant opkijken?' vraagt hij weer tijdens de beroemde scène waarin Ryan een orgasme faket in een fastfoodrestaurant. 'Of misschien alleen mijn oren dicht?'

'Moet ik de andere kant opkijken?' vraagt hij als...

'O, jezus, Pedro. Mensen hebben seks, oké. Mensen houden van seks. Vrouwen hebben vagina's. Mannen hebben piemels.' Ik zwaai met mijn hand. 'Bla bla bla bla.'

'Ik wil geen Pedro meer zijn,' zegt hij.

Ik zet het geluid van de televisie uit. 'Echt waar? Iedereen is er net aan gewend?'

'Ik wil het gewoon niet.'

'Oké. Hoe zullen we je nu noemen dan?'

Laat hem alsjeblieft niet Pedro 3.000 zeggen of Dr. P-Dro of Archibald.

'Ik dacht aan... Peter.'

'Peter?'

'Uh-huh.'

'Nou, dat is een heel mooie naam. Ik vind Peter leuk. Hij past bij je. Zal ik het aan je vader vertellen of doe jij het?'

Peter zet het geluid van de film weer aan.

Billy Crystal: *Er zijn twee soorten vrouwen: moeilijke en makkelijke.*
Meg Ryan: *Wat ben ik?*
Billy Crystal: *Jij bent van de ergste soort. Jij bent moeilijk, maar je denkt dat je makkelijk bent.*

Peter zet het geluid weer uit. 'Waarom dacht je dat ik homo was?'

'Ik dacht niet dat je homo was.'

Peter kijkt me sceptisch aan.

'Oké, het was een mogelijkheid.'

'Waarom, mam?'

'Er waren gewoon... signalen.'

'Voorbeelden?'

'Nou, dat je je naam veranderde naar Pedro.'

'Juist, en alle Pedro's die je kent zijn homo. Ga door.'

'Je had een hekel aan Eric Haber. Te hartgrondig.'

'Dat was omdat hij Briana ook leuk vond. Hij was de concurrent. Maar

252

nu gaat hij met Pippa Klein, dus nu is er niets meer aan de hand.'

'Eh... je hebt een linksdraaiende kruin.'

Peter schudt zijn hoofd. 'Wat een portret ben jij.'

'En omdat je woorden als "portret" gebruikt.'

'Dat komt omdat jij woorden als "portret" gebruikt! Ik ben hetero, mam.'

'Ik weet het, Peter.'

'Wauw, lang geleden dat ik "Peter" ben genoemd.'

'Klinkt goed, toch?'

'Denk maar niet dat ik vergeten ben dat sommige mensen hun penis zo noemen.'

'Natuurlijk niet. Maar dat maakt het ook wel een beetje spannend, of niet?' Ik geef hem een por.

'Au!'

Ik zucht. 'Ik zal het missen. Een homozoon die mij nooit zal verlaten voor een andere vrouw. Ik weet dat het homofobisch is: denken dat je onnatuurlijk aan mij gehecht zou blijven als je homo was. Je gaat me hoe dan ook verlaten.'

'Als je dat fijn vindt, mag je me voor jezelf best blijven zien als je homozoon. Trouwens, hoeveel twaalfjarigen zouden er bereid zijn om *When Harry Met Sally* te kijken met hun moeder?' vraagt Peter.

Hij zet het geluid weer aan en giechelt.

'Dat is precies zo'n signaal waar ik het over had,' zeg ik.

'Wat? Vroegrijp? Slim? Grappig? Dat kunnen hetero's ook zijn. Je bent gewoon heterofobisch.'

Na de film (beiden pinken we een traantje weg) gaat Peter op zoek naar eten en open ik Facebook. Er is geen bericht van Onderzoeker 101, maar dat verbaast me niet: ik had gezegd dat ik een paar dagen offline zou zijn. Er staan echter genoeg andere berichten op mijn prikbord.

Pat Guardia > Alice Buckle

Braxton Hicks: VOOR NU.

30 minuten geleden

Shonda Perkins > Alice Buckle

Nieuwe samples: waterdichte mascara, lipgloss.

32 minuten geleden

Tita De La Reyes > Alice Buckle

Zestig loempia's zoeken onderdak.

34 minuten geleden

Weight Watchers

Bevrijdingsdag!! Kom terug bij het programma. Twee maanden gratis.

4 uur geleden

Alice Buckle

Is getagd in een foto van Helen Davies.

4 uur geleden

Binnen een paar minuten op Facebook heb ik twee redenen voor opkomende misselijkheid. Ten eerste word ik digitaal gestalkt door de Mamba's Pat, Tita en Shonda. Als ik niet snel zeg wanneer we samen kunnen komen voor een ontbijt, komen ze persoonlijk aan de deur om me in de auto te gooien en erheen te brengen. En twee: omdat door konijnenholen zakken en terug in de tijd gaan meestal dit effect op me heeft. Helen heeft een serie foto's uit onze Peavey Patterson-tijd op Facebook gezet. Er is er één van die avond waar ik naar blijf kijken. William had zijn prijs gewonnen. Het is een foto van hem en Helen aan een tafeltje, de hoofden dicht bij elkaar alsof ze diep in gesprek zijn. En op de achtergrond, aan een ander tafeltje, zit ik, ze aanstarend als een waanzinnige. Helen heeft deze gênante foto expres geplaatst.

Direct nadat ze vrienden was geworden met William stuurde Helen mij een vriendschapsverzoek, met als je het mij vraagt slechts één doel voor ogen: mij laten weten dat het verlies van William haar geenszins geruïneerd had. Ze trouwde met een man die Parminder heet en begon samen met hem een reclamebureau dat, volgens LinkedIn tenminste, kantoren heeft in Boston, New York en San Francisco, en vorig jaar meer dan 10 miljard dollar heeft omgezet. Ze zit constant op Facebook; naast haar ben ik een soort luddiet. Ze is verre van mollig; ze golft; danst de tango, en spint, en weegt vandaag de dag een bevallige 55 kilo. Ze plaatst de hele dag foto's. Zijzelf en haar drie kinderen knutselen zelfgemaakte valentijnskaarten. Dit is haar fantastische tuin. Dit is ze met haar nieuwe kapsel. Vind je het *leuk*? En ondanks dat ik weet dat haar pagina uiterst zorgvuldig en manipulatief is samengesteld, trap ik er met open ogen in. Ze heeft een benijdenswaardig leven. Misschien is zij wel de winnaar, als de criteria om te winnen zaten in een afgetraind lijf, highlights en een herenhuis in Brooklyn.

Bij de Weight Watchers is er gelukkig niets om jaloers op te worden. Ik log in en zoek mijn Maandplan op. Ik scrol terug naar 10 februari, de laatste dag dat ik meedeed.

Weightwatchers.com
Maandplan van Alice Buckle

WW-punten: 29 per dag **Gebruikt:** 32 per dag **Resterend:** 0
Activiteit verdiend: 0

Favorieten (recent toegevoegd)

Ei	Punten	2
Yoghurt (Yoplait)	Punten	3
Gummybeertjes (30)	Punten	14
Krispy Kreme Donut	Punten	20

WW-punten onbekend

Voedingsmiddel	Marshmallowcrème
Vezels	0
Vet	5
Koolhydraten	30
Proteïne	0
Totale WW-punten NU!	33

Nu weet ik weer waarom ik gestopt was met Weight Watchers. Elk hapje eten tellen stemde in de ochtenden enorm hoopvol, maar als gedurende de dag die ene lepel crème langzaam opliep naar vijf, sloeg die hoop om in schuldgevoel. Hé, wat was er met mijn idee voor een schuldgevoeldieet gebeurd? Met een paar aanpassingen zou dit format prima voldoen.

Schuldgevoeldieet.com
Maandplan voor Alice Buckle

Schuldpunten: 29 **per dag**   **Gebruikt:** 102 **per dag**   Resterend 0   Boete 0

Favorieten (recent toegevoegd)

Wc-papier opgemaakt en niet vervangen. (1,5)

Gezegd dat ik *Anna Karenina* heb gelezen. (3)

Ontkend dat ik de ongecensureerde biografie van Katy Perry heb gelezen. (7)

Ik ben niet tweetalig. (8)

Ik ben Amerikaanse. (10)

Ik weet niet wat het verschil is tussen sjiieten en soennieten. (11)

Ik geloof stiekem in de wet van de aantrekkingskracht. (20)

Ik heb mijn beste vriendin niet teruggebeld terwijl zij vier keer belde en enge boodschappen achterliet met haar echtscheidingsadvocatenstem, zoals: 'Alice Buckle, bel me onmiddellijk terug. We moeten praten.' (8)

Schuldpunten onbekend

Schuldgevoel: Overmatig flirten met en bijna onafgebroken fantaseren over een man die niet mijn echtgenoot is.

Hoeveel mensen zijn gekwetst? Nog niemand.

Hoeveel mensen kunnen gekwetst raken? 3 tot 10

Kosten voor herstel? ?

Tijd voor herstel? ??

Niet te herstellen? Waarschijnlijk niet.

Ik ben slecht. Helena van Troje is meer dan perfect. Zelfs nadat ik haar vriendje afpakte, wist ze een prima leven op te bouwen. Een beter leven, waarschijnlijk, dan het mijne.

Ik glijd van het bed af en loop naar de trap.

'William!' roep ik. Ik voel opeens dat ik hem moet spreken. Ik weet niet waarover. Ik wil gewoon zijn stem horen.

Geen antwoord.

'William?'

Jampo komt de trap op gestormd.

'Jij heet toch geen William,' zeg ik en hij kijkt me vertwijfeld aan.

Ik denk aan de manier waarop William mijn hand pakte in het bos, net nadat Peter dat hert had gezien. Ik denk aan Peters ongeluk en hoe die onfortuinlijke gebeurtenis (de stokken om marshmallows aan te roosteren, de pus en de bekentenissen over seksuele voorkeuren op de eerste hulp) ons dichter bij elkaar had gebracht. Ik denk aan Zoe die me liefdevol bekeek en bang was dat ik ziek zou worden en ik weet wat me te doen staat. De afgelopen vierentwintig uur hebben dat net bevestigd. Ik ga naar Lucy's Facebook-pagina voordat ik van gedachten verander en stuur een bericht naar Onderzoeker 101.

Dit gaat veel te ver. Het spijt me, maar ik stop met het onderzoek.

Zodra ik op 'Verzenden' druk voel ik een stroom van zoete opluchting die te vergelijken is met de opluchting die ik op maandagen voelde als ik 'eieren' invulde in mijn Weight Watchers Maandplan.

De volgende dag besluit ik het world wide web links te laten liggen. Ik ben bang voor Onderzoeker 101's antwoord (of nog erger, de afwezigheid daarvan) en ik wil niet de hele dag obsessief mijn Facebook-berichten checken, dus zet ik de computer en mijn telefoon uit en laat ze in mijn kantoor. Makkelijk is het niet. Mijn vingers tappen en wriemelen de hele dag alsof ik een onzichtbare pagina bekijk. En hoewel ik geen telefoon bij me heb, gedraag ik me wel zo. Ik ben hyperalert, wachtend op een signaal dat niet gaat komen.

Ik probeer de hele dag bezig te blijven. Ik loop hard met Caroline; Peter en ik bakken muffins; ik ga met Zoe naar de tweedehandswinkel; echter, mijn lichaam is er wel, maar mijn gedachten zijn ergens anders. Ik ben geen haar beter dan Helen. Mijn leven moet geleefd worden en dan verpakt als iets wat geschikt is voor openbare consumptie. Elk bericht, elke upload, elke 'vind ik leuk', elke 'interesse' elke 'reactie' is een optreden. Maar wat gebeurt er met de acteur die optreedt voor een lege zaal? En wanneer is de echte wereld zo leeg geworden? Toen iedereen hem verliet voor internet?

Mijn digitale dieet duurt tot na het avondeten, als ik het niet langer kan houden en het vasten staak. Tegen de tijd dat ik inlog als Lucy Pevensie kan ik bijna geen adem meer halen.

John Yossarian heeft je uitgenodigd voor het evenement 'koffie'
Thee en Toebehoren, 28 juli, 19.00 uur.
Je kan nog niet stoppen. Ik moet iets met je bespreken dat alleen persoonlijk kan.
RSVP Ja Nee Misschien

Weer voel ik opluchting, maar niet zoet deze keer. Het is zo'n wanhopige, verslavende, misschien-is-dit-wel-mijn-laatste-kans-opluchting, en het komt binnen alsof ik een bepaalde drug heb geïnjecteerd. Voordat ik mezelf kan tegenhouden druk ik, God sta me bij, op *Ja*.

77

Uit: *Creatief toneelschrijven*

Oefening: schrijf een scène over een relatiecrisis waarin de hoofdpersonen bijna alleen in clichés spreken.

'Ik kom nu naar je toe,' zegt Nedra.

'Ik ben mijn haar aan het verven, niet doen,' zeg ik terwijl ik wanhopig in de badkamerspiegel kijk. 'Wacht even, ik zet je op de speaker.'

Ik leg de telefoon op de wasbak en begin mijn voorhoofd te boenen met een droog washandje. 'Ik heb allemaal verf op mijn gezicht en het gaat er niet meer af!' roep ik.

'Gebruik je zeep en water?'

'Natuurlijk,' zeg ik en ik spuit een dot zeep op het washandje, dat ik vervolgens onder de kraan houd.

'Alice, dit is belachelijk. Zoek hem alsjeblieft niet op,' zegt Nedra.

'Je begrijpt het niet.'

'O, echt niet? Eens even kijken, je behoeften werden niet bevredigd. Kun je nog onorigineler zijn, Alice?'

'Onderzoeker 101 ziet wie ik echt ben,' zeg ik. Een vrouw in haar ondergoed met haarverf druipend over haar slapen. 'En hij is mysterieus. En het voelt alsof ik nooit meer zo'n kans krijg als ik dit niet doe.' Ik gooi het washandje in de wasbak en kijk hoe laat het is. 'Ik was er niet naar op zoek.'

Nedra is even stil. 'Dat zeggen ze allemaal. Onderzoeker 101 is een fantasie, dat weet je toch? Jij hebt hem bedacht. Je denkt dat je hem kent, maar dat doe je niet. Het is eenrichtingsverkeer. Je hebt hem alles verteld, al je geheimen, je bekentenissen, je hoop en je dromen, en hij heeft niets over zichzelf verteld,' zegt Nedra.

'Dat is niet waar,' zeg ik, mijn haar kammend. 'Hij heeft dingen verteld.'

'Wat dan? Dat hij van pina colada's houdt? Welke man houdt er nou van pina colada's?'

'Hij heeft me verteld dat hij de hele dag aan me denkt,' zeg ik zacht.

'O, Alice, en dat geloof jij? William is echt. *William*. Oké, jullie zijn uit elkaar gegroeid. Oké, jullie doen het nog maar weinig, maar jullie hebben een huwelijk dat het waard is om te redden. Ik heb alle versies van dit verhaal al duizend keer gehoord, vanuit elke hoek, elk perspectief; het is het niet waard, een verhouding is het nooit waard. Ga in therapie. Doe wat je kan om dit recht te zetten.'

'Jezus, Nedra. Ik ga alleen koffie met hem drinken.' Ik kijk in de spiegel. *Hoor* ik oranje te zijn?

'Als je koffie met hem gaat drinken, ga je een grens over en dat weet je.'

Ik doe het kastje onder de wastafel open en zoek de föhn. 'Ik dacht dat je me zou steunen. Van iedereen in de wereld dacht ik dat jij in elk geval zou proberen te begrijpen wat ik doormaak. Ik was er niet naar op zoek. Het kwam op mijn pad. Letterlijk. De uitnodiging zat in mijn spambox. Het overkwam me.'

'Verdomme, Alice, het overkwam je helemaal niet. Jij hebt dit mede mogelijk gemaakt.'

Ik vind de föhn, maar het snoer zit in de knoop. Kan er dan niets makkelijk gaan? Opeens ben ik moe. 'Ik ben eenzaam. Ik ben al zo lang zo eenzaam. Telt dat dan niet? Mag ik niet gelukkig zijn?' fluister ik.

'Natuurlijk wel. Maar dat is geen reden je leven achter je te laten.'

'Ik laat het niet achter. Ik ga alleen koffie met hem drinken.'

'Ja, maar wat wil je er verder mee? *Waarom* ga je met hem koffiedrinken?'

Ja, waarom eigenlijk, terwijl ik er zo uitzie? Ik heb kringen onder mijn ogen in de kleur van, jawel hoor, distels. Met een camoufleerstift kan ik er misschien lavendel van maken. 'Ik weet het niet precies,' geef ik toe.

Ik hoor Nedra snuiven. 'Ik ken je zo helemaal niet meer,' zegt ze.

'Hoe kun je dat nou zeggen? Ik ben dezelfde als altijd. Misschien ben *jij* wel veranderd?'

'Nou, de appel valt niet ver van de boom.'

'Wat bedoel je daar nu weer mee?'

'Zo moeder, zo dochter.'

'Ik snap niet waar je het over hebt, Nedra.'

'Als je een van mijn vier telefoontjes had aangenomen, had je het geweten.'

'Ik had toch gezegd dat we in de bergen waren? We hadden geen bereik.'

'Nou, misschien vind je het leuk om te weten dat Jude en ik het even over Zoe hebben gehad.'

'Mooi. Heb je gezegd dat het tijd is om verder te gaan? Ze gaat hem echt niet terugnemen.'

'Dat mocht ze willen. Hij heeft me eindelijk verteld wat er echt gebeurd is. Ik had al het gevoel dat er een luchtje aan zat. Het was Zoe die vreemdging.'

'Nee, Jude ging vreemd,' zeg ik langzaam.

'Nee, Jude liet Zoe aan iedereen vertellen dat hij was vreemdgegaan om haar reputatie te redden, maar zij ging vreemd, en ondanks haar geniepige gedrag, en ondanks dat het mij een volkomen raadsel is, is hij nog steeds smoorverliefd op haar, de softie.'

Kon dit waar zijn?

'Jude liegt. Dat zou Zoe mij verteld hebben,' zeg ik, maar ik weet diep vanbinnen dat het waar is. Het verklaart alles. O, Zoe.

'Je dochter worstelt met een heleboel; en liegen is maar een klein onderdeel.'

'Ik weet dat mijn dochter worstelt. Waag het niet te schermen met dingen die ik je in vertrouwen verteld heb.'

'Alice, je bent zo druk geweest met je onderonsjes met Onderzoeker 101 dat je niet gezien hebt wat er allemaal in je dochter omgaat. Ze heeft geen eetprobleem; ze heeft een Twitter-account. Met meer dan vijfhonderd volgers. Wil je weten onder welke naam ze opereert? Ho-Girl.'

'*Ho-Girl*?'

'Van Hostess Girl, oftewel gastvrouw. Ze recenseert snoep en cakejes, maar haar recensies kunnen op meerdere manieren geïnterpreteerd worden als je begrijpt wat ik bedoel. Het gaat erom dat je dochter in de problemen zit, en dat jij het niet gezien hebt door het dubbelleven dat je geleid hebt. Ze is duidelijk aan het experimenteren.'

'Ja, of ze meer van Smarties of van cupcakes houdt. Waarom moet jij altijd zo overdrijven? En waarom doe je zo tegen mij? Ik ben je beste vriendin, geen cliënt. Ik dacht dat je aan mijn kant stond, niet die van William.'

'Ik sta aan *jouw* kant, Alice. Dit doe ik *omdat* ik aan jouw kant sta. *Ga er niet heen.*'

'Ik heb geen keus.'

'Prima. Maar verwacht niet dat ik je op sta te wachten als je terugkomt. Ik kan je vertrouweling niet meer zijn. Niet op dit vlak. Ik ben niet van plan om voor je te liegen. Ik wil alleen nog even zeggen dat ik denk dat je een enorme fout maakt.'

'Ja, dat lijkt me wel duidelijk. Ik neem aan dat je ook op zoek gaat naar een nieuw bruidsmeisje? Een wat minder hoerig type?'

Nedra haalt scherp adem.

Ik overweeg de telefoon tegen de muur aan te smijten bij wijze van op-hangen, maar ik kan me geen nieuwe veroorloven en ik zit niet in een Nora Ephron-film (hoezeer ik dat ook zou willen, want dan wist ik tenminste zeker dat, hoe erg alles ook zou worden, alles uiteindelijk goed zou komen op oudejaarsdag), dus in plaats daarvan druk ik op OPHANGEN op de tele-foon, daarbij een permanente vlek van *Clairol Nice 'n Easy Medium Golden Brown*-concealer achterlatend op het scherm.

78

Uit: *Creatief toneelschrijven*

Oefening: schrijf dezelfde scène nu in twee zinnen.

'Doe het niet,' zegt de beste vriendin.
  'Ik moet wel,' zegt de heldin.

79

28 juli is een perfecte zomerdag. Geen vocht in de lucht en meer dan twintig graden. Ik ben een uur bezig om op mijn slaapkamer te bedenken wat ik aan moet voor mijn ontmoeting met Onderzoeker 101. Een rok met open schoentjes? Te schoolmeisjesachtig. Een zomerjurk? Te dik erop. Uiteindelijk ga ik voor een spijkerbroek met een boerenblouse, maar ik doe wat van de make-up op die Nedra voor me kocht: mascara en een vleugje blush. Dit ben ik en daar moet hij het mee doen. Als het hem niet bevalt, heeft hij pech gehad. Het gesprek met Nedra heeft me behoorlijk geraakt. Ik sta op het punt Onderzoeker 101 teleur te stellen. Hem af te stoten, zodat ik geen beslissing hoef te nemen en hij de knoop door kan hakken.

Beneden maken Caroline en William een salade. Als ik de keuken binnenkom kijkt William op, geschrokken. 'Wat zie je er leuk uit,' zegt hij. 'Ga je iets doen?'

'Ik ga na het eten theedrinken met Nedra, dus ik moet snel eten.'

'Sinds wanneer drinkt Nedra 's avonds thee?'

'Ze zei dat ze me ergens over wilde spreken.'

'Dat klinkt spannend.'

'Je kent Nedra.'

Ik sta versteld van mijn vermogen om zo moeiteloos te kunnen liegen.

De deurbel gaat en ik kijk op mijn horloge. Zes uur.

'Verwachten de kinderen iemand?'

William haalt zijn schouders op.

Ik ga naar de deur op mijn espadrilles, en maak van de gelegenheid gebruik om een sexy loopje te oefenen. Ik leg er een extra zwaai in en houdt koket mijn hoofd schuin. Ik draai me om om zeker te zijn dat William me niet gezien heeft. Hij staat voor een kast naar de inhoud ervan te staren. Ik doe de voordeur open.

'Alice,' roept Bunny. 'Wat is het lang geleden!'

De volgende paar uur verlopen als volgt.

18:01: Ik probeer de verbijsterde uitdrukking van mijn gezicht te vegen. We hebben ons vergist in de datum. Wij dachten dat Bunny en Jack morgenavond zouden komen, maar hier staan ze, een dag te vroeg, voor de deur.

18:03: Jampo komt er aangestormd, luid blaffend.

18:04: Jampo bijt Bunny tot bloedens toe in haar been. Bunny gilt het uit van de pijn.

18:05: Op het gegil afkomend, stormen William, Caroline, Zoe en Peter de gang in.

18:07: Eerste hulp in de keuken onder voortdurend gepraat van mij. Het is maar een schram, hij heeft niet doorgebeten. Waar zijn de pleisters? Hebben we nog jodium? Dat is geen jodium, dat is secondelijm.

18:09: William knarst met zijn tanden terwijl hij Bunny verbindt.

18:10: Ik kijk hoe laat het is.

18:15: William vraagt wie er iets wil drinken.

18:17: Ik maak een fles pinot noir open en schenk iets in voor de volwassenen.

18:19: Ik sla mijn wijn achterover en schenk mijn glas weer vol.

18:20: William stelt voor dat ik het iets rustiger aandoe.

18:30: Er gaat een belletje en William haalt de macaronischotel uit de oven.

18:31: Iedereen roept dat het zo lekker ruikt en dat ze niet kunnen wachten tot we gaan eten.

18:35: De voor- en nadelen van gruyère in plaats van cheddar voor macaronischotels worden besproken en gewogen.

18:40: Ik vertel Bunny en Jack hoe blij ik ben dat ze komen logeren.

18:45: Bunny vraagt of ik me wel goed voel. Ik zeg van wel, hoezo? Ze zegt iets over straaltjes zweet die over mijn voorhoofd lopen.

18:48: Bunny vraagt Caroline hoe de banenjacht gaat.

18:49: Caroline zegt 'Heel goed!'; ze is nu de nieuwe directeur van Google.

18:51: Ik vertel iedereen dat het me vreselijk spijt, maar dat ik al een afspraak had waar ik niet onderuit kan en die ik niet af kan zeggen, omdat Nedra gisteren haar telefoon in de wc heeft laten vallen en ik haar nu dus niet kan bereiken.

18:51: William neemt me apart en zegt dat hij niet kan geloven dat ik toch ga... Bunny en Jack zijn er net.

18:52: Ik zeg dat het me spijt, maar dat ik toch ga.

18:52: William herinnert me eraan dat het mijn idee was om Bunny en Jack uit te nodigen. Het is niet eerlijk hem in zijn eentje de gastheer te laten spelen. Hij vraagt of ik alsjeblieft thuis kan blijven.

18:53: Ik ga.

19:05: Vol adrenaline kom ik bij Thee & Toebehoren aan en ga aan een tafeltje zitten. Onderzoeker 101 is ook laat.

19:12: Ik kijk hoe laat het is.

19:20: Ik open Facebook op mijn telefoon. Geen berichten en hij is niet online.

19:25: Ik bestel een citroenthee. Ik heb liever koffie, maar ik ben bang voor een slechte adem.

19:26: Ik check Facebook.

19:27: Ik check Facebook nog eens.

19:28: Ik zet mijn telefoon uit en aan.

19:42: Ik voel me oud.

19:48: Ik stuur hem een Facebook-bericht. *Was het nou zeven of acht uur? Het was zeker acht uur. Ik ben er al!*

20:15: Jij domme, domme vrouw.

Ik kijk naar beneden, naar mijn espadrilles, en naar de lipgloss aan de rand van mijn beker. Mijn lijf trilt, beginnend bij mijn tenen, oplopend tot aan mijn schouders.

'Gaat het met je?' vraagt de serveerster even later vriendelijk.

'Het gaat wel, het gaat prima,' mompel ik.

'Weet je het zeker?'

'Ik heb net slecht nieuws gehad.'

'O, jeetje. Wat naar. Kan ik iets voor je doen?'

'Nee, dankjewel.'

'Oké. Nou, laat maar weten als je iets nodig hebt. Wat dan ook.' Ze loopt weg.

Ik zit aan de tafel met mijn hoofd in mijn armen. Opeens piept mijn telefoon. Een Facebook-bericht van John Yossarian.

Het spijt me verschrikkelijk. Er kwam iets tussen.

In shock kijk ik naar de woorden. Oké, oké, oké. Hij is niet zomaar niet op komen dagen. Maar wie denkt hij dat hij is, dat hij me zo kan laten zitten? Ik balanceer tussen hem wanhopig willen geloven en hem willen zeggen dat hij op mag zouten, maar voordat ik het weet typ ik: *Ik was bang dat er iets gebeurd was.*

Mijn telefoon piept bijna meteen weer.

Dank voor je begrip. Ik speel geen spelletjes. Ik wilde niets liever dan komen. Geloof me, alsjeblieft.

Ik kijk op van mijn telefoon. Thee & Toebehoren is uitgestorven. Schijnbaar wil er niemand meer Thee & Toebehoren na acht uur 's avonds. Ik lees en herlees zijn twee laatste berichten. Ondanks dat hij precies zegt wat hij moet zeggen, heb ik me denk ik nooit eenzamer gevoeld dan nu. Was er écht iets tussen gekomen? Was hij echt van plan geweest te komen? Of was hij op het laatst van gedachten veranderd? Had hij besloten dat hij me leuker vond van een afstand? Dat een ontmoeting met de echte mij zijn fantasie zou verpesten? En míjn fantasie? Dat er ergens een echte man was die mij zag staan. Een man die me niet uit zijn hoofd kon zetten. Een man die me het gevoel gaf dat ik bijzonder genoeg was om zich in te verliezen. Wat als bleek dat Onderzoeker 101 gewoon een of andere stomme eikel was die een kick kreeg van het misleiden van zielige eenzame vrouwen van middelbare leeftijd?

Ik ben te verdrietig om te liegen. Ik typ: *Ik wilde ook niets liever dan dat je was gekomen.*

20:28: Ik stap in mijn auto.
20:29: Ik rijd naar huis.
20:40: Ik parkeer op de oprit.
21:41: Ik doe de voordeur open.
20:42: 'Alice?' roept William. 'We zaten al op je te wachten. Kom lekker bij ons.'
20:44: Overvallen door een golf van schuldgevoel bij het horen van Williams stem tover ik een glimlach op mijn gezicht en stap de woonkamer in.

Deel 3

80

'Perfecte timing, Alice zal rechtspreken,' zegt Bunny met een grijns naar mij als ik binnenkom.

Bunny zit op de longchair alsof ze er altijd gezeten heeft. Haar verbonden been ligt op een kussen, haar voeten zijn bloot en haar tenen zijn gelakt in een vrolijke soort oranje-geel. Zelfs geblesseerd is ze een toonbeeld van elegant ouder worden. Ze moet inmiddels de zestig gepasseerd zijn en ze is mooier dan ooit.

'Bunny, ik vind het zo erg van je been,' zeg ik.

'Ach,' zegt Bunny. 'We zijn al bijna vrienden voor het leven, hè, Jampo?'

Jampo ligt opgekruld in zijn mand in de hoek van de kamer. Als hij zijn naam hoort tilt hij zijn kop op.

'Stoute stinkhond,' zeg ik streng.

Hij gromt zachtjes en legt zijn kop weer op zijn gekruiste poten.

Jack gaat staan, een en al lange ledematen, sproeten en een dikke bos rood haar. Hij heeft dezelfde kleurencombinatie als een Cyperse kat; per-zik en crème, net als Caroline. Ik heb hem nooit zo goed leren kennen als Bunny, hoewel hij praktisch in het Blue Hill woonde toen mijn stuk daar draaide (hij noemde zichzelf graag Bunny's persoonlijke manusje-van-al-les), maar hij was altijd bijzonder aardig voor me.

'Kom hier maar zitten, Alice,' zegt hij.

'Hier is ook genoeg ruimte, hoor,' zegt William, kloppend op de bank naast hem.

Het lukt me niet hem aan te kijken. 'Het gaat wel. Ik ga wel op de grond zitten.'

Jack trekt zijn wenkbrauwen op.

'Echt waar. Ik zit het liefst op de grond.'

'Dat is waar, dat doet ze graag,' zegt William. 'Ze zit heel vaak op de vloer, ook als er genoeg stoelen zijn.'

'Ik zat ook altijd graag op de grond. Tot mijn heupen een andere voor-keur kregen,' zegt Jack.

'Heb je vandaag een kinderaspirine genomen?' vraagt Bunny.

'Kinderaspirine heeft toch niets met heupen te maken?' zegt Jack.

'Nee, maar wel met harten, lief,' zegt Bunny.

Ik was vergeten dat Bunny Jack 'lief' noemde. Ik had dat altijd zo romantisch gevonden. Toen het doek gevallen was voor *Barmaid* en ik weer naar huis ging in Boston, probeerde ik William korte tijd 'lief' te noemen, maar het voelde te kunstmatig. 'Lief' was iets wat je moest verdienen of waar je mee geboren wordt. Ik kijk naar William en hij lacht lief naar me, en ik voel me ziek.

'Jack had een paar maanden geleden iets aan zijn hart,' legt Bunny uit.

'O, nee toch, was het ernstig?' vraag ik.

'Nee,' zegt Jack. 'Bunny maakt zich zorgen om niets.'

'Dat heet zorgzaamheid,' zegt Bunny.

'"Zorgzaamheid" betekent dat ze mijn Rihanna-albums van mijn iPod heeft verwijderd en vervangen door Verdi.'

'Luister jij naar Rihanna?' vraag ik.

'Hij luisterde naar veel te harde muziek,' zegt Bunny. 'Doof en een zwak hart vind ik iets te veel van het goede.'

'Zonde,' zegt Jack. 'Een lichte doofheid kan volgens mij helemaal geen kwaad in het huwelijk.' Hij geeft mij een knipoog.

'Alice,' roept Bunny uit. 'Kijk jou nou, je straalt! Je veertiger jaren zijn zo heerlijk. Voordat je te lekker zit, moet je me even een knuffel komen geven.'

Ik steek de kamer over, ga op de rand van de longchair zitten en begraaf me in haar armen. Ze ruikt precies zoals ik het me herinner, naar fresia en magnolia.

'Alles goed?' fluistert ze.

'Ach, het leven,' mompel ik terug.

'Aha, het leven. We hebben het er nog wel over, hè?' zegt ze zachtjes in mijn oor.

Ik knik, omhels haar nog eens en ga op de vloer naast haar zitten. 'En, waarover waren de meningen verdeeld?' vraag ik.

'Christiane Amanpour of Diane Sawyer?' zegt Bunny.

'Nou, allebei goed, maar als ik moet kiezen,' zeg ik, 'Christiane.'

'We hadden het over wie er aantrekkelijker is,' zegt William, 'niet wie de betere verslaggever is.'

'Wat maakt het uit wie er aantrekkelijker is?' zeg ik. 'Dit zijn vrouwen die met presidenten, ministers en hoogwaardigheidsbekleders praten.'

'Dat zei ik dus ook,' zegt Bunny.

'Hoe was het met Nedra?' vraagt William.

'Ik... eh.'

'Je... eh?' zegt hij.

'Sorry. Ik ben een beetje moe. Het gaat heel goed met haar. We moesten nodig even bijkletsen.'

'Is dat zo?' zegt hij. 'Hadden jullie elkaar gisteren niet ook gesproken?'

Kalm blijven, Alice. Houd het simpel. Wat je ook doet, niet omhoog en naar rechts kijken als je met hem praat. Dan weet je zeker dat iemand liegt. En niet met je ogen knipperen. Niet knipperen. 'Nou, ja, door de telefoon, maar we zien elkaar bijna niet meer in het echt. Zonder anderen, bedoel ik. Je weet toch hoe dat gaat,' zeg ik, hem recht in de ogen kijkend.

William kijkt terug en spert zijn ogen even wijd open. Ik probeer mijn blik te verzachten.

'Nedra is Alice' beste vriendin. Ze gaat trouwen,' zegt William.

'Wat leuk! Wie is de gelukkige kerel?' vraagt Bunny.

'Gelukkige vrouw. Ze heet Kate O'Halloran,' zeg ik.

'Ach, oké, Nedra en Kate. Ik hoop ze snel te ontmoeten,' zegt Bunny.

'Alice is bruidsmeisje,' zegt William.

'Dat heb ik nog niet toegezegd, hoor.'

'Daar kan ik inkomen. Dat is zo'n middeleeuwse traditie. En waarom *meisje*, en niet *vrouw*? Bruidsvrouw,' zegt Bunny.

Ik knik instemmend. Waarom niet in hemelsnaam? Ik ben een vrouw van eer, tenminste, dat was ik altijd. Tot vanavond.

'Nou,' zegt Jack met een blik op zijn horloge. 'Ik ben doodop. Laten we erin duiken, Bunny. Voor ons is het bijna één uur 's nachts.'

'O, sorry,' zeg ik opspringend. 'Wat onbeleefd. Heeft iemand jullie je kamer al laten zien?'

Ik hoor het geluid van de televisie en de stemmen van de kinderen eroverheen.

'Ja, ja. William heeft onze bagage al naar boven gebracht,' zegt Bunny. 'En Alice, je moet het echt zeggen als je ons zat wordt. We vliegen over drie weken terug, maar zoals Mark Twain al zei: bezoek en vis blijven drie dagen...'

'Ik word jullie nooit zat,' zeg ik. 'Jullie kunnen zo lang blijven als je wilt. Dus je zit tussen shows nu?'

Bunny knikt en volgt Jack naar boven. 'Ik heb een stapel scripts. Ik ben aan het bekijken wat ik hierna wil doen. Ik hoop dat je zin hebt om me te helpen. Er een paar door wilt lezen?'

'Het zal me een grote eer zijn. Ik ga ook maar slapen, denk ik. Het was een lange dag,' zeg ik met een nepgaap. Het is mijn bedoeling te slapen als William naar boven komt.

'Ik ga even bij de kinderen kijken,' zegt William als Bunny en Jack in de logeerkamer zijn verdwenen.

'Zeg je dat ze de lichten uitdoen als ze naar bed gaan?' Ik loop naar boven. 'Alice?'

'Wat?'

'Wil je een kop thee?'

Ik draai me om, paranoïde. Weet hij iets? 'Waarom zou ik thee willen? Ik heb net theegedronken met Nedra.'

'O, oké. Sorry, ik dacht dat je misschien wel zin had in iets warms.'

'Ik wil wel iets warms,' zeg ik.

'Echt waar?' vraagt hij.

Is dat opwinding in zijn stem? Denkt hij dat dat *iets warms* op hem slaat? 'Mijn laptop,' zeg ik.

Zijn gezicht betrekt.

Ik word de volgende ochtend om vier uur wakker en slof naar beneden, slap als een vaatdoek. Ik loop de keuken in en zie dat Bunny me voor is. Ze staat bij het fornuis. De ketel staat op en er staan twee mokken klaar op het aanrecht.

Ze lacht naar me. 'Ik dacht al dat je me gezelschap zou komen houden.'

'Waarom ben je wakker?'

'Voor mij is het zeven uur. De vraag is: waarom ben jíj wakker?'

'Ik weet het niet. Ik kon niet slapen.' Ik wrijf over mijn ribben.

'Alice, wat is er aan de hand?'

Ik kreun. 'Ik heb iets heel ergs gedaan, Bunny.'

'Hoe erg?'

'Erg.'

'Verslaafd-aan-pijnstillers-erg?'

'Bunny! Nee, natuurlijk niet!'

'Dan is het niet zo erg.'

Ik ben even stil. 'Ik denk dat ik verliefd ben op een andere man.'

Bunny laat zich langzaam op een keukenstoel zakken. 'O.'

'Ik zei toch dat het erg was.'

'Weet je het zeker, Alice?'

'Ik weet het zeker. En wacht even, het wordt nog erger. Ik heb hem nog nooit ontmoet.'

En dus vertel ik Bunny het hele verhaal. Ze zegt niets terwijl ik vertel, maar haar gezicht spreekt boekdelen. Ze is een ongelooflijk responsief publiek. Haar ogen verwijden en vernauwen zich bij het lezen van de e-mails en Facebook-berichten die ik haar laat zien. Ze mompelt en klakt en koert als ik haar mijn antwoorden op de onderzoeksvragen voorlees. Maar wat ze boven alles doet is mij ontvangen; met elke vezel in haar lijf.

'Wat moet jij je verscheurd voelen,' zegt ze als ik eindelijk klaar ben.

Ik zucht. 'Ja. Maar ik voel zoveel meer dan dat. Het is ingewikkeld.'

'Het lijkt me anders eenvoudig. Deze man, deze onderzoeker... hij luisterde naar je. Hij vertelde je precies wat je wilde horen. En het spijt me, maar jij bent waarschijnlijk niet de eerste vrouw bij wie hij dit doet.'

'Dat weet ik, dat weet ik. Wacht. Denk je dat echt? Jezus, ik denk het niet. Ik denk het echt niet. Wat we hadden leek zo bijzonder, iets tussen mij en...'

Bunny schudt haar hoofd.

'Je vindt me belachelijk.'

'Niet belachelijk, maar kwetsbaar,' zegt Bunny.

'Ik voel me vernederd.'

Bunny wuift mijn woorden weg. 'Vernedering is een keus. Kies er niet voor.'

'Ik ben boos,' ga ik door.

'Beter. Boosheid is nuttig.'

'Op William.'

'Ben je boos op William? Wat dacht je van die onderzoeker?'

'Nee, William. Het is zíjn schuld dat dit kon gebeuren.'

'Dat is niet eerlijk, Alice. Dat is echt niet eerlijk. Luister. Ik ben geen heilige en ik ben hier niet om jou te veroordelen. Er was een tijd dat Jack en ik het slecht met elkaar konden vinden. We zijn zelfs even uit elkaar geweest toen Caroline ging studeren. Nou, ik zal niet te veel details vertellen, maar je weet zelf ook wel dat geen enkel huwelijk perfect is, en juist als het er wel zo uitziet, kun je er donder op zeggen dat het niet zo is. Maar je mag William niet de schuld geven. Wees niet zo passief. Je moet de verantwoordelijkheid nemen voor wat je gedaan hebt. Wat je *bijna* gedaan hebt. Of je bij William blijft of niet heeft daar niets mee te maken. Het punt is dat je je dit niet mag *laten* overkomen.'

'*Dit?*'

'Het leven. Ik wil niet morbide klinken, Alice, maar het is nu eenmaal zo dat je niet genoeg tijd meer hebt om aan te klooien. Dat hebben we geen van allen. Ik zeker niet.' Bunny staat op en zet de ketel terug op het vuur. De zon is net op en de keuken baadt in abrikooskleurig licht. 'En weet je trouwens dat je een geweldige verhalenverteller bent? Ik heb de afgelopen twee uur ademloos naar je zitten luisteren.'

'Verhalenverteller?' William komt de keuken in. Hij ziet de mokken. De uitgedroogde theezakjes.

'Hoe lang zijn jullie al op,' vraagt hij, 'om *verhalen* te vertellen?'

'Vanaf vier uur,' zegt Bunny. 'We hadden veel bij te praten.'

'Vijftien jaar, om precies te zijn,' zeg ik.

'De zonsopgang was waanzinnig,' zegt Bunny. 'De hele achtertuin was perzik-roze. Heel even maar.'

William kijkt uit het raam. 'Tja, nu is het meer de kleur van een inlegkruisje.'

'Dat is dan vast de legendarische plaatselijke mist waar iedereen het altijd over heeft,' zegt Bunny.

'Het ene moment strakblauw, het volgende compleet dichtgetrokken,' zegt William.

'Net als het huwelijk,' zeg ik bijna geluidloos.

81

John Yossarian heeft *Sorry* toegevoegd als Favoriete game

Lucy Pevensie heeft *Zoeken naar het licht* toegevoegd als Favoriete activiteit

Zeg alsjeblieft dat je een goede reden had om gisteravond niet te komen, Onderzoeker 101.

Het spijt me, het spijt me echt. Ik weet dat het als een cliché overkomt, maar er kwam echt iets tussen. Iets onvermijdelijks.

Laat me raden. Je vrouw?

Zo zou je het kunnen zeggen.

Is ze erachter gekomen?

Nee.

Dacht je dat dat zou gebeuren?

Ja, dat dacht ik.

Waarom?

Omdat ik van plan was het haar te vertellen na onze ontmoeting.

Echt waar? Wat gebeurde er dan?

Dat kan ik niet zeggen. Ik wilde dat het kon. Maar het kan niet. Zoek je het licht?

Dat zei ik.

Bedoel je dat je naar huis wilt? Wil je weg uit deze wereld? Onze wereld?

Hebben wij een wereld?

Ik dacht dat het misschien wel goed was dat we elkaar niet gezien hebben. Misschien was het het lot.

Het was niet alsof het niet kon. Ik was er. Jij hebt mij laten zitten.

Als ik had gekund, was ik er geweest. Je moet me geloven. Maar laat me je dit vragen, Echtgenote 22. Was je ook niet een heel klein beetje opgelucht dat ik niet kwam?

Nee, ik voelde me belazerd. Ik voelde me belachelijk. Ik voelde me verdrietig. Voel jij je opgelucht?

Helpt het om te weten dat ik sindsdien bijna elke minuut aan jou heb gedacht?

En je vrouw? Heb je ook bijna elke minuut aan haar gedacht?

Vergeef me, alsjeblieft. De man die niet op komt dagen is niet de man die ik wil zijn.

Wie is de man die je wilt zijn?

Iemand anders dan wie ik ben.

IRL?

Wat?

In real life, **in het echt?**

O. Ja.

Probeer je het?

Ja.

Lukt het?

Nee.

En denk je dat je vrouw dat ook vindt?

Ik doe mijn uiterste best om geen van jullie tweeën pijn te doen.

Ik moet je nu iets vragen en ik wil heel graag dat je een eerlijk antwoord geeft. Lukt dat, denk je?

Ik doe mijn best.

Heb je dit ook met andere vrouwen gedaan? Wat wij doen? Wat je met mij doet?

Nee. Nooit. Jij bent de eerste. Blijf nog even. Tot we weten wat dit is.

Zeg je dat ik moet stoppen met zoeken naar het licht?

Voorlopig.

82

'En daar, lieverd, kan ik iets mee,' zegt Bunny met een por in mijn zij. 'Daar zit absoluut een scène in.'

Zeker twintig mannen staan in de rij onder het Tasty Salted Pig Partsbord van Boccalone. Verderop, onder de pastelblauwe Miette-luifel staat een rij van twintig vrouwen. De mannen kopen worst, de vrouwen petitfours.

'Dit is eigenlijk een toneelstuk op zich,' gaat ze door.

'Denk je dat vrouwen bang zijn voor salami?' vraagt Jack.

'Geïntimideerd, misschien?' zeg ik.

'Ze vinden het gewoon smerig, dat is het,' zegt Zoe.

Het is negen uur op een zaterdagmorgen en het veerhuis is bomvol. Als we bezoek krijgen van buiten is dit een van de eerste plekken waar we ze mee naartoe nemen. Het is een van San Francisco's indrukwekkendste attracties; een boerenmarkt met serieuze spierballen.

'Je gaat bijna verlangen naar een totaal ander leven, of niet dan?' zegt William terwijl we over de werf slenteren langs bossen glanzende rode radijs en perfect gestapelde preigewassen. Hij maakt foto's van de groentekramen met zijn iPhone. Hij kan het niet laten. Hij is verslaafd aan culinaire porno.

'Wat voor leven zou dat dan zijn?' vraag ik.

'Een leven waarin jij je haar in vlechten draagt,' bemoeit Peter zich ermee, met een blik op een meisje dat met blozende wangen een ploeg demonstreert in een kraam. 'Leuk schort,' zegt hij tegen haar.

'Mousseline,' zegt het meisje. 'Dat is duurzamer dan katoen. Vijfentwintig dollar.'

'Onder de dertig staan schorten sexy,' zegt Bunny. 'Boven de dertig word je al snel oubollig. Caroline, wil je er één? Krijg je van mij.'

'Verleidelijk, aangezien ik nog maar vier acceptabele schortjaren te gaan heb, maar ik pas.'

'Goede keus,' zegt William. 'Echte chef-koks zijn niet bang voor vlekken.'

Bunny en Jack lopen voor ons, hand in hand. Het is moeilijk hen zo samen te zien: de openlijke affectie die ze tonen. Mijn man en ik lopen elk aan een kant van de straat. Ik realiseer me dat we zo'n stel zijn geworden

280

waar ik over schreef in het onderzoek. De mensen die elkaar niets meer te zeggen hebben. William kijkt verbeten, afstandelijk. Ik draai me van hem af en open mijn Facebook-pagina. John Yossarian is online.

Ben jij weleens jaloers als je naar andere stellen kijkt?

Hoe bedoel je?

Dat ze zo hecht zijn.

Soms.

Wat doe je dan?

Wanneer?

Als dat gebeurt?

Dan kijk ik weg. Ik kan mij heel goed afsluiten.

William roept naar me vanaf de andere kant van de straat. 'Zullen we mais-kolven kopen voor vanavond?'
'Oké.'
'Wil jij ze uitzoeken?'
'Nee, doe jij maar.'
William gaat op weg naar de kraam. Hij maakt een verloren indruk. De banenjacht gaat moeizaam. Elke week die voorbijgaat vreet aan hem. Ik haat het om hem zo te zien. Ondanks dat zijn frivoliteit absoluut een van de redenen was voor zijn ontslag, was er meer aan de hand. William is een van de velen in onze vriendenkring die vervangen is door een jonger, goedkoper model. Ik heb met hem te doen. Echt waar. Ik duik achter een enorme stapel handcrèmes van bijenwas.

Hoef ik echt alleen maar zijn hand te pakken, Onderzoeker 101?

Waarvoor?

Om contact te maken met mijn man?

Ik weet niet of dat genoeg is.

Dat heb ik al heel lang niet gedaan.

Misschien moet je het eens proberen.

Wil je dat ik mijn mans hand pak?

'Is twaalf genoeg?' roept William.
  'Dat is perfect, schatje,' antwoord ik.
  Ik noem hem nooit schatje. 'Schatje' is voor Bunny en Jack.
  Bunny draait zich om, lacht, en knikt goedkeurend.

Eh... niet echt.

Waarom niet?

Hij verdient het niet.

O mijn god.
  'Wat?' signaleert Bunny als ze de schok op mijn gezicht ziet.
  Opeens voel ik dat ik William wil verdedigen. Wat weet Onderzoeker 101 nu van wat William wel of niet verdient?

Dat was gemeen. Ik denk niet dat ik hiermee door wil gaan, Onderzoeker 101.

Dat snap ik.

Echt?

Ik dacht precies hetzelfde.

Wacht. Geeft hij zo makkelijk op? Hij zit vol dubbele boodschappen. Of misschien stuur ik hem wel dubbele boodschappen?
  'Heb jij nog vijf dollar, Alice?' vraagt William. Ik kijk naar de overkant. Hij ziet plotseling lijkbleek. Ik denk aan Jack en zijn hart. Ik bedenk me dat ik kinderaspirine zou moeten kopen en William moet dwingen het te slikken.

'Voel je je wel goed?' vraag ik, op hem aflopend.

'Ja, natuurlijk,' zegt William, die er allesbehalve goed uitziet.

Ik kijk naar de maiskolven. 'Die zijn helemaal niet mooi. Doe maar de helft daarvan.'

'Help me even, alsjeblieft?' zegt hij.

'Wat is er?'

Hij schudt zijn hoofd. 'Ik ben duizelig.'

Hij ziet er echt beroerd uit. Ik pak zijn hand. Zijn vingers vlechten zich automatisch door de mijne. We zoeken een bankje en blijven een paar minuten zitten zonder iets te zeggen. Peter en Caroline proeven amandelen. Zoe ruikt aan een flesje lavendelolie. Bunny en Jack staan in de rij om broodjes met eiersalade te kopen.

'Wil je een broodje eiersalade?' vraag ik. 'Ik ga wel even iets halen. Misschien is je bloedspiegel te laag.'

'Er is niets mis met mijn bloedspiegel. Ik mis dit,' zegt hij.

Hij kijkt recht vooruit. Zijn dijbeen raakt de mijne op een haar na. We zitten stijfjes naast elkaar, als twee vreemden. Het roept een herinnering op aan die keer dat ik hem soep ging brengen in zijn appartement. De eerste keer dat hij me kuste.

'Wat mis je?'

'Ons.'

Meent hij dat nou? Kiest hij precies vandaag, de dag nadat ik het huis uit ben geslopen om een andere man te ontmoeten, om mij te vertellen dat hij me mist? Op emotioneel vlak verschijnt William altijd ten tonele als het doek net valt. Om krankzinnig van te worden.

'Ik moet op zoek naar een wc,' zeg ik.

'Wacht. Heb je gehoord wat ik zei?'

'Ik heb het gehoord.'

'En alles wat jij te zeggen hebt is dat je naar de wc moet?'

'Sorry, hoge nood.' Ik ren het boothuis in, vind een plekje en haal mijn telefoon tevoorschijn.

Waar slaat dit op, Onderzoeker 101?

Ik weet het. Je bent boos.

Waarom stelde je überhaupt voor om elkaar te zien?

Dat had ik niet moeten doen.

Ben je ooit van plan geweest te komen?

Natuurlijk was ik van plan te komen.

En je veranderde niet op het laatst van gedachten? Dat je besloot dat de fantasie beter was dan de realiteit?

Nee. Ik voel me aangetrokken tot de echte jij. Ik ga niet voor fantasieën.

Dat akelige onderzoek heeft mijn leven op zijn kop gezet.

Waarom?

Omdat ik nu weet hoe ongelukkig ik was.

Respondenten zeggen vaak...

Houd op over respondenten. Je beledigt me. Ik ben meer dan een respondent.

Dat klopt.

Ik denk erover mijn man te verlaten.

Echt?

De schok die door Onderzoeker 101 heen gaat is voelbaar door de telefoon; als een elektrische schok uit zo'n elektrische gummiknuppel. Dit is niet wat hij wilde horen, noch is het waar. Ik heb geen moment overwogen om William te verlaten. Ik zei het alleen om een reactie uit te lokken. Ik kijk op en zie Bunny met grote passen op me afkomen. Ik zak naar beneden in mijn stoel. Ze grist de telefoon uit mijn hand en leest snel de laatste berichten van onze chat. Ze schudt haar hoofd, zakt naast mijn stoel door haar knieën en begint te typen.

Mag ik iets vragen, Onderzoeker 101?

Oké.

Vertel me één ding dat je leuk vindt aan je vrouw.

Ik weet niet of dat slim is.

Ik heb je alles verteld over mijn man. Je kunt me toch wel één ding over je vrouw vertellen?

Oké, zij is de koppigste, meest trotse, vooringenomen, vastberaden en loyaalste persoon die ik ken. Het gekke is dat ik denk dat je haar zou mogen. Ik denk dat jullie vriendinnen zouden kunnen zijn.

O. Ik weet even niet wat ik met die informatie aan moet.

Sorry, je vroeg er zelf om.

Geeft niet. Het is eigenlijk wel een opluchting.

O ja? Hoe dat zo?

Omdat dat betekent dat je niet geheel immoreel bent. Dat je in elk geval nog iets aardigs over je vrouw kunt zeggen.

'Immoreel? Wie gebruikt er in hemelsnaam woorden als "immoreel"?'
'Stil!' zegt Bunny, mij wegduwend.

Dankjewel, denk ik.

En wat denk jij dat we nu moeten doen, Onderzoeker 101?

Ik weet het niet. Ik denk dat dat vanzelf duidelijk wordt. Ik heb nooit kunnen vermoeden dat er zoiets zou gebeuren. Dat moet je geloven.

Wat dacht je dan dat er zou gebeuren?

Dat jij de vragen zou beantwoorden en dat we daarna weer ieder ons weegs zouden gaan en dat dan alles voorbij zou zijn.

Wat dacht je dat er niet zou gebeuren?

Dat ik voor jou zou vallen.

Ik pak de telefoon uit Bunny's handen en typ GTG, daarna meld ik me af bij Facebook.

'Geen zin om antwoord te geven?' vraagt ze.

'Nee, Cyrano, niet bepaald.'

Bunny snuift. 'Hij lijkt oprecht. In zijn gevoel voor jou.'

'Zei ik toch?'

'Iets drinken?'

'Nee.'

We blijven even zitten, luisterend naar de mensen die koffie bestellen.

'Alice?'

'Wat?'

'Luister nou even naar mij. Iedere goede regisseur weet dat zelfs de donkerste onderwerpen afgewisseld moeten worden met lichtere materie. Er moet af en toe wat licht naar binnen stromen. En als er geen openingen zijn, is het jouw taak die te creëren. Ze erin te schrijven. Begrijp je dat, Alice?'

Ik schud mijn hoofd.

Bunny reikt over de tafel en knijpt in mijn hand. 'Het is een fout die veel toneelschrijvers maken. Ze zien duisternis aan voor diepte. Ze denken dat lichtheid gemakkelijk is. Ze denken dat het licht vanzelf wel een weg naar binnen vindt. Maar dat doet het niet, Alice. Jij moet de deur opendoen en het binnenlaten.'

83

'Nedra.'
  'Alice.'
  'Hoe is het?'
  'Prima, met jou?'
  'Heb je gefietst?'
  'Ja, Alice. Zag je dat misschien aan de fietsbroek? Of aan de fietsschoe-
nen? En de helm.'
  'Het was de fiets die het hem deed.'
  'En?'
  'En?'
  'En hoe is het gegaan?'
  'Wat?'
  'Met Onderzoeker 101?'
  'Niets gebeurd.'
  'Niet liegen.'
  'Het is voorbij.'
  'Voorbij? Gewoon voorbij?'
  'Ja. Ben je nu blij?'
  'O, doe niet zo belachelijk, Alice. Mag ik binnenkomen of wat?'
  Ik doe de deur wijd open en Nedra rijdt haar fiets naar binnen.
  'Ik wist niet dat Britten konden zweten. Wil je een handdoek?'
  Nedra zet haar fiets tegen de muur en veegt dan haar zwetende voor-
hoofd af aan de mouw van mijn shirt. 'Nee, schat. Is William thuis?'
  'Waar heb je William voor nodig?'
  'Iets zakelijks,' zegt ze. 'Ik wil hem een voorstel doen.'
  'Hij is in de keuken.'
  'Praten wij weer met elkaar?'
  'Nee.'
  'Prima. Laat je weten als het weer kan?'
  'Ja.'
  'Bellen of sms?'
  'Rooksignalen.'
  'Heb je Zoe al gesproken over Ho-Girl?'

Nee, ik heb Zoe nog niet gesproken en dat vind ik verschrikkelijk. Maar als ik eerlijk ben, zijn Ho-Girl en Zoe's bedrog minder belangrijk voor me dan uitzoeken wat er gaande is tussen Onderzoeker 101 en mijzelf.

'Je zoekt er te veel achter. Het gaat over cakejes, Nedra.'

'Stel het nou niet uit, Alice. Ik denk echt dat je er iets mee moet.'

'Nedra?' roept William vanuit de keuken. 'Ben jij daar?'

'Ja, schat. In elk geval iemand hier in huis die het leuk vindt me te zien,' zegt Nedra terwijl ze wegloopt en me alleen laat in de gang.

Shonda Perkins

PX90 Dvd's te koop. Koopje.

5 minuten geleden

Julie Staggs

Marcy: te klein voor Marcy's grotemeidenbed.

33 minuten geleden

Linda Barbedian

Slapeloosheid.

4 uur geleden

Bobby Barbedian

Heerlijk geslapen.

5 uur geleden

Ik probeer de geluiden van lachende mensen in de keuken niet te horen door mijn Facebook-berichten te lezen, als er een soort scheepstoeter uit mijn computer klinkt. Een Skype-bericht verschijnt op mijn scherm.

Prachtige Russische vrouwen

Zijn Europese en Aziatische vrouwen je te arrogant? Zoek je een lieve dame die verzorgend en begripvol is? Dan ben je aan het juiste adres. Hier wacht een Russische vrouw op jou om met heel haar hart van je te houden.

www.russiansexywomen.com

Excuses als je niet geïnteresseerd bent.

Om de een of andere reden word ik verdrietig van deze oproep. Is er iemand op de wereld die niet op zoek is naar iemand die met heel zijn of haar hart van hem of haar houdt?

Er wordt snel en hard op de deur geklopt. William komt mijn kamer binnen. 'Zo, dat was interessant. Nedra heeft me gevraagd de catering te verzorgen op haar bruiloft.'

'Catering?'

'Het diner. Voorgerecht. Dessert. Alles.'

'Dat meen je niet?!'

'Het is maar een kleine groep, ongeveer vijfentwintig man. Ik heb Caroline gevraagd of ze wil helpen.'

'Wil je het wel doen?'

'Het lijkt me leuk. En ze betaalt ervoor. Grif, mag ik wel zeggen.'

'Je weet dat Nedra en ik niet praten op het moment?'

'Dat begreep ik, ja. Waar praten jullie niet over?'

'De jurk die ze wil dat ik aantrek. Hij is verschrikkelijk. Hoge tailleband. Pofmouwen. Maakt dat ik eruitzie als koningin Victoria.'

'Ze is je beste vriendin, Alice. Ga je om een jurk haar bruiloft missen?'

Ik frons. Hij heeft natuurlijk gelijk.

'Alice? Is er iets?'

'Er is niets. Waarom?' Het is zo moeilijk om dit vol te houden. Om mijn geestelijke afwezigheid constant te moeten verbloemen.

'Je doet een beetje... raar,' zegt hij.

'Nou, jij doet ook raar.'

'Ja. Maar ik doe mijn best het niet te doen.'

Hij kijkt me net iets te lang aan en ik wend mijn blik af. 'En heb je al nagedacht over het menu?' zeg ik schor.

'Alles mag, behalve oesters. Dat is de enige beperking. Nedra vindt ze te cliché. Net als rozen en champagne op Valentijnsdag.'

'Ik ben gek op oesters.'

'Dat weet ik.'

'Ik heb ze al in geen jaren gegeten.'

William schudt zijn hoofd. 'Ik snap niet waarom je zoveel moeite doet om jezelf de dingen waar je van houdt niet te gunnen.'

84

Als William weg is ga ik naar boven, naar de slaapkamer, en doe de deur achter me dicht. Ik zet de wekker op een kwartier. Daarna laat ik alle hoop en hartzeer van de afgelopen dagen de vrije loop. Wat William zei over 'ons missen' maalt onafgebroken door mijn hoofd. Tien minuten later zit ik midden op het bed met een berg gebruikte zakdoekjes naast me, als ik voetstappen hoor op de gang. Ik hoor aan de lichte tred dat het Bunny is. Ik probeer mezelf nog iets te fatsoeneren, maar het is te laat.

'Alles oké?' vraagt ze en ze steekt haar hoofd naar binnen.

'Alles is goed, prima. Het gaat prima,' zeg ik terwijl de tranen over mijn wangen lopen.

'Kan ik iets doen?'

'Nee, laat maar. Het is gewoon...' Ik brul het uit. 'Sorry, ik schaam me dood.'

Bunny komt de kamer in, trekt een brandschone zakdoek uit haar broekzak en geeft hem aan mij.

Ik kijk ernaar. 'O, nee joh. Die is schoon. Ik maak hem nog vies.'

'Het is een zakdoek, die is ervoor gemaakt, Alice.'

'Echt? Dat is lief van je,' zeg ik en ik begin weer te huilen, vol overgave, op zijn lelijkst, met hikken en naar adem happend en willen ophouden maar dat onmogelijk kunnen.

Bunny zit naast me op het bed. 'Dit heb je heel lang binnengehouden, vermoed ik.'

'Je wilt niet weten hoe lang!'

'Laat het nu maar allemaal gaan dan. Ik blijf bij je tot je klaar bent.'

'Ik weet gewoon niet of ik goed of slecht ben. Ik denk nu dat ik slecht ben. Koud. Ik kan zo koud zijn, weet je.'

'Dat kan iedereen,' zegt ze.

'Vooral tegen mijn man.'

'Ja, het is het makkelijkst om koud te zijn tegenover de mensen waar we het meest van houden.'

'Dat weet ik. Maar waarom?' snik ik.

Bunny blijft bij me zitten tot ik die uitgeputte, uitgewrongen, heldere toestand aan de andere kant van de schaamte bereik, waar de lucht naar nazomer ruikt, naar chloor met een vleugje verse schoolspullen en schrijf-gerei, en voor het eerst sinds heel, heel lang voel ik iets van hoop.

'Beter zo?' vraagt Bunny.

Ik knik. 'Wat een debiel ben ik.'

'Nee,' zegt ze. 'Gewoon even verdwaald, net als wij allemaal.'

'Ik heb geschreven, wist je dat?'

'Nee, is dat zo?'

'Ja. Korte scènes. Over mijn leven. Ik en William... onze eerste jaren. Etentjes. Gesprekken. Niets bijzonders. Maar het is een begin.'

'Fantastisch! Ik wil heel graag zien wat je tot nu toe hebt.'

'Echt?'

'Natuurlijk. Ik vroeg me al af wanneer je het ging vragen.'

'Echt?'

'O, Alice. Waarom verbaast dat je?'

Ik kijk naar de verfrommelde zakdoek in mijn hand. 'Ik heb je zakdoek vermoord.'

'Tssk, geef maar.'

'Nee! Hij is te vies.'

'Geef hier!' beveelt ze.

Ik laat hem in haar opgehouden hand vallen.

'Snap je het dan niet, Alice? Niets wat jij doet is te vies voor mij.'

'Dat zeg ik altijd tegen mijn kinderen.'

'Dat zeg ik ook tegen mijn kinderen,' zegt ze zacht, en ze streelt mijn haar. Ik begin weer te huilen. Ze drukt de zakdoek weer in mijn hand.

'Volgens mij heb ik deze iets te vroeg teruggevraagd.'

85

Lucy Pevensie heeft een *Favoriet citaat* **toegevoegd**
'Is... is het een man?' vroeg Lucy.

En, is het een man, Onderzoeker 101?

Ik weet niet zo goed wat je wilt weten, Echtgenote 22.

Verlaat een echte man zijn vrouw?

Een echte man zoekt zijn vrouw.

En daarna?

Ik weet het niet. Waarom vraag je dat?

Ik ben niet bepaald de perfecte vrouw geweest.

Ik ben niet bepaald de beste man geweest.

Misschien zou je je vrouw eens moeten zoeken.

Misschien zou jij je man eens moeten zoeken.

Waarom zou ik hem moeten zoeken?

Misschien is hij verdwaald.

Hij is niet verdwaald. Hij is in de garage planken aan het ophangen.

In zijn favoriete jeans?

Jij vergeet ook niets, hè?

Ik vergeet een heleboel; internet daarentegen vergeet niets.

Hij heeft een goeie kont in die broek.

Wanneer is een kont goed?

Als die kont groter is dan de mijne.

Ik ga vandaag naar de film met mijn vrouw.

Weet je, Onderzoeker 101, ik krijg nogal gemengde berichten van je.

Ik weet het. Het spijt me. Dat is trouwens precies waarom ik met mijn vrouw naar de film ga. Ik heb veel nagedacht over dit. Ik heb al je antwoorden op de onderzoeksvragen overgelezen en ik ben ervan overtuigd dat er nog hoop is voor jullie huwelijk. Als dat er niet was, zou je niet op deze manier over jullie beginjaren kunnen schrijven. Het is niet voorbij tussen hem en jou. Het is ook niet over tussen mijn vrouw en mij, ik ga het proberen. Ik denk dat jij hetzelfde moet doen met je man.

En als het niet lukt met onze echtgenoten?

Dan spreken we over zes maanden af in Thee & Toebehoren.

Mag ik wat vragen?

Altijd.

Als we elkaar hadden ontmoet? Als jij wel gekomen was? Wat denk jij dan dat er gebeurd zou zijn?

Ik denk dat je teleurgesteld zou zijn geweest.

Waarom? Wat vertel je me niet? Heb je schurft? Weeg je driehonderd kilo? Ben je kaal met drie haren?

Laten we het erop houden dat ik niet ben wat jij ervan verwacht.

Hoe weet je dat zo zeker?

Het was te vroeg om elkaar te ontmoeten. Het zou alles verpest hebben.
Dat weet ik zeker.

Hoe dat zo?

We zouden allebei alles kwijtgeraakt zijn.

En nu?

Nu raken we maar één ding kwijt.

En dat is?

De fantasie.

Naar welke film gaan jullie?

De nieuwste film van Daniel Craig. Mijn vrouw vindt Daniel Craig leuk.

Mijn man vindt Daniel Craig ook leuk. Misschien zouden jouw vrouw en mijn man eens koffie moeten drinken.

86

Ik vind William boven op een ladder in de garage, in, inderdaad, zijn favoriete spijkerbroek.

'Volgens mij is de nieuwe Daniel Craig uit. Zullen we gaan?' vraag ik.

'Wacht even,' mompelt William en hij bevestigt snel de laatste haak aan de muur.

'Ik dacht dat jij een hekel had aan Daniel Craig?'

'Ik raak eraan gewend.'

'Kun je die plank even aangeven?' zegt William. Ik geef hem aan en hij schuift hem op zijn plek. 'Shit, hij is scheef. Ik had de waterpas moeten gebruiken.'

'Waarom heb je dat niet gedaan, dan?'

'Luiheid,' zegt hij. 'Ik dacht dat ik het zo wel kon zien.'

'Zo erg is het niet. Niemand ziet het.'

'Daar gaat het niet om, Alice. Mond dicht, jij,' zegt William tegen Jampo die braaf naast de ladder zit. Jampo piept vragend, zijn blik strak op William.

'Ben je gezellig met Jampo aan de boemel? *Vrijwillig?*'

'Hij liep achter me aan,' zegt hij, van de ladder komend.

Jampo snuffelt enthousiast aan zijn laarzen. William kijkt half geamuseerd op hem neer. 'Hij denkt dat we gaan rennen.'

'Heb je met hem hardgelopen?'

'Een paar keer. Hé, weet jij wat "*sexiled*" betekent?'

'"Sexiled"? Nee. Waarom?'

'Ik hoorde Zoe erover praten met een vriendin. Ze hadden het over studeren. Het betekent dat je je kamer niet op kan omdat je kamergenoot aan het seksen is.'

'Moet overal een woord voor zijn? Wat is er gebeurd met een sok aan de deur?' vraag ik.

'Het is een nieuwe generatie.'

'Nog even en ze is weg. Je knippert met je ogen en daar gaat ze. Je knippert nog een keer en Peter volgt. Knipper, knipper. Het nageslacht... poef. Denk je dat ze al seks heeft?'

'Denk ik dat ze het al eens gedaan heeft? Met Jude? Waarschijnlijk.'

'*Echt?*'

'Alice, ik weet van Ho-Girl. Nedra heeft het me verteld.'

'O god, *Ho*-Girl. Ongelooflijk dat ik nog niet met haar gepraat heb. Het is gewoon zo hectisch geweest. Met Bunny en Jack en zo,' zeg ik.

'Uh-huh.'

'Heeft Nedra ook verteld dat zij degene was die vreemdging, niet Jude?'

'Ja. En jij hebt niet naar haar Twitter-account gekeken?'

'Ik hoopte dat het gewoon over zou waaien.'

William pakt zijn telefoon. 'Laten we dat nu meteen maar even doen dan. Hoe erg kan het zijn.' Hij gaat naar zijn Google-zoekscherm en typt *Twitter Ho-Girl*. Zijn geur overspoelt me... Wasmiddel en sinaasappels. Ik houd van zijn geur. Ik heb hem gemist. Ik geniet in stilte.

'Daar is ze,' fluister ik, tegen hem aan leunend.

Ho-Girl

Naam Ho-Girl
Plaats Californië
Bio Zacht, vullend, zoet, sappig
Volgers 552

Alsof er een engeltje op je tong piest.
Ongeveer 2 uur geleden

@boooboobear Inderdaad, Ho-Girl. Dat is zeker.

@Fox123 Sexy sexy, schatje. Waarom stuur je geen foto? Van je Turks fruit?

@LemonyFine Oké, oké. Jij krijgt je cupcakes, maar ik weet ook nog wel iets lekkers met slagroom.

@Harbormast50 Er zit nog wat room in je mondhoek. Ik veeg het wel even weg.

'Jezus! Nedra heeft gelijk.'

'Wanneer heeft Nedra geen gelijk? We melden ons nu aan om haar berichten te ontvangen,' blaft William.

'Wat... nee! Dat kun je niet maken. Dan weet ze dat wij het zijn.'

'Hoe dom denk je dat ik ben. Ik ga ons niet aanmelden als @pa&mabuckle.'

'Ga je een nepaccount aanmaken?'

'Heb je daar iets op tegen?'

'Nou... ja. Jij toch ook? Dat mag toch niet?' Ik probeer zo oprecht mogelijk te kijken.

'Als het om mijn dochter gaat, mag alles. Laten we maar iets toepasselijks nemen, dan krijgt ze geen argwaan. Wat dacht je van @suikerspin?' vraagt hij.

'Gatver, ik word altijd misselijk van suikerspin. Wat dacht je van @bounty?' opper ik.

'Ik lust geen Bounty's. @snickers?'

'Te suggestief. Laten we @vuistvolpindas doen. Weet je dat nog? Die vuist vol pinda's!' zeg ik.

'Prima. Klaar.'

We kijken elkaar aan en lachen.

'Stil nu, Stevige Trek,' fluistert William.

'Absurd dat we dit doen.'

'Ze heeft net weer iets getweet,' zegt hij.

Ik kijk naar het scherm en we lezen tegelijk hardop wat ze geschreven heeft.

Geen mooiere manier om de dag te beginnen dan met het leegzuigen van een negerzoen.
Ongeveer 1 minuut geleden

'Verdomme, Zoe!' schrik ik. 'Heeft ze enig idee hoe gevaarlijk dit is?'
Williams vingers vliegen over zijn touchscreen.

@vuistvolpindas *Verdomme, Zoe? Weet je wel hoe gevaarlijk dit is?*

'Dat had je niet moeten zeggen! Nu weten die smeerlappen haar echte naam,' schreeuw ik tegen William. 'Daar gaat onze schuilnaam.'

Stop met achter me aan lopen, J. Ik weet dat jij het bent.
Ongeveer 1 minuut geleden

'Ze denkt dat we Jude zijn,' zegt William.

@booboobear *Ho-Girl is een prinses. Behandel haar met respect. Ik ben hier om u te dienen, prinses. Aardbeien met slagroom vandaag?*

William gromt.

@vuistvolpindas *Ho-Girl is geen prinses. Ze is een meisje van vijftien, smerige kinderlokker.*

Ik meen het, J. Ga weg.
Ongeveer 1 minuut geleden

@lemonyfine *Luister naar haar, J, of ik zal je billenkoek moeten geven.*

Stop met ruziemaken. Ik heb genoeg te snoepen voor iedereen :)
Ongeveer 1 minuut geleden

Ik pak de telefoon uit Williams handen.

@vuistvolpindas *Jezus, Zoe, waarom kun je niet gewoon een eetstoornis hebben zoals andere meisjes?*

Vind je me dik? Ik ben niet dik, J.
Ongeveer 1 minuut geleden

@vuistvolpindas *Ik ben J. niet. Ik ben je moeder. Ik weet van je voorraad snoep in je kast.*

@fox123 *GTG*

William pakt de telefoon terug.

@vuistvolpindas *Dit is je vader. Hef onmiddellijk dit account op, Zoe Buckle!*

'Nu geef je ze ook nog haar achternaam!' schreeuw ik.

@**booboobear** *WTF GTG*

@**vuistvolpindas** *Opheffen die account, en wel NU, Ho-Girl!*

Opeens gaat de garagedeur open. William en ik staan tegen elkaar aan, onze ogen knipperend tegen het licht, terwijl Zoe's contouren langzaam zichtbaar worden. Ze heeft haar telefoon in de hand, de afstandsbediening van de garagedeur in de andere. Ze is zo boos dat ze niet kan praten. In plaats daarvan tweet ze.

Ongelooflijk. Dit is een schending van mijn privacy! Dit vergeef ik jullie nooit.
Ongeveer 1 minuut geleden

'Zoe, alsjeblieft...' zeg ik.

Ik praat niet met jullie.
Ongeveer 1 minuut geleden

@**vuistvolpindas** *Dat zien we.*

Ik praat nooit meer met jullie.
Ongeveer 1 minuut geleden

@**vuistvolpindas** *Dat is prima, lieverd. Ho-Girl is gewoon niet oké. Je had zwaar in de problemen kunnen komen.*

Zoe kijkt naar me en begint te huilen. Dan tweet ze iets.

Hoe kun je nou willen dat ik een eetstoornis heb?
Ongeveer 1 minuut geleden

'Liefje,' zeg ik.
'Ik ben je liefje helemaal niet. Jij hebt totaal geen idee wie ik ben!' schreeuwt ze.
Zoe houdt de afstandsbediening van de garagedeur boven haar hoofd en

klikt woedend, alsof ze met een pistool schiet, en de deur begint langzaam dicht te gaan.

'William...'

'Laat haar maar,' zegt hij als eerst het hoofd, dan het bovenlijf en vervolgens de benen van onze dochter verdwijnen.

Ik gil zachtjes en hij trekt me onder zijn arm, waar hij nog het meest naar wasmiddel ruikt. Het is er heerlijk, als een warm nest. Zo blijven we een paar minuten staan.

'Goed,' zegt hij dan. 'Wat nu?'

'Duizend jaar in haar kamer opsluiten?'

'Biefstuk van de haas door haar strot duwen?'

'Zijn wij vreselijk?'

'Hoe vreselijk?'

'Vreselijke ouders?'

'Nee, maar twitteren kunnen we niet.'

'Jij kan niet twitteren, bedoel je,' zeg ik.

'Dat komt omdat ik zenuwachtig werd van jou. Plankenvrees.'

'O, zonder mij ben je veel grappiger?' vraag ik.

@vuistvolpindas: De pruimen zijn rijp, vegetarische dochter, zegt hij.

@vuistvolpindas: Uit de mond gespaard, neem alsjeblieft deze in plaats van negerzoenen.

@vuistvolpindas: Niet dat negerzoenen niet lekker zijn. Maar alles op zijn tijd. Wacht daar even mee tot je dertig bent en je eigen huur betaalt.

@vuistvolpindas: Ik meen het, als je die pruimen vandaag niet opeet vergaan ze.

@vuistvolpindas: En ze waren niet goedkoop ook. opeten of ik doe je wat.

@vuistvolpindas: En geen pitten doorslikken.

@vuistvolpindas: Slikken is sowieso nooit een goed plan.

@vuistvolpindas: Volgens de overheid.

'En?' zegt William.

'Niet slecht.'

'Ja, dat zeggen al mijn volgers.'

'Alle één?'

'Je hebt er maar één nodig, Alice.'

'Ik moet met haar gaan praten.'

'Nee, ik denk dat je haar wat tijd moet geven.'

'En dan?'

William tilt mijn kin op. 'Kijk me aan.'

Jezus, wat ruik je lekker, hoe kon ik vergeten dat je zo lekker ruikt?

'Laat haar naar jou toe komen,' zegt hij.

Daarna laat hij me abrupt los en gaat zonder verder iets te zeggen terug naar de planken. 'Dat moet opnieuw,' zegt hij. 'Waar is die waterpas eigenlijk?'

87

'Mam! Help! Ik heb een grotere bak nodig!' piept Zoe vanuit de keuken.

Dit zijn de eerste woorden die Zoe in twee dagen tegen me gesproken heeft. William en ik zijn sinds het Twitter-incident allebei doodgezwegen.

'Mag ik dit opvatten als "naar mij toe komen"?' vraag ik William, die op de bank zit.

William zucht. 'Stom hondenluik.'

'Nou?'

Hij legt de krant neer. 'Je mag een gegeven paard niet in de bek kijken.'

Ik spring op.

'Ik roep al de hele tijd!' Zoe ligt op haar knieën bij het fornuis met een klein plastic bakje in haar handen, haar ogen wijd en alert.

'Die is niet groot genoeg.'

'Meen je dat, mam. Alle bakjes zijn weg.'

Ik doe de koelkast open. 'Restjes.'

'Daar!' schreeuwt Zoe en ik draai me net op tijd om, om de muis op me af te zien rennen vanaf de andere kant van de keuken.

'Ieks!' gil ik.

'Kun je misschien iets originelers verzinnen?' gromt Zoe terwijl ze de muis achtervolgt, die als een dronken zeeman met flappende oren als een soort Dombo door de keuken schiet.

'Ieks, ieks!' gil ik weer als de muis tussen mijn benen door onder de koelkast verdwijnt.

Zoe staat op. 'Dat is jouw schuld,' zegt ze.

'Wat is mijn schuld?'

'Dat hij onder de koelkast zit.'

'Waarom is dat *mijn* schuld?'

'Jij hebt hem gelokt.'

'Hoe dan?'

'Door de deur open te doen zodat die lekkere koele lucht eruit stroomde.'

'Denk je, Zoe? Zal ik hem nog een keer opendoen dan? Dan komt hij vast weer terug.'

Ik haal een grote plastic bak tevoorschijn met lasagne. Ik doe de lasagne op een bord, was de bak en geef hem haar. 'Alsjeblieft.'

'Dank je.'

'En nu?'

Zoe haalt haar schouders op. 'Wachten.'

We zitten een paar minuten in stilte.

'Ik ben blij dat jij niet zo'n meisje bent dat bang is voor muizen,' zeg ik.

'Niet dankzij jou.'

We horen de muis scharrelen onder de koelkast.

'Zal ik een bezem pakken?' vraag ik.

'Nee! Dat is traumatisch. Laat hem zelf tevoorschijn komen.'

We zitten nog vijf minuten aan tafel zonder iets te zeggen. Weer horen we gescharrel, harder deze keer. 'Als de kat van huis is...' zeg ik.

Zoe krijgt opeens tranen in haar ogen en buigt haar hoofd. 'Ik was bang dat je je voor me zou schamen,' fluistert ze.

'Zoe. Waarom zou ik dat doen?'

'Het gebeurde gewoon. Het was niet mijn bedoeling. Jude was in Hollywood. Hij kreeg zoveel aandacht. En toen was die jongen er. Hij kuste me. Ik kuste eerst niet terug. En toen kon ik niet stoppen met hem te kussen. Ik ben een slet!' huilt ze. 'Ik verdien Jude niet.'

'Je bent geen slet. Laat ik nooit meer horen dat je dat woord gebruikt als het over jou gaat! Zoe, je bent vijftien. Je hebt een fout gemaakt. Je hebt een verkeerde beslissing genomen. Waarom heb je het niet gewoon uitgelegd aan Jude? Hij aanbidt je. Denk je niet dat hij het begrepen zou hebben? Uiteindelijk?'

'Ik heb het verteld. Meteen.'

'En wat gebeurde er toen?'

'Hij vergaf me.'

'Maar jij kon jezelf niet vergeven. En toen verzon je Ho-Girl?'

Zoe knikt.

'Oké, oké. Maar Zoe, ik begrijp het toch niet helemaal. Die kus vind ik echt niet belangrijk, maar waarom ben je zo gemeen tegen Jude? Hij loopt als een hondje achter je aan. Hij doet alles voor je.'

'Hij verstikt me.'

'En dus loop je weg?'

'Dat heb ik van jou,' mompelt ze.

'Wat heb je van mij?'

'Dat weglopen.'

'Denk je dat ík wegloop? Waarvan?'

'Van álles.'

Ik voel de klap binnenkomen. 'Echt? Is dat écht wat je denkt?' vraag ik.

'Een beetje wel,' fluistert Zoe.

'Zoe. O god,' mompel ik.

Op dat moment rent de muis onder de tafel door.

Ik til mijn voeten op en we kijken elkaar verschrikt aan. Zoe drukt een vinger op haar lippen. 'Stil,' mimet ze.

'Ieks!' mime ik terug.

Zoe probeert haar lachen in te houden, glijdt langzaam van haar stoel en knielt op de vloer met de plastic bak in de aanslag. Het volgende moment hoor ik het plastic hard op de grond slaan.

'Hebbes!' roept ze, onder de tafel vandaan kruipend met de bak voor zich uit.

De muis beweegt niet. 'Heb je hem doodgemaakt?' vraag ik.

'Natuurlijk niet,' zegt Zoe, zachtjes roffelend op de bak. 'Hij houdt zich dood. Hij is doodsbang.'

'Waar zullen we hem vrijlaten?'

'Ga je mee?' vraagt Zoe. 'Je gaat nooit mee. Je bent superbang voor muizen.'

'Ja, ik ga mee,' zeg ik en ik pak een stuk karton uit de papierdoos. 'Klaar?' Ik schuif het karton onder de plastic bak en we lopen er samen mee naar buiten door de achterdeur, Zoe met haar hand boven op de bak, ik met mijn hand eronder om het karton vast te houden. Zo lopen we een tijdje, onhandig manoeuvrerend, naar boven, naar een rijtje eucalyptusbomen. Dan gaan we samen door de knieën om de bak op de grond te laten zakken. Ik trek het karton weg.

'Dag, kleine muis,' zingt Zoe als ze de bak optilt.

Een seconde later is de muis verdwenen.

'Ik weet niet waarom, maar ik ben altijd een beetje verdrietig als ik ze loslaat,' zegt Zoe.

'Omdat je ze gevangen hebt?'

'Nee, omdat ik bang ben dat ze de weg naar huis niet meer kunnen vinden,' zegt Zoe, weer met tranen in haar ogen.

Op dat moment realiseer ik me dat Zoe precies zo oud is als ik toen ik mijn moeder verloor. Qua uiterlijk is ze meer een Buckle dan een Archer. Ze heeft goed haar, waarmee ik bedoel dat het handelbaar is. Ze heeft een prachtige egale huid en ze is gezegend met Williams lengte: bijna één meter zeventig. Maar ik zie mijzelf, de Archer-trekken, rond haar ogen. De gelijkenis is er vooral als ze verdrietig is. De manier waarop ze haar ogen met die inktzwarte wimpers neerslaat. De manier waarop haar iris oplicht van helderblauw tot stormachtig blauw-grijs. Dat ben ik. Dat is mijn moeder. Dat daar.

'O, Zoe. Lieve schat. Je hebt zo'n groot hart. Altijd gehad. Als klein meisje al.' Ik leg voorzichtig een arm om haar schouders.

'Ik had al die dingen niet tegen je mogen zeggen. Het is niet waar. Je loopt niet weg,' zegt ze.

'Misschien heb je gelijk. Een beetje.'

'Het spijt me.'

'Dat weet ik.'

'Ik ben een sukkel.'

'Dat weet ik ook,' zeg ik met een plaagstoot op haar schouder. Zoe trekt een gezicht.

'Zoe, lieverd, kijk me eens aan.'

Ze draait zich om en bijt op haar lip.

'Hou je van Jude?'

'Ik denk het.'

'Wil je me dan een plezier doen?'

'Wat?'

Ik leg een hand op haar wang. 'Wacht niet langer, vertel hem in godsnaam wat je voor hem voelt.'

88

'Wie is de stand-in voor de hoofdrolspeler?' vraagt Jack turend naar het programmaboekje. 'Ik kan het niet lezen. Alice, kun jij dit lezen?'

Ik tuur ook naar het programma. 'Hoe kan iemand dit lezen? Dat zijn piepkleine lettertjes.'

'Hier.' Bunny geeft me een leesbril. Hij is superhip: vierkant en staalgrijs.

'Nee, dank je,' zeg ik.

'Ik heb hem voor jou gekocht.'

'Echt waar? Waarom?'

'Omdat je de kleine lettertjes niet meer kan lezen en je dat maar eens moet accepteren.'

'Ik kan de *piep*kleine lettertjes niet meer lezen. Dat is heel aardig van je, maar ik heb geen bril nodig.' Ik geef hem terug.

'O, wat hou ik van het theater,' zeg ik, rondkijkend naar de mensen die hun stoelen opzoeken. 'We zitten praktisch in onze achtertuin, waarom doen we dit niet vaker?'

Het licht dimt en er klinkt een zacht geruis van laatkomers die nog snel hun plekken proberen te bereiken. Dit is mijn favoriete onderdeel. Net voordat het doek opgaat, met de belofte van de hele avond nog voor je. Ik kijk even naar William. Hij heeft een lichte pantalon aan met smalle pijpen waar zijn gespierde benen mooi in uitkomen. Ik kijk naar zijn dijen en er gaat een rilling door me heen. Al dat hardlopen werpt zijn vruchten af.

'Daar gaan we,' fluistert Bunny als het doek opengaat.

'Bedankt voor de uitnodiging,' zeg ik met een hand op haar arm.

'Tweeten met Ho-Girl had ik leuker gevonden,' zegt William drie kwartier later.

Het is pauze. We wachten met vele anderen op onze beurt bij de bar.

'Ongelooflijk dat dit al de planken op mocht,' zegt Jack. 'Daar is het helemaal nog niet klaar voor.'

'En het was het debuut van de schrijfster,' zegt Bunny. 'Ik hoop dat ze een beetje dikke huid heeft.'

Opeens kijkt iedereen naar mij.

'O, sorry, Alice. Dat was lullig,' zegt Bunny.

'Ach, zo zeg jij dat toch altijd, Bunny. Het was eentonig, saai en absurd, net als *Barmaid*, eigenlijk.'

Bunny kijkt blij verrast. 'Nou, Alice, bravo! Het werd tijd dat je korte metten maakte met die rotte vis van een recensie. Haal hem binnen zodat hij niet al die jaren om je heen kan blijven hangen. Zo verliest hij zijn kracht.'

Ze knipoogt naar me. Vanmorgen had ik eindelijk genoeg moed verzameld om haar iets van mijn werk te geven. Ik reserveer tegenwoordig dagelijks schrijftijd. Ik vind langzaam een ritme.

'Hoe oud is de schrijfster?' vraag ik.

'Vroeg in de dertig, zou ik zeggen als ik haar foto zie,' zegt William met het programmaboekje in de hand.

'Arme schat,' zeg ik.

'Misschien niet,' zegt Bunny. 'Het is vooral zo pijnlijk omdat de meesten van ons in stilte, achter gesloten deuren, instorten. Maar dat biedt ook juist kansen, snap je? Om dit in het openbaar te ondergaan? Iedereen ziet je vallen, maar iedereen gaat je ook zien opstaan. Er gaat niets boven een comeback.'

'Wat als je valt en valt en blijft vallen?' vraag ik, denkend aan Williams Facebook-bericht.

'Onmogelijk; niet als je eraan blijft werken. Uiteindelijk zul je opstaan.'

We zijn nog drie mensen verwijderd van de bar. Ik verga van de dorst. Waarom duurt het zo lang? Ik hoor de vrouwen vooraan in de rij tegen de barman klagen omdat hij geen Grey Goose heeft en ik verstijf. Die stem klinkt bekend. Als ik de vrouw hoor vragen of ze Gruner Veltliner hebben en de barman vraagt of de huiswijn, een frisse chardonnay, ook voldoet, kreun ik. Het is mevrouw Norman, de drugsmoeder.

Ik heb opeens zin om achter een pilaar te duiken, maar dan vraag ik me af waarom ik me zou verstoppen. Ik heb niets verkeerd gedaan. *Recht je schouders, Alice.* Ik hoor de stem van mijn vader in mijn hoofd. Als ik nerveus ben gaan mijn schouders altijd extra hangen.

'Sutter Creek, geloof jij het?' zegt mevrouw Norman terwijl ze zich omdraait en mij ziet.

Ik glimlach zwakjes en knik, met mijn rug keurig recht.

'Hé, hallo,' zegt ze liefjes. 'Schat, kijk nou, het is de drááámadocent van Carisa's school.'

Meneer Norman is een kop kleiner dan mevrouw Norman.

Hij steekt zijn hand uit. 'Chet Norman,' zegt hij nerveus.

'Alice Buckle,' zeg ik. Ik stel Bunny en Jack en William kort voor en stap uit de rij om met ze te praten.

'Ontzettend jammer dat ik *Charlotte's Web* gemist heb. Ik hoorde dat het een bijzondere voorstelling was,' zegt meneer Norman.

'Eh, zo zou je het kunnen noemen,' zeg ik zonder een spier te vertrekken. Het voelt nog steeds alsof ik met die productie volledig de plank heb misgeslagen.

'Dus,' zegt mevrouw Norman. 'Ga je vaak naar het theater?'

'O, ja. Heel regelmatig. Dat is mijn werk, hè? Naar toneelstukken gaan.'

'Wat heerlijk voor je,' zegt mevrouw Norman.

De lichten gaan aan en uit.

'Goed,' zeg ik.

'Carisa is helemaal weg van jou,' zegt meneer Norman met overslaande stem.

'Echt waar?' zeg ik en ik kijk mevrouw Norman recht in de ogen.

De lichten gaan weer aan en uit, sneller nu.

'Het spijt me,' zegt hij weer met uitgestoken hand. 'Het spijt me ontzettend.'

'Chet,' waarschuwt mevrouw Norman.

'We staan achter je,' zegt hij.

'O, jee. Ik ben bang dat je je wijn in één keer achterover moet slaan,' zegt mevrouw Norman als William eraan komt met mijn drankje.

Ik kijk naar haar, een en al hooghartigheid, glamour en neerbuigendheid, en ik moet me bedwingen om niet het gebaar te maken van iemand die een gelukzalige trek neemt van een dikke joint.

'Carisa is een heerlijke meid,' zeg ik tegen mevrouw Norman. 'Ik mag haar ook heel graag.'

'Dit stuk is verschrikkelijk, Chet,' zegt mevrouw Norman met een blik op haar glas wijn. 'En deze bocht ook, trouwens. Zullen we de tweede helft maar laten zitten?'

'Maar dat is onbeleefd, lieverd,' fluistert meneer Norman. 'Je gaat toch niet in de pauze weg bij een stuk?' Hij kijkt mij aan. 'Dat doe je toch niet?'

O, ik mag meneer Norman nu al. William komt bij ons staan en geeft me een glas wijn.

'Volgens mij zijn er geen regels voor,' zeg ik.

'Hebt u een fijne zomer, mevrouw Buckle?' vraagt mevrouw Norman.

'Heerlijk, dank u.'

'Dat is mooi,' zegt mevrouw Norman.

Dan draait ze zich abrupt om en verdwijnt richting uitgang.

'Leuk jullie ontmoet te hebben,' zegt meneer Norman en hij draaft achter haar aan.

De tweede helft van het stuk is nog erger dan de eerste, maar ik ben blij dat we gebleven zijn. Ik zie het als een soort desensitisatie. Als je iemand die ergens allergisch voor is geleidelijk blootstelt aan de substantie die de allergie veroorzaakt, in mijn geval publieke afgang, leert de persoon er langzaam mee omgaan. Ik leef enorm mee met de schrijfster van het stuk. Ik weet dat ze er is, ergens in de coulissen of nog verder weggedoken. Ik wou dat ik wist wie het was. Dan zou ik naar haar toe gaan. Dan zou ik zeggen dat ze het over zich heen moest laten komen, het binnenlaten, er niet voor wegrennen. Ik zou haar zeggen dat de mensen het zouden vergeten. Dat het vast leek alsof ze doodging, maar dat dat niet zo was. Dat ze op een goede dag, over zes maanden, of een jaar, of vijf jaar, wakker zou worden en zou zien hoe het licht naar binnen stroomde en de geur van koffie in huis hing, als een deken. En dat ze op die dag zou gaan zitten om de lege pagina te trotseren. En dan zou ze weten dat ze weer bij het begin was, en dat een nieuwe dag was aangebroken.

89

John Yossarian vindt *Zweden en rust en overvloed* **leuk**

Lucy Pevensie vindt *Cair Paravel* **leuk**

Ah, Zweden, het land van rust en overvloed. Zat je daar verstopt? Heb lang niets van je gehoord, Onderzoeker 101.

Misschien komt dat omdat je in je kasteel zat. Ik neem aan dat het bereik in Cair Paravel niet optimaal is. Ben je met je man naar die Daniel Craig-film geweest?

Ja.

Ik ook met mijn vrouw.

Vond ze het wat?

Ze vond het leuk, hoewel ze er niet tegen kan dat DC de hele tijd zijn lippen tuit.

Dat ben ik met haar eens. Heel irritant.

Misschien kan hij er niets aan doen. Misschien heeft hij gewoon zulke lippen.

Dus het gaat de goede kant op met je vrouw?

Het blijft een proces, maar we gaan vooruit, ja.

Denk je nog aan mij?

Ja.

Altijd?

Ja, hoewel ik mijn best doe het niet te doen.

Dat lijkt me goed.

Wat?

Dat je probeert niet aan mij te denken.

En jij?

Vraag je of ik aan jou denk?

Ja.

Ik sla die vraag even over. Is het onderzoek klaar?

Dat kan als je dat wilt.

Krijg ik dan nog wel duizend dollar?

Natuurlijk.

Dat wil ik niet.

Weet je het zeker?

Dat lijkt me gewoon niet goed, gezien de omstandigheden.

Ik heb niet gelogen, hoor.

Waarover?

Ik ben echt voor je gevallen.

Dank je, dat is lief.

Als ik niet getrouwd was...

En als ik niet getrouwd was...

Hadden we elkaar nooit ontmoet.

Online.

Ja, online.

90

Bunny en ik zitten aan de keukentafel met een schaal pistachenootjes en een stapel scripts als Peter en een vriendje binnen komen lopen.

'Hebben we nog pizzabroodjes?' vraagt hij.

'Nee, maar wel bitterballen.'

'Dat meen je niet!' zegt hij met grote ogen.

'Nee, inderdaad,' zeg ik. 'Denk je dat je vader die troep in huis tolereert?' Ik steek mijn hand uit naar het vriendje.

'Ik ben Peters moeder, Alice Buckle. Als het aan mij lag zat de vriezer vol bitterballen, maar dat is nu eenmaal niet zo, dus ik kan je een cracker met amandelboter aanbieden. Sorry, ik wou dat we pindakaas hadden, maar dat staat ook op de zwarte lijst. Ik denk dat er nog een paar hard-gekookte eieren in de koelkast liggen, mocht je allergisch zijn voor noten.'

'Mag ik Alice zeggen of liever mevrouw Buckle?' vraagt hij.

'Zeg maar Alice, maar fijn dat je het vraagt. Dat doen ze hier,' leg ik uit aan Bunny. 'Alle kinderen noemen hun ouders hier bij de voornaam.'

'Behalve leraren,' zegt Peter.

'Leraren heten "gozer",' zeg ik. 'Of misschien "gast". Zitten er nog toffe gasten tussen, eigenlijk?'

'Sloof je niet zo uit,' zegt Peter.

'Nou, ik ben mevrouw Kilborn en jij mag mevrouw Kilborn zeggen,' zegt Bunny.

'En jij bent?' vraag ik de jongen.

'Eric Haber.'

Eric Haber? De Eric Haber waarvan ik dacht dat Peter er verliefd op was? Hij is om op te vreten: lang, ogen in de kleur van hazelnoot, eindeloze wimpers.

'Peter heeft het vaak over je,' zeg ik.

'Mam, hou op.'

Eric en Peter wisselen een blik uit en Peter haalt zijn schouders op.

'En wat gaan jullie doen? Gewoon een beetje chillen?'

'Ja, mam, chillen.'

Ik maak een stapel van de scripts. 'Nou, dan zullen we jullie met rust laten. Zullen wij naar het terras gaan, Bunny? Eric, hopelijk tot een volgende keer.'

'Eh, ja, oké,' zegt hij.

'Waar ging dat over?' vraagt Bunny als we ons op het terras geïnstalleerd hebben.

'Ik dacht dat Eric Peters geheime liefde was.'

'Is Peter homo?'

'Nee, hij is hetero, maar ik dacht even dat hij misschien homo was.'

Bunny pakt zonnebrand uit haar tas en smeert behoedzaam haar armen in.

'Je bent heel hecht met Peter en Zoe, toch Alice?' zegt ze.

'Eh, natuurlijk.'

'Hm,' zegt ze en ze geeft me de tube. 'Vergeet je nek niet.'

'Je zegt "hm" alsof dat niet goed is. Alsof je het maar raar vindt. Vind je dat ik te dicht op ze zit?'

Bunny wrijft de overgebleven zonnebrand uit over haar handen.

'Je lijkt erg aan ze... gehecht,' zegt ze voorzichtig. 'Je bent erg intens met ze.'

'En dat is slecht?'

'Alice, hoe oud was jij toen je moeder overleed?'

'Vijftien.'

'Vertel eens iets over haar.'

'Zoals?'

'Iets. Wat er in je opkomt.'

'Ze droeg grote gouden ringen in haar oren. Ze gebruikte altijd dezelfde douchecrème en ze dronk het hele jaar gin-tonic, in alle seizoenen. Ze zei dat ze daardoor altijd een vakantiegevoel had.'

'En verder?' vraagt Bunny.

'Laat me raden. Ik moet véééééél dieper gaan,' zucht ik.

Bunny grijnst.

'Nou, dit klinkt een beetje raar, maar de paar maanden na haar dood heb ik de hele tijd gedacht dat ze terug zou komen. Ik denk dat dat kwam omdat ze zo plotseling was overleden; het was onbegrijpelijk dat ze er zo opeens niet meer was. Haar favoriete film was *The Sound of Music*. Ze leek zelfs een beetje op Julie Andrews. Ze had kort haar en een prachtige, lange nek. Ik dacht de hele tijd dat ze van achter een boom tevoorschijn zou komen om voor me te zingen, zoals Maria voor Kapitein von Trapp deed.

Welk nummer was dat ook alweer?'

'Welke? Als ze weet dat ze verliefd op hem is?' vraagt Bunny.

'For here you are standing there loving me. Whether or not you should,' zing ik zacht.

'Wat een mooie stem, Alice. Ik wist niet dat je kon zingen.'

Ik knik.

'En je vader?' vraagt Bunny.

'Hij was kapot.'

'Hadden jullie hulp? Tantes, ooms? Grootouders?'

'Ja, maar na een paar maanden waren we nog maar met z'n tweetjes.'

'Jullie waren vast heel hecht,' zegt Bunny.

'Ja, dat waren we. Dat zijn we. Luister, ik weet best dat ik me te veel met ze bemoei. Ik weet dat ik dominant en intens kan zijn. Maar Zoe en Peter hebben me nodig. En zij zijn alles wat ik heb.'

'Zij zijn niet alles wat je hebt,' zegt Bunny. 'En je moet beginnen met ze los te laten. Ik ben hier met drie kinderen doorheen gegaan, dus geloof me maar. Je zult met ze moeten breken. Uiteindelijk worden ze toch precies wie ze zijn, niet wie jij wilt dat ze zijn.'

'Klaar, Alice?' Caroline komt het terras op gesprongen in haar hardloop-outfit.

'Over kinderen gesproken,' zegt Bunny.

Caroline fronst en kijkt op haar horloge. 'Je zei twee uur, Alice. Laten we gaan.'

'Wat een slavendrijver, die dochter van jou,' zeg ik, opstaand uit mijn stoel.

'Alice, dat was een rondje van tien kilometer!'

'Echt niet!' hijg ik.

'Echt wel. Kijk.' Caroline laat me haar RunKeeper zien.

'Hoe kan dat nou?'

Caroline knikt opgetogen. 'Ik wist dat je het kon.'

'Niet zonder jou. Je hebt me geweldig gecoacht.'

'Oké, even rustig uitlopen,' zegt Caroline, overgaand naar wandelpas.

Ik juich even kort.

'Voelt lekker, hè?'

'Denk je dat ik vijftien zou kunnen?'

'Niet overdrijven, hoor.'

We lopen een paar minuten zonder iets te zeggen.

'Hoe gaat het eigenlijk bij Tipi?'

'O, Alice, het is geweldig. En raad eens? Ze hebben me een fulltimefunctie aangeboden! Ik begin over twee weken.'

'Caroline! Wat fantastisch!'

'Alles valt op zijn plek. En dat komt door jou, Alice. Ik weet niet wat ik zonder jouw steun en bemoediging had gedaan. Dat ik bij jou en William kon logeren. En Peter en Zoe. Wat een fantastische kinderen. Het was geweldig om bij jouw familie te mogen zijn.'

'Nou, Caroline, dat is volkomen wederzijds. Je bent een geweldige jongedame.'

Als we thuis zijn, pak ik een mand schone was op die al dagen midden in de kamer staat en breng hem naar boven naar Peters kamer. Ik zet de mand op de vloer, wetend dat hij er over een week nog precies zo bij zal staan. Hij is aan het lobbyen voor een latere bedtijd. Ik zei dat de dag dat hij zijn eigen kleding op zou ruimen en uit eigen beweging onder de douche zou gaan, de dag zou zijn dat ik een later tijdstip zou overwegen.

'Jij bent zo energiek, Alice. Misschien moet ik gaan rennen,' zegt Bunny met haar hoofd om de hoek van de deur.

'Allemaal dankzij jouw dochter,' zeg ik. 'En gefeliciteerd trouwens, moeder van hen die prachtig werk gevonden hebben. Wat een goed nieuws van Tipi.'

Bunny's ogen vernauwen zich. 'Welk nieuws?'

'Dat ze haar een fulltimefunctie aanbieden?'

'Wat? Ik heb net een gesprek voor haar geregeld bij Facebook. Dat was nog helemaal niet makkelijk. Heeft ze die baan bij Tipi geaccepteerd?'

'Eh, dat denk ik wel. Ze leek superblij.' Bunny verschiet van kleur. 'Wat is er? Heeft ze het niet verteld?' O god, was het een verrassing? Dat zei ze niet. Ik nam aan dat ze het wel verteld had.

Bunny schudt boos haar hoofd. 'Die meid heeft een prachtige informatica-master op zak. En dat gaat ze allemaal weggooien om bij een of andere non-profitorganisatie te werken!'

'Bunny, Tipi is niet zomaar een non-profitorganisatie. Weet je wat ze doen? Microkrediet. Volgens mij hebben ze vorig jaar meer dan twee miljoen dollar aan leningen verstrekt...'

Bunny onderbreekt me. 'Ja, ja, dat weet ik, maar hoe gaat ze zichzelf onderhouden? Ze gaat bijna niets verdienen bij Tipi. Begrijp dat dan, Alice. Jouw kinderen zijn nog niet eens met studeren bezig. Maar ik kan je wel zeggen dat de dagen van eindeloos studeren voorbij zijn. Niemand kan zich meer een talenstudie veroorloven. En met geschiedenis of theater kun je het helemaal vergeten. De toekomst vraagt om wiskunde, natuurwetenschap en techniek.'

'Maar wat als je kinderen niet goed zijn in wiskunde, natuurwetenschap en techniek?'

'Jammer dan. Zorg maar dat ze het toch gaan doen.'

'Bunny! Dat meen je niet. Jij hebt zelf je leven lang theater gemaakt!'

'En nu is het genoeg, dames,' zegt Caroline, de kamer in stampend. 'Ja, mam, het is waar. Ik heb de baan bij Tipi aangenomen. En ja, het is ook waar dat ik een minimumloon ga verdienen. Nou en? De helft van het land moet het daarmee doen. Sterker nog, de helft van het land zou blij zijn als ze het minimumloon zouden verdienen, of zelfs een baan hadden. Ik heb geluk.'

Bunny wankelt achteruit en gaat op het bed zitten.

'Bunny?' zeg ik.

Ze staart naar de muur.

'Je ziet bleek. Zal ik een glas water halen?' vraag ik.

'Je leeft in een droomwereld. Je kunt niet rondkomen van een minimumloon, Caroline. Niet in San Francisco,' zegt Bunny.

'Natuurlijk kan dat. Ik verhuur een kamer. Ik neem een bijbaantje als serveerster. Het lukt wel.'

'Je hebt een master in informatica.'

'O, o, daar gaan we weer,' zegt Caroline.

'En je bent gek dat je er niets mee doet. Het is jouw taak, nee, jouw verantwoordelijkheid om er iets mee te doen. Dan start je met twee of drie keer het salaris dat je nu gaat verdienen!' schreeuwt ze.

'Het gaat me niet om het geld, mam,' zegt Caroline.

'O, het gaat haar niet om het geld, Alice,' zegt Bunny.

'Ja, het gaat haar niet om het geld, Bunny.' Ik ga naast haar op het bed zitten. 'En misschien is dat nog niet eens zo erg,' zeg ik zacht. Ik leg mijn hand op Bunny's knie. 'Luister. Ze is jong. Ze hoeft alleen maar voor zichzelf te zorgen. Ze heeft nog tijd genoeg om geld belangrijk te vinden. Caroline gaat voor een organisatie werken die heel veel vrouwen een kans biedt op een beter leven.'

Bunny kijkt ons uitdagend aan.

'Je zou trots moeten zijn, Bunny, niet boos,' zeg ik.

'Heb ik gezegd dat ik niet trots was? Dat heb ik nooit gezegd,' bijt ze.

'Nou, daar lijkt het anders wel op,' zegt Caroline.

'Je laat me geen keus! En dat bevalt me niets,' schreeuwt Bunny.

'Hoezo laat ik jou geen keus?' vraagt Caroline.

'Door jou ben ik iemand die ik helemaal niet ben. Een star mens. Ik snap niet... Ik bedoel, wat is er aan de hand? Van iedereen die ik ken,' zegt Bunny verontwaardigd, en dan, plotseling, verbergt ze kreunend haar gezicht in haar handen.

'Wat is er?' vraagt Caroline.

Bunny wuift Caroline weg.

'Wat, mam?'

'Ik kan niet meer praten.'

'Waarom kun je niet praten?'

'Omdat ik zo bang ben,' fluistert Bunny.

'O, alsjeblieft,' zegt Caroline.

'Lief zijn. Ze heeft het moeilijk,' mime ik naar Caroline.

Caroline zucht diep, haar armen gekruist voor de borst. 'Bang waarvoor, mam?'

'Dat jij mij zo ziet,' zegt Bunny besmuikt.

'Je bedoelt dat Alice deze kant van jou ziet. Ik zie dit constant.'

'Ja, ja,' zegt Bunny, haar armen slap langs haar lijf, een hoopje ellende. 'Dat weet ik, Caroline. Mea culpa. Mea culpa!' huilt ze.

Caroline begint te smelten als ze ziet dat haar moeder echt overstuur is.

'Volgens mij maak je het jezelf te moeilijk, Bunny,' zeg ik. 'Zo zwart-wit is het allemaal niet. Niet als het om je kinderen gaat.'

'Nee, ik ben hypocriet,' zegt Bunny.

'Ja,' zegt Caroline. 'Ze is hypocriet.' Ze leunt naar voren en kust Bunny op haar wang. 'Maar wel een heel lieve hypocriet.'

Bunny kijkt naar mij. 'Hoe zielig ben ik? Nog geen halfuur geleden zit ik hoog van de toren te blazen tegen jou dat je je kinderen moet laten gaan.'

'Ik ken maar één manier om je kinderen te laten gaan,' zeg ik. 'Met hangen en wurgen.'

Bunny pakt Carolines hand. 'Ik ben echt trots op je, Caro. Echt waar.'

'Dat weet ik, mam.'

Ze aait Carolines handpalm. 'En misschien, heel misschien kun je jezelf wel een microkrediet geven als dat nodig is. Dat kan dan weer een voordeel zijn van bij Tipi werken. Als je niet rond kan komen van het salaris, bedoel ik.'

Caroline schudt haar hoofd naar mij.

'Maar Alice, je moet naar me luisteren, als Zoe of Peter ook maar enigszins aanleg heeft voor wiskunde of informatica, dan zou je...'

Caroline legt een vinger op haar moeders lippen om haar tot stilte te manen. 'Altijd het laatste woord, of niet dan?'

Later die middag kijk ik op Lucy Pevensies Facebook-pagina. Er zijn geen nieuwe berichten of meldingen. Yossarian is ook niet online.

Ik kijk op het Nieuwsoverzicht.

Nedra Rao

Het is de 21e eeuw. Kan er dan niemand een elegante fietsbroek voor vrouwen ontwerpen?

47 minuten geleden

Linda Barbedian

Doel! Nieuwe lakens voor Nicks kamer.

5 uur geleden

Bobby Barbedian

Doel! Vergeet het maar.

5 uur geleden

Kelly Cho

Is bang voor oude koeien.

6 uur geleden

Helen Davies

Hotel George V Parijs... Aaaah.

8 uur geleden

De laatste tijd voel ik als ik op Facebook kijk een mengeling van bezorgdheid, irritatie en jaloezie; ik vraag me af of ik nog een account zou moeten hebben.

Ik ben onrustig. Ik open een nieuw Word-document. Er gaat een minuut voorbij. Vijf minuten. Tien. Mijn vingers zweven boven het toetsenbord. Ik typ gespannen *Een stuk in drie aktes door Alice Buckle*, en delete het dan snel weer, en schrijf het dan opnieuw, in hoofdletters deze keer, hopend dat ik uit hoofdletters moed kan putten.

De klanken van Marvin Gayes *What's Going On* sijpelen mijn slaapkamer in vanaf de benedenverdieping. Ik kijk op mijn horloge. Het is zes uur. Nog even en de snijplank komt tevoorschijn. Paprika's zullen gewassen worden. Maiskolven schoongemaakt. En iemand, waarschijnlijk Jack, zal met zijn vrouw door de keuken dansen. Anderen, William en ik, zullen visioenen krijgen van middelbareschoolfeesten en flesjes bier drinken in de kelder van het huis van een klasgenoot. En de jongeren onder ons, Zoe en Peter, en misschien Caroline, zullen Marvin Gaye op hun iPod laden en denken dat zij de eersten op de wereld zijn die deze zwoele sexy stem ontdekken.

Ik zet mijn vingers op het toetsenbord en begin te typen.

91

William komt de keuken in. 'Hebben jullie zin in lunch?' vraagt hij.

Ik kijk op de klok. Het is halftwaalf. 'Niet echt.'

Hij kijkt in de kast, pakt een pak crackers. 'Hebben we humus?'

'Tweede plank. Achter de yoghurt.'

'Ik heb nieuws,' zegt William met zijn hand op de koelkastdeur. 'Ik heb een aanbod voor een baan.'

'Wat? William! Meen je dat? Wanneer?'

'Ze hebben gisteren gebeld. Het is in Lafayette. Prima voorwaarden. Ziektekosten. Tandarts.'

'*Wie* heeft gisteren gebeld? Je had niet eens gezegd dat je ergens mee bezig was.'

'Ik was bang dat het niets zou worden. Ik wilde geen valse hoop wekken. Het is een bedrijf dat kantoorartikelen verkoopt.'

'Kantoorartikelen? Zoals OfficeMax?'

'Nee, niet zoals OfficeMax. Kings Stationary. Het is een familiebedrijfje, maar ze zitten in de lift. Ze hebben al twee winkels hier in de buurt en er gaan dit jaar nog twee winkels open in San Diego. Ik zou de advertentie- en marketingadviseur worden.'

'Advertenties? Als in flyers, folders en onlinemarketing?'

'Ja, Alice, als in wat reclamemensen meestal in de papierbak gooien voor ze er goed en wel naar gekeken hebben. Ik heb geluk gehad. Er waren enorm veel reacties. Het lijken heel aardige mensen. Het is een prima baan.'

'Natuurlijk is het dat,' zeg ik. 'Maar is het wat je wil, William?' Waren kantoorartikelen zijn grote droom?

'Wat ik wil is even niet belangrijk,' zegt hij zacht.

'O, William...' Hij steekt een hand op om me te onderbreken.

'Alice, nee. Stop. Ik moet me verontschuldigen. En als je even stil bent, dan kan ik dat doen. Je had gelijk. Ik had beter mijn best moeten doen om er iets van te maken bij KKM. Het is mijn schuld dat ik werd ontslagen. Ik heb jou teleurgesteld. Ik heb ons gezin teleurgesteld. En het spijt me. Het spijt me zo.'

Ik ben verbijsterd. Gaf William nu net toe dat hij misschien wel iets te maken had met zijn ontslag, dat hij niet slechts het slachtoffer was van de reorganisatie? Zei hij net dat het zijn eigen schuld was? Hij leunt tegen het aanrecht en kijkt de achtertuin in, bijtend op zijn lip, en als ik naar hem kijk voel ik mijn laatste beetje boosheid over het Cialis-incident wegvloeien.

'Je hebt mij niet teleurgesteld, William. En dat je niet je best deed was niet de reden dat je ontslagen werd. Dat weet ik. Je had het niet allemaal onder controle. Misschien was het ergens ook mijn schuld. Dit allemaal. Waar we nu staan. Misschien heb ik jou ook wel teleurgesteld.'

Hij draait zich om en kijkt me aan. 'Jij hebt mij niet teleurgesteld, Alice.'

'Oké. Maar als dat wel zo was, en dat is waarschijnlijk ook wel zo, dan spijt me dat. Het spijt mij ook.'

Hij haalt diep adem. 'Ik moet deze baan maar nemen. Ik hou van papier. En pennen. En Post-its. En markeerstiften.'

'Ik ben gek op markeerstiften. Vooral groene.'

'En poststempels.'

'En nietjes. Vergeet nietjes niet. Wist je dat je die tegenwoordig in alle kleuren van de regenboog hebt? En Lafayette heeft een leuk centrum. Daar kun je waarschijnlijk zo heen wandelen vanaf kantoor. Even naar Starbucks tussen de middag.'

'Daar had ik nog niet aan gedacht,' zegt William en hij doopt een cracker in de humus. 'Dat is leuk.'

'Heb je al officieel ja gezegd?'

'Ik wilde het eerst met jou overleggen.'

'Wanneer moet je het laten weten?'

'Ik heb een week.'

'Nou, laten we het even laten bezinken dan. En de voor- en nadelen tegenover elkaar zetten.'

Ik hoop dat ik tegen die tijd ook meer weet over mijn baan. Ik heb niets meer gehoord van Kentwood over mijn voorstel om na de zomer fulltime aan de slag te gaan, maar ik heb hoop. De ouderraad beslist meestal pas op het laatste moment over de verdeling van gelden.

'Aangezien ik verder weinig te kiezen heb, zijn er alleen maar voordelen, Alice. Ik zie eigenlijk helemaal geen nadelen,' zegt William.

Hij heeft gelijk. We zitten niet in een positie om te kiezen. Niemand eigenlijk. Niet meer.

92

De volgende dag word ik met hoofdpijn en koorts wakker. Ik blijf de hele ochtend in bed, en tegen lunchtijd brengen William en Zoe een dienblad met eten: een kom Chinese kippensoep, een glas water en de post: een envelop en *People*-magazine.

Ik ruik aan de soep. 'Hmm.'

'Imperial Tea Court,' zegt William.

Ik neem een hap. 'Ben je naar Imperial Tea Court gereden? In Berkeley?'

Hij maakt een gebaar. 'Daar maken ze de beste soep. Trouwens, nog even en ik kan midden op de dag helemaal geen soep meer voor je halen.'

'Waar heb je het over?' vraagt Zoe.

'Niets,' zeg ik.

We hebben de kinderen nog niet verteld over Williams aanbod. Ik weet dat ze zich zorgen maken en heel blij zullen zijn als hij weer een baan heeft, maar ik wil ze niets zeggen tot we zeker weten wat we gaan doen. William en ik kijken elkaar aan.

'Echt niet niets,' zegt Zoe.

Jampo komt de kamer instuiven en springt op het bed.

William grijpt hem. 'Jij mag hier helemaal niet komen. Zullen we een stuk gaan rennen, monster dat je bent?' Jampo kijkt hem agressief aan, als een terrorist bijna, en likt hem dan midden in zijn gezicht. William heeft echt zijn best gedaan met Jampo. Zijn ze vrienden?

'We moeten het vanavond maar even over *niets* hebben,' zeg ik.

'Kun je me even naar Jude brengen voor je gaat, pap?' vraagt Zoe.

Jude en Zoe zijn weer officieel samen. De dag nadat we de muis gevangen hadden, hoorde ik Zoe aan de telefoon met Jude. Ze huilde en zei dat het haar speet. Die avond kwam hij eten en ze hielden onder de tafel elkaars handen vast. Het was zo lief en het voelde zo goed, dat mijn hart een paar slagen oversloeg.

'Dat moet lukken. Caroline en ik moeten Nedra toch spreken over de taart. Alice, praten jullie alweer?'

'Ik sta op het punt een rooksignaal te sturen,' zeg ik.

'De bruiloft is over twee weken. Misschien kun je het vuur vast wat opstoken.'

Na de lunch slaap ik nog wat, en als ik wakker word neem ik nog drie pijn-stillers. Ik kom maar niet van deze hoofdpijn af. Alles doet zeer. Tot aan mijn ribbenkast. Ik luister of ik beneden iets hoor, maar alles is stil. Ik ben alleen thuis. Ik log in, maar er is geen bericht van Onderzoeker 101: geen mail, niets op Facebook. Ik ben bijna opgelucht dat het zo is. Ik eet mijn kippen-soep op. Ik blader door *People*. Daarna open ik de brief die bij de post zat.

Geachte Alice Buckle,
De ouderraad van Kentwood Basisschool moet u helaas meedelen dat uw contract als dramadocent het komende jaar niet verlengd zal wor-den. Zoals u wel bekend is, heeft het schoolsysteem in Oakland te maken met ernstige bezuinigingen en het budget dat in eerste instantie voor drama en toneel gereserveerd was is bij nader inzien toegewezen aan een andere post. Wij bedanken u voor uw jarenlange staat van dienst en wensen u veel succes in uw verdere carrière.
Hoogachtend,
De Kentwood Basisschool Ouderraad

Mevrouw Alison Skov
Meneer Farhan Zavala
Mevrouw Kendrick Bamberger
Mevrouw Rhonda Hightower
Mevrouw Chet Norman

Beneden slaat een deur en een paar seconden later hoor ik gelach. Ik lig in bed, verbijsterd. Waarom zag ik dit niet aankomen? Ik had kunnen weten dat er iets aan de hand was toen ik mevrouw Norman tegenkwam in Ber-keley. Dit was toen al in gang gezet. Zij was zo zelfvoldaan, en hij zo ver-ontschuldigend; zij is waarschijnlijk degene die het hardst heeft gelobbyd voor de opheffing van mijn functie.

Als William de trap op komt sprinten op zijn gympen, doe ik net of ik slaap. Hij loopt naar het bed en ik voel zijn ogen op mijn gezicht. Hij legt zachtjes een hand op mijn voorhoofd om te controleren of ik nog koorts heb.

'Jij kan ook niet acteren,' zegt hij.

'Ik ben ontslagen,' fluister ik.

Ik hoor het papier ritselen terwijl hij de brief leest. 'Rotzakken,' zegt hij.

'Het doet pijn,' klaag ik.

William legt zijn hand op de mijne. 'Dat weet ik, Alice.'

De drie dagen daarop ben ik ziek.

'Het is zomerkoorts,' zegt Bunny. 'Je moet gewoon rustig uitzieken.'

Elke ochtend sta ik op met het idee dat het over is. Ik ga naar beneden, pak een kop koffie, word misselijk van de geur en vertrek weer naar boven.

'Wat een slechte patiënt,' zegt Jack.

'Verschrikkelijk,' zegt William.

'Zucht ik soms niet genoeg?' vraag ik.

'Nee. Je kreunt ook niet genoeg,' zegt William.

'We moeten praten,' zeg ik. Over 'niets', oftewel de positie die hem is aangeboden.

'Als je beter bent.'

Ik kijk slechte televisieprogramma's. Ik ben veel online.

KBD6 (Kentwood Basisschool Drama-ouderraad)
Forum nr.#134
KBD6ouderraad@yahoogroups.com

<u>Berichten (6)</u>

1. Ik begin een 'Zorg dat Alice Buckle haar baan terugkrijgt'-groep. Doen jullie mee? Geplaatst door: Farmymommy

2. RE: Ik begin een 'Zorg dat Alice Buckle haar baan terugkrijgt'-groep. Doen jullie mee?
Ja! Ik doe mee. Ik moet zeggen dat ik verre van trots ben op de manier waarop dit afgehandeld is. Zo onpersoonlijk. Iemand (je weet wel wie, **Storminnormandy**) had de beleefdheid moeten hebben haar persoonlijk in te lichten. Ze zou minstens een afscheidslunch moeten krijgen. Ja, *Charlotte's Web* was een ramp. Daar zijn we het allemaal over eens (sorry, ganzenmoeders). Maar zou ze niet nog een kans moeten krijgen? En als dat niet kan, dan minstens een blijk van waardering voor al haar dienstjaren? **Door: Queenbeebeebee**

3. RE: Ik begin een 'Zorg dat Alice Buckle haar baan terugkrijgt'-groep. Doen jullie mee?
Waar zijn jullie mee bezig? Mag ik jullie eraan herinneren dat Alice Buckle onze kinderen een halve striptease heeft laten opvoeren voor de hele school? Het enige wat ontbrak was een paal. **Door: Helicopmama**

4. RE: Ik begin een 'Zorg dat Alice Buckle haar baan terugkrijgt'-groep. Doen jullie mee?

Richt alsjeblieft niet zo'n groep op. Er zijn dingen gebeurd waar jullie niets vanaf weten die hebben geleid tot het ontslag van Alice Buckle. Zaken waar ik helaas nu niets meer over kan zeggen. Wat ik wel kan zeggen is dat mevrouw Buckle een paar zeer grove inschattingsfouten heeft gemaakt. Laten we het daarbij laten en het verder laten rusten. **Door: Storminnormandy**

5. RE: Ik begin een 'Zorg dat Alice Buckle haar baan terugkrijgt'-groep. Doen jullie mee?

Alice Buckle is een goede vriendin van mij. Ze wil haar baan niet terug. Niet meer, tenminste. Toen ze het nieuws net had gekregen, wilde ze niets liever dan haar baan terug omdat ze niet wist hoe haar gezin rond zou moeten komen van NIETS (haar man heeft momenteel ook geen werk). Maar toen ze er een paar dagen over had nagedacht, kwam ze eigenlijk tot dezelfde conclusie als **Storminnormandy**. Het is tijd voor een volgende stap. Ze biedt haar excuses aan voor de fouten die ze gemaakt heeft en ze hoopt van harte dat drama wel een onderdeel van het lesprogramma zal blijven. **Door: Davidmametlurve182**

6. RE: Ik begin een 'Zorg dat Alice Buckle haar baan terugkrijgt'-groep. Doen jullie mee?

Ik heb genoten van elke minuut die ik met jullie kinderen mocht werken. **Door: Davidmametlurve182**

Mijn mobiel gaat.

'Praten we weer?' vraagt Nedra.

'Nee.'

'Ik hoorde van je baan. Wat akelig, Alice.'

'Ja.'

'Gaat het wel met je?'

'Ik heb de griep.'

'Wie krijgt er nou griep in de zomer?'

'Ik blijkbaar. Heb je al besloten of je voor limoen- of frambooscake gaat?'

'Oesters.'

'Oestertaart.'

'Nee, als voorgerecht.'

'Ik dacht dat dat te cliché was. Oesters als lustopwekkers, en zo.'

'Dat is mooi gezegd van je. Excuses aanvaard,' zegt Nedra. 'Over twee dagen eten we samen.'

'Laat je het eten gewoon doorgaan, zo vlak voor je bruiloft?'
'Italiaans. Dat is makkelijk. Neem maar een pot tomatensaus mee.'
'Nedra?'
'Ja?'
'Jude is fantastisch.'
'En Zoe ook. Kus. Spreek je snel.'
Ik hang op en open mijn Facebook-pagina.

Nedra Rao
Mist haar beste vriendin.
2 uur geleden

Nedra Rao
Vindt Kentwood Basisschool niet meer leuk.
3 uur geleden

Linda Barbedian
Beseft nog niet dat ze straks geen kinderen meer thuis heeft.
4 uur geleden

Kelly Cho
Et tu, Brutus?
5 uur geleden

Phil Archer
Pandjesbaas, een tijdmachine. Wie had dat gedacht?
6 uur geleden

Helen Davies
Gezocht: Support Manager Food & Beverage in Boston. Verras me.
Overdonder me. Bel me. Zie LinkedIn voor meer informatie.
7 uur geleden

93

John Yossarian is getrouwd

Lucy Pevensie is getrouwd

Ik denk dat gefeliciteerd wel op zijn plaats is?

Jij ook.

Betekent dit dat het de goede kant op gaat?

Het?

Met je vrouw.

Het wordt steeds duidelijker met mijn vrouw. Het wordt echter steeds onduidelijker op alle andere gebieden.

Zoals werk?

Ja, zoals werk. Ik ben al een tijdje op zoek naar iets anders. Het is tijd dat ik Netherfield Center laat voor wat het is.

Om mij?

Nee, om mij. Ik ben te ver gegaan. Jij hebt niets verkeerds gedaan.

Wat erg.

Nee joh.

Nou, misschien helpt het als ik zeg dat ik ook te ver ben gegaan, op mijn werk. Ik ben vriendelijk gevraagd op zoek te gaan naar ander werk.

O, nee, Echtgenote 22 :(

Ach, het is goed zo. Het is mijn eigen schuld. Ik kon de liefde voor de kinderen en de liefde voor mijn werk niet goed gescheiden houden. Ik was moe. Ik werd slordig. Ik had al lang geleden ontslag moeten nemen.

En nu?

Nu is het tijd om de balans op te maken.

94

Nog steeds ziek. Het huis is weer leeg, op mij en Jampo na. William is met de kinderen naar het zwembad en Caroline en haar ouders zijn de stad in op huizenjacht; het kan zijn dat ze vijf huurders moet nemen om in de stad te kunnen wonen, maar aan het eind van de maand zal ze verhuizen. Ik ga haar vreselijk missen, maar ik troost me met de gedachte dat ze slechts een busritje van ons verwijderd zal zijn.

Helens Facebook-bericht blijft rondzingen in mijn hoofd. Ik ga naar haar LinkedIn-profiel om meer te lezen over de functie. Na het lezen van de beschrijving van de Support Manager Food & Beverage (en na de afgelopen maand de gelukkige ontvanger van Williams haute-cuisinemaaltijden en andere culinaire uitspattingen te zijn geweest), ben ik ervan overtuigd dat dit de perfecte baan voor William zou zijn (en misschien zelfs zijn lang gekoesterde droom in vervulling kan laten gaan). Echter, drie dingen staan tussen hem en de baan. Eén: William is te trots om zelf te reageren, twee: de baan is in Boston, en drie: ik. Ik weet zeker dat Helen me nog haat. Maar misschien is dit nu na al die jaren mijn kans om bepaalde dingen recht te zetten.

Een uur later zit ik met ingehouden adem achter mijn laptop, zeg een schietgebedje, en druk op VERZENDEN.

Van: Alice Buckle <alicebuckle@rocketmail.com>
Onderwerp: Een stem uit het verleden...
Datum: 13 augustus, 10:04
Aan: Helen Davies <helendavies@D&DAdvertising.com>

Beste Helen,

Ik had je al jaren geleden mijn excuses aan moeten bieden. Er zijn meerdere dingen waar ik sorry voor zou moeten zeggen, maar eerst die ene grote... sorry voor William. Ik wil dat je weet dat ik wel normen en waarden had. Ik geloofde in het verbond tussen vrouwen. Ik was nog nooit 'de andere vrouw' geweest in een relatie en ik was nooit van plan geweest dat te worden. Maar er gebeurde iets tussen William en mij wat ik nooit had kunnen vermoeden.

We raakten erin verstrikt. We waren geen van beiden op zoek. Ik weet dat het ontzettend cliché klinkt, maar dat is hoe het ging.

Het spijt me dat ik achter jouw rug om met hem geflirt heb. Het spijt me dat ik je niet uitgenodigd heb voor de bruiloft (ik wilde het wel, ik wist dat ik het eigenlijk moest doen, maar ik heb me om laten praten). Het aller-meest spijt het me echter dat ik twintig jaar heb gewacht met deze excuses.

En nu, door een wonderlijke samenloop van omstandigheden, bevind ik mij in de ongemakkelijke positie dat ik je een gunst wil vragen. Ik schrijf namens William. Ik zag je oproep voor een Support Manager Food & Beverages: daar zou William geknipt voor zijn. Hij is te trots om zelf te reageren, maar ik ben niet te trots om jou te vragen hem te overwegen voor de functie. Ik vraag niet om een voorkeursbehandeling, maar wel om een eerlijke kans voor hem.

In de bijlage Williams cv.
Met hartelijke groet,
Alice Buckle

95

Alice?

Hoi pap.

Ik moet je iets vertellen.

Ik moet jou ook iets vertellen.

Opgermd. Grf vuil. Leger des Heils. Lommerd.

Lommerd? Waarom?

Wilde sieraad kopen vr Conchita.

Bij lommerd?

Niet lachen. Lommerd heeft vele schatten. Heb Conchita gevr. bij me in te trekken.

Echt???!!!!

Niet goed?

Wel goed. Fantastisch!

Ik dacht er klaar mee te zijn.

Waarmee?

Je weet wel.

Romantiek?

Seks.

Liefde, pap?

Ja, liefde.

:'(

Waarom ben je verdrietig, schat?

:-#

Ik ben je vader, zeg het maar.

Ik ben niet altijd eerlijk tegen je geweest, pap.

Dat weet ik, lieverd.

Het loopt allemaal niet zo lekker hier.

Ik dacht al dat er iets aan de hand was. Je was zo ver weg.

Ja, sorry. Ik voel me een beetje verloren.

Houd vol. Nog even en dan word je gevonden. Er liggen mooie dingen in het verschiet.

O, pap. Hoe weet jij dat nou?

Omdat ik je net een mail heb gestuurd.

96

Pat Guardia

Kan niet geloven dat ze dit bijna niet gedaan had. Houdt zielsveel van haar man.

1 uur geleden

Pat Guardia

Kan iemand mij nu doodschieten.

3 uur geleden

Pat Guardia

Haat haar man hartgrondig.

4 uur geleden

Pat Guardia

Vliezen gebroken. Naar ziekenhuis! Nog nooit zo verliefd geweest.

6 uur geleden

'Hallo, baby,' fluister ik, neerkijkend op Pat en haar baby in het ziekenhuisbed.

'Toe maar,' zegt Pat. 'Doe zijn mutsje maar af. Ik weet dat je hem wilt ruiken.'

Ik doe het blauwe gebreide mutsje af en ruik de zoete, melkachtige geur van een pasgeboren baby.

'O god, Pat. Dit is onweerstaanbaar. Hij is zo mooi. Wat een perfect hoofdje. Hoe heb je dat gedaan?' vraag ik.

'Maar twintig minuten geperst,' zegt Tita trots.

'Omdat Liam de derde is,' zegt Pat.

Shonda geeft Pat een roze doosje met een glimmend lint. 'Je hoort natuurlijk iets voor de baby mee te nemen, maar jammer dan. Jij bent degene die nu een cadeau heeft verdiend. Miracle Serum of Light Complexion Illuminator. Niet dat je het nodig hebt, schoonheid.'

'Dat klinkt als een religie,' zegt Tita.

'O, dat is het ook,' zegt Shonda. 'Zodra je het gaat gebruiken, word je onherroepelijk een trouwe volger en aanbidder, eerlijk waar.'

'Heb je eindelijk je jongetje,' zeg ik.

'Wat moet ik met een jongetje?' zegt Pat. 'Ik heb alleen maar meisjes.'

'Hand over zijn pipi als je de luier verschoont,' zeg ik.

'En hoe lang moet ze het pipi noemen?' vraagt Shonda.

'Een maand, misschien twee,' zeg ik. 'Daarna kun je overstappen op piemel.'

'Hou op met dat gepipi en gepiemel. Gewoon penis, vanaf het begin,' zegt
Tita.

'Daar ben je redelijk streng in, Tita,' zegt Shonda.

'Ik heb er zo'n hekel aan als mensen gekke namen bedenken voor hun
"jongeheer",' zegt Tita.

'Wil je hem vasthouden?' vraagt Pat.

'Mag dat? Ik heb mijn handen al gewassen.'

'Natuurlijk. Ga maar in de schommelstoel zitten.'

Ze geeft de baby voorzichtig aan. Hij slaapt, dus ik loop zeer behoedzaam
naar de schommelstoel. Als ik zit, heb ik tijd hem eens goed te bekijken:
perfecte lipjes, een piepklein vuistje tegen zijn wang. Ik zucht gelukzalig.

'Jij kan ook nog een keertje, Alice,' zegt Pat. 'Je bent pas vierenveertig.
Mijn vriendin is net zwanger en zij is vijfenveertig.'

'O god, nee hoor,' fluister ik. 'Daar ben ik wel klaar mee. Mijn baby's zijn
bijna volwassen. Ik geniet wel van jullie baby's. Kom ze maar brengen als
het nodig is. Dag of nacht, maak niet uit, ik pas wel op,' zeg ik. 'Dat meen
ik, Pat. Dat kan echt.'

'Dat weet ik toch,' zegt Pat.

'Alice, je huilt.'

'Ik weet het,' zeg ik. 'Ik moet altijd huilen van baby's.'

'Hoe komt dat?' vraagt Shonda.

'Ze zijn zo hulpeloos. Zo machteloos. Zo puur.'

'Uh-huh,' zegt Shonda.

'Shonda, je huilt,' zegt Tita.

'Jij ook, Tita,' zegt Shonda.

'Ik huil niet,' zegt Pat, snuffend.

We zijn allemaal in een andere hoek van de kamer, maar het voelt alsof
we elkaars handen vasthebben. Dat is hoe het is met de Mamba's; opeens
gebeurt er iets en vinden we elkaar.

'Toen ik jong was, leek vijfenveertig zo oud,' zeg ik. 'Mijn moeder leek zo
oud.'

Liam opent zijn vuistje en ik schuif mijn pink in zijn handje. Hij grijpt hem stevig vast en brengt hem naar zijn mond.

'Maar nu ik zelf bijna vijfenveertig ben, lijkt het zo jong. Mijn moeder was zo jong. Ze had nog een heel leven voor zich.'

'En jij ook,' zegt Tita zacht.

'Ik had het helemaal verkeerd. Zoe heeft geen eetstoornis. Peter valt niet op jongens.'

'Dat ze dood is betekent niet dat je niet met haar kunt praten, Alice,' zegt Shonda.

'Dat huwelijksonderzoek was een stom idee. Ik heb het verpest op mijn werk.'

'Je kan voor eeuwig in gesprek blijven,' zegt Tita.

Ik verstop mijn gezicht in Liams dekens. 'Hij is prachtig.'

'Ze wil dat je haar voorbijgaat, Alice,' zegt Shonda.

'Mag ik alsjeblieft een keer op hem passen,' smeek ik bij het opstaan.

'Haar niet voorbijgaan zou misdadig zijn,' zegt Pat.

'Het voelt als een afscheid,' zeg ik.

'Niet alleen een afscheid, maar een hallo,' zegt Tita. 'Daar ben je. Hallo, Alice Buckle.'

Ik loop naar Pat in haar bed, de tranen lopen over mijn wangen, en ik geef haar Liam.

'Iedereen is bang voor het omslagjaar,' zegt Tita. 'Ze denken dat het wel weggaat als ze het negeren. Ik snap niet waarom jullie allemaal zo moeilijk doen. Kijk nou eens wat je *erna* krijgt.'

De Mamba's gaan om me heen staan en opeens zijn we een huilende knuffelende kluwen, met een piepklein mensje in ons midden, de toekomst, met zijn vingertje omhoog, wijzend naar de hemel.

97

18:30: Staand in Nedra's keuken

Ik: Hier is de pastasaus. Ik heb twee soorten meegenomen. Champignon en driekazen.
Nedra: Lekker hoor, maar je bent een uur te vroeg.
Zoe: Is Jude er?
Nedra: Op zijn kamer, schat. Ga maar. Hoe laat begint jullie film?
Zoe: Zeven uur.
Nedra: Veel plezier!
Ik: Ik hoopte dat we het konden hebben over wat een bruidsmeisje precies moet doen?
Nedra (*Zoe nakijkend*): Ik vind het zo geweldig. Die twee weer samen. Vind jij het niet geweldig?
Ik: Heb je gehoord wat ik zei?
Nedra: Komen.
Ik: Ik ben er al.
Nedra: Op mijn bruiloft komen. Dat moet je doen.
Ik: Geregeld. Ik zal zelfs een afschuwelijke koningin Victoria-jurk aantrekken.
Nedra: Ik heb een beeldschone jurk voor je gekocht.
Ik: Echt waar?
Nedra: Met een halter. Heel elegant. Jij hebt zulke mooie schouders en armen. Die moet je laten zien.
Ik: Ik moet je iets vertellen. Over Onderzoeker 101.
Nedra: Je hoeft me niets te vertellen, Alice. Ik wil het niet eens weten. La-la-la-la-la.
Ik: Ik denk dat het voorbij is.
Nedra (*zuchtend*): Was het nog niet over dan?
Ik: Hij gaat het weer proberen met zijn vrouw.
Nedra: Hij heeft een vróúw?
Ik: Hou op, Nedra. Alsjeblieft. Ik zeg toch dat het over is.

Nedra: Dus jij gaat het weer proberen met William?

Ik: Nou, eigenlijk voelt het helemaal niet als proberen, dat is het mooie ervan.

Bobby (*de keuken inkomend*): Dames! Ik weet dat ik vroeg ben. Ik hoop dat ik niet ongelegen kom. Maar kijk nou eens naar dit fantastische brood. Ruik dan. Hier (*scheurt een stuk af*). La Farine. Net uit de oven. Neem een hap.

Nedra: Waar is Linda?

Bobby: Die redt het vandaag niet.

Ik: Nou, het ziet ernaar uit dat we allemaal single zijn vandaag. William en Kate zijn er ook niet.

Nedra: Waarom kan Linda niet?

Bobby: Ze gaat bij me weg. Ik krijg de eetclub. Zij de rest.

19:30 In Nedra's woonkamer

Nedra: Het is niet leuk om te zeggen, maar ik wist dat die dubbele slaapkamer het begin van het eind was.

Bobby: Ik wil stoned worden. Dat heb ik wel verdiend. Heb jij wiet, Nedra? Alice, je hoeft niet zo ver weg te zitten. Scheiden is niet besmettelijk.

Nedra: Dat is niet helemaal waar. Scheiden is op een bepaalde manier wel besmettelijk. Dat zie ik vaak. Er komt een man zoeken naar een advocaat en een paar weken later komt er een andere man binnen, een vriend van die eerste man, die wil dan alleen informatie over zijn rechten, maar voor de zekerheid heeft hij wel vast een lijst meegenomen van alle bezittingen, de belastingaangiftes van de afgelopen drie jaar en een recent loonstrookje. Alice, blijf zitten waar je zit.

Bobby (*begint te huilen*): Ze wil naar New York verhuizen om dichter bij de kinderen te zijn.

Nedra (*opstaand*): Verdomme. Wacht even.

Ik (*naar hem toe lopend*): Niet huilen, Bobby B.

Bobby: Heerlijk als je me zo noemt. Jij bent zo lief. Waarom ben ik niet met jóú getrouwd?

Ik: Zo'n pretje is dat niet, hoor.

Bobby: Ik ben altijd jaloers geweest op William.

Ik: Echt waar?

Bobby: Na twintig jaar samen zijn jullie nog steeds zo verbonden.

Ik: Zijn we dat?

Bobby: Het frustreerde Linda altijd mateloos. Ze dacht dat jullie net deden alsof. Ik zei dan dat je zulke passie niet kon spelen.

Nedra (*de kamer weer inkomend met een joint*): Succes!

Ik: Blowt Jude?

Nedra (*de joint opstekend en inhalerend*): Natuurlijk niet. Maar ik wel.

Ik: Heb jíj een eigen voorraad?

Nedra (*de joint aan Bobby gevend*): Alsjeblieft, lieverd. Het is goed spul. Superpuur. Ik heb een medische indicatie.

Ik: Op welke gronden?

Bobby (*drie keer lang inhalerend*): Jezus, dat is goed spul.

Nedra: Geloof je me niet?

Ik: Nee, Nedra, ik geloof je niet.

Nedra: Het staat in de DSM. Het is een soort stoornis.

Ik: Hoe heet het dan?

Nedra: Middelbare leeftijd.

Bobby (*hoestend*): Dat heb ik ook.

Nedra: Er is maar één medicijn.

Bobby: Wat dan?

Nedra: Ouderdom.

Bobby (*lachend*): Is dit Comedy Central of is Nedra opeens heel grappig geworden?

Ik: Comedy Central? Hoe oud ben jij eigenlijk, Bobby B?

Nedra (*diep inhalerend en dan de joint bestuderend*): Ik ga trouwen. Geloof jij het? Ik? De bruid?

Bobby: Wil je mij bijstaan bij de scheiding?

Nedra: Ik wou dat het kon, schat. Maar ik ken jullie allebei. Dat zou niet eerlijk zijn. Ik kan wel een goede advocaat aanbevelen.

Zoe (*de kamer inkomend met Jude*): Snel, pak de camera om foto's van ze te nemen zodat ze zich straks doodschrikken en zich zo schamen dat ze het spul nooit meer aanraken.

Ik: O god, Zoe! Wat doe jij hier? Ik ben toevallig niet aan het roken, hoor je? Ik heb niet één hijsje genomen.

Nedra: Dat is lullig. Zo binnen komen lopen en onze privacy schenden. Ik dacht dat jullie naar de film gingen?

Jude: Waar zijn jullie nou mee bezig?

Zoe: Weten jullie wel dat wiet tegenwoordig veel sterker is dan toen jullie jong waren?

Jude: Er zitten vaak ook nog bedwelmende stoffen in.

Zoe: Eén trekje kan genoeg zijn om schizofrenie te veroorzaken.

Nedra: In tienerhersenen, met een losse frontaalkwab. Onze frontaal-kwabben hebben zich jaren geleden al gehecht.

Bobby: Het is mijn schuld.

Nedra: Het is Linda's schuld.

Jude (*zijn gitaar pakkend*): Nou, nu jullie allemaal lekker stoned zijn, hebben jullie vast wel zin in een liedje?

Ik: Ik ben niet stoned. En ja, ik wil heel graag een liedje horen, Jude.

Zoe (*blozend*): Het heet *Even Though*.

Bobby: Wacht even. Hier moet ik voor gaan liggen.

Ik: Ik ook.

Nedra: Schuif op.

Ik: Het voelt alsof ik weer op de middelbare school zit.

Bobby (*weer zachtjes huilend*): Stoned zijn en op de grond liggen heeft echt wel wat.

Ik (*Bobby's hand pakkend*)

Nedra (*Bobby's andere hand pakkend*)

Jude (*de gitaar aanslaand, blik op Zoe*): Ik heb het voor Zoe geschreven.

Bobby (*kreunend*): Aaaah!

Jude: Wat? Wat is er?

Nedra: Hij bedoelt spelen, lieverd. Hij bedoelt dat de wereld meer liefdes-liedjes nodig heeft. Hij bedoelt *bonne chance* en *Glück und den besten Wünschen* en *buona fortuna*. Hij bedoelt 'hoe heerlijk om jong te zijn'.

Bobby (*huilend*): Dat is precies wat ik bedoel. Hoe wist je dat?

Ik: Nedra spreekt vloeiend huil.

98

Van: Helen Davies <helendavies@D&DAdvertising.com>
Onderwerp: RE: Een stem uit het verleden...
Datum: 15 augustus, 15:03
Aan: Alice Buckle <alicebuckle@rocketmail.com>

Alice,

Ik wist dat ik een probleem had op de dag dat je kwam solliciteren bij Peavey Patterson. Ik betwijfel of je het nog weet, want je rende bijna het kantoor uit, maar William keek je na. Hij moest wel, hij kon er niets aan doen. Hij stond in de deuropening van zijn kantoor en keek je na toen je door de gang liep. Daarna keek hij hoe je bij de lift stond te wachten, telkens maar weer op die knop drukkend. En toen je al weg was, bleef hij nog even in de deuropening staan. Jullie kenden elkaar al voordat jullie elkaar kenden. Zo keek hij die dag dat je kwam solliciteren. Herkenning. Ik was kansloos.

Wat de functie betreft: ik denk dat William zeker gekwalificeerd is, maar of ik kan helpen is een tweede. Ik ga er even over nadenken. Ik neem aan dat jullie niet in Boston willen wonen. En ik neem aan dat hij niet weet dat jij dit gevraagd hebt en dat je dat zo wilt houden. Hij is altijd trots geweest. Excuses aanvaard.

HD

99

'Ik heb ja gezegd,' zegt William.

'Waarop?'

'Die marketingbaan, Alice. Of had jij nog iets anders in de aanbieding?'

Het is twee dagen geleden dat ik die mail van Helen kreeg; daarna heb ik niets meer gehoord.

'Maar we hebben het er niet meer over gehad.'

'Waar moeten we het over hebben? We hebben allebei geen baan meer. We hebben het geld nodig, en de verzekeringen. Ik heb het al gedaan. Ik moet zeggen dat het voelt als een opluchting.'

'Maar ik dacht...'

'Nee. Zeg maar niets meer. Ik moet dit doen.' Hij leunt naar achteren tegen het aanrecht, zijn handen in zijn zakken, en knikt naar me.

'Ik weet het. Dat is waar. Dat is geweldig, William. Gefeliciteerd. Wanneer begin je?'

William draait zich om en doet de kast open. 'Maandag. En nu het laatste nieuws. Kelly Cho is zojuist ontslagen bij KKM.'

'Ontslagen? Wat is er gebeurd?'

'Ik denk dat er een grote reorganisatie aan de gang is,' zegt William, op zoek naar bloem. 'Ik zat in de eerste ronde.'

Het is vrijdag. Vanavond geeft Nedra een etentje (voor vrienden en collega's die niet op de ceremonie zullen zijn, inclusief Bunny, Jack en Caroline), en morgen is de bruiloft.

'Wat ben je aan het maken?' vraag ik.

'Kaasrolletjes.'

'Sorry, verslapen,' zegt Caroline, de keuken inkomend.

Bunny volgt haar, gapend. 'Koffie, is er koffie?'

Caroline schenkt twee koppen koffie in en gaat fronsend met haar kladblok aan tafel zitten.

'Dit krijgen we nooit klaar.'

'Uitbesteden,' zegt William.

'Ik help wel,' zeg ik.

'Ik ook,' zegt Bunny.

Caroline en William kijken elkaar aan.

'Hoe kan ik dit vriendelijk zeggen?' zegt Caroline.

'Oké,' zeg ik. 'Onze hulp wordt duidelijk niet gewaardeerd. Bunny, zullen wij ons terugtrekken op het terras?'

'Ik vind het echt prima om iets te schillen. Ik kan bijzonder goed schillen,' zegt Bunny.

'Goed, mam, ik roep je als we de aardappels nodig hebben,' zegt Caroline.

Bunny neemt een slok van haar koffie en zucht. 'Ik zal dit missen.'

'Wat? Mijn halfdode citroenboom? Elke dag het risico lopen om getroffen te worden door een aardbeving?'

'Jou, Alice. Je gezin. William. Peter en Zoe. Elke ochtend samen koffiedrinken.'

'Moeten jullie echt gaan?'

'Caroline heeft een appartement gevonden. Ze heeft een baan. Het is tijd om naar huis te gaan. Beloof me dat we deze keer contact zullen houden.'

'Zeker weten. Ik ben voor altijd terug in je leven.'

'Fantastisch. Dat wilde ik horen, want ik stel me zo voor dat we hier nog lang niet klaar mee zijn.'

'Waarmee?'

'Ik heb je werk gelezen. Er zitten heel wat goede dingen in, Alice, maar er moet ook nog aardig aan gesleuteld worden.'

Ik knik. 'Laat me raden. Zo praten mensen niet in het dagelijks leven?'

Bunny giechelt. 'Heb ik dat echt tegen jou gezegd? O, o, wat is dat lang geleden.'

'Is het nog waar?'

'Nee. Je hebt een goed gevoel voor dialoog. Je nieuwe uitdaging is afsluiting. Over je kwetsbaarheid heen komen. Het is tenslotte autobiografisch, of niet?'

'Deels.' Ik trek een gezicht.

'Dat gaat me ook niets aan, sorry.'

'Dat hoeft niet. Ik kan wel een schop onder mijn kont gebruiken.'

'Een schop onder je kont is wel het laatste wat jij nodig hebt. Wat jij nodig hebt is iemand die je even recht in de ogen kijkt,' zegt Bunny, zich naar me omdraaiend en me bij mijn kin pakkend. 'Luister. Neem jezelf serieus. Schrijf dat stuk, hoor je me, schrijf het.'

'Dit ga je niet geloven!' zegt William een uur later.

Ik sta in mijn kledingkast in de slaapkamer om iets uit te zoeken voor vanavond. Ik bekijk de opties. Nee, nee, nee. Te sjiek, te ouderwets, te moederlijk. Misschien moet ik maar weer op mijn tijdloze Ann Taylor-pakje vertrouwen.

'Ik kreeg net een mail van Helen Davies.'

'Helen Davies?' Ik probeer verbaasd te kijken. 'Wat wil ze van je?'

'Weet je nog dat ze een oproep had geplaatst voor een Support Manager Food & Beverage?'

Ik haal mijn schouders op.

'Nou, ik had er verder niet naar gekeken omdat het om een baan in Boston ging, maar ze vraagt me nu of ik interesse heb. Ze hebben besloten de vestiging naar San Francisco te verhuizen.'

'Echt waar?'

'Ja, echt waar. Zij denkt dat ik de perfecte persoon zou zijn om dit te leiden.'

'Niet te geloven.'

'Inderdaad.'

'Wat een ongelooflijke timing.'

'Eng bijna. Het voelt als lotsbestemming. Alsof alle gebeurtenissen van twintig jaar geleden hiertoe hebben moeten leiden. Het voelt te gek, Alice. Te gek!' Hij trekt me uit de kast en walst met me door de kamer.

'Malloot,' zeg ik.

'Ik ben gelukkig,' zegt hij en hij gooit me achterover.

'Je bent een dwaas,' zeg ik. Hij trekt me weer rechtop en onze ogen vinden elkaar.

Ik verberg mijn gezicht in zijn shirt, verlegen opeens.

'Nee, niet doen. Verboden te verstoppen,' zegt hij en hij duwt me van zich af. 'Kijk me aan, Alice.'

Hij kijkt op me neer en ik denk: *wat is het lang geleden*, ik denk: *daar ben je*, ik denk: *thuis*.

'Alles komt goed. Ik moet toegeven dat ik me zorgen maakte. Ik wist het niet zeker,' zegt William, terwijl hij mijn haar achter mijn oren strijkt. 'Maar ik denk dat het goed komt.'

'Ik hoop het.'

'Niet hopen. Geloven. Als er ooit een tijd was dat je moest geloven, Alice, dan is het nu.'

Hij pakt mijn gezicht met beide handen en draait het naar hem toe. Zijn kus is teder en zacht en duurt geen seconde langer dan nodig.

'Wow, ik ben duizelig.' Ik maak me los uit zijn greep en ga op het bed zitten. 'Al dat gedraai.' En gekus. En gestaar. En aangestaard worden. Ik ben ademloos.

'Ik moet een paar mensen aannemen. Ik dacht aan Kelly Cho.'

'Kelly? Wauw. Nou, dat zou een bijzonder aardig gebaar zijn.'

William denkt hardop verder. Ik heb hem in geen maanden zo gepassioneerd gezien. Hij doet een dansje door de kamer. Hij heeft niet door dat ik mijn laptop opendoe.

Van: Alice Buckle <alicebuckle@rocketmail.com>
Onderwerp: SM Food and Beverage: William Buckle
Datum: 17 augustus, 10:10
Aan: Helen Davies <helendavies@D&DAdvertising.com>

Beste Helen,
Je bent een kei.
Dankjewel. Vanuit de grond van mijn hart, dank.
Alice

100

John Yossarian
Dobberend in een klein geel bootje.
10 minuten geleden

Lucy Pevensie
Mottenballen en bontjes.
15 minuten geleden

Zit je weer in de kast?

Ik ben bang van wel.

De tijd in Narnia is anders dan IRL.

Zo, zo, was dat een afkorting die ik daar las (IRL).

Als je terugkomt ben je maar vijf minuten weggeweest.

Een heel leven op het net.

Je man zou niet eens weten dat je bent weggeweest.

Dat hoop je dan. Ik zal je missen, Yossarian.

Wat zal je missen?

Je paranoïde gedrag, je geklaag, je bitterzoete wijsheid.

Ik zal jou ook missen, Lucy Pevensie.

Wat zal je missen?

Je toverdrankjes, je moed... je belachelijke vertrouwen in een pratende leeuw.

Geloof jij in tweede kansen?

Ja.

Ik blijf geloven dat wij door het lot bij elkaar zijn gebracht.

En door het lot uit elkaar zijn gehouden. Vergeef me mijn bemoeienis, vergeef me voor het verliefd worden, Echtgenote 22.

Geen excuses. Door jou weet ik weer dat ik een vrouw ben om verliefd op te worden.

GTG. *Land in zicht.*

GTG. Licht door de spleet in de kastdeur.

101

Ik sta op het punt Lucy Pevensies account voorgoed op te heffen, maar voor ik dat doe kijk ik nog even rond op John Yossarians prikbord. De laatste maanden waren zo intens en Onderzoeker 101 was dagelijks zo aanwezig. Ik ben klaar om afscheid te nemen, en ik weet dat het de enige juiste beslissing is, maar het voelt toch leeg. Een beetje als de laatste dag van het schoolkamp. Het doet pijn, maar ik ben klaar om mijn spullen te pakken en naar huis te gaan.

Op John Yossarians startpagina zie ik een link naar een fotoalbum met zijn profielfoto's. Opeens vraag ik me af of hij zijn geotagfunctie uit heeft gezet. Ik open het album en klik op de yetifoto. Er verschijnt een kaart van de VS met een rode speldenknop midden in de Bay Area. Nee, hij heeft de geotagfunctie niet uitgezet. Ik zoom in op de speldenknop. De foto is op de Golden Gate Bridge genomen. Ik adem verheugd in. Dit is gevaarlijk. Dit is opwindend. Een deel van me is nog nieuwsgierig, zal altijd nieuwsgierig blijven. Ondanks dat we op een bepaalde manier intiem waren, wist ik eigenlijk niets van hem. Wie is hij? Wat doet hij de hele dag?

Ik doe hetzelfde met de foto van het paard en weer staat de speld in San Francisco, maar nu in Crissy Field. Hij moet atletisch zijn. Waarschijnlijk rent en fietst hij. Misschien doet ie wel aan yoga?

Ik klik op de foto van de hond, maar nu verschijnt de speld op Mountain Road in Oakland. Wacht even. Woont hij in Oakland? Ik had aangenomen dat hij in San Francisco woonde, omdat het Netherfield Center vlak bij de universiteit is.

Ik klik op de foto van het labyrint en de speld komt weer in Oakland terecht. Maar deze keer is de foto op een paar minuten afstand van mijn huis genomen. In het Manzanitapark.

Ik klik op de foto van zijn hand, mijn hart bonst. *Stop, Alice Buckle, stop nu meteen. Je was er net uit. Je hebt net afscheid genomen.* Een plattegrond van mijn omgeving verschijnt. Ik vergroot de kaart. Hij zoomt in op mijn straat. Ik sleep het icoontje van de kleine gele man naar de speld, op zoek naar details, en er verschijnt een foto van het huis. 529 Irving Drive.
Mijn huis.

Wat? De foto is vanuit mijn huis genomen? Ik probeer deze informatie te verwerken.

Onderzoeker 101 is in mijn huis geweest? Heeft hij mij gestalkt? Is het een stalker? Maar dat kan niet. Hoe is hij binnengekomen? Er is altijd iemand thuis, met schooltijden en Caroline die parttime werkt, en Jampo die de hele buurt bij elkaar zou blaffen als er iemand binnenkwam, en William die nooit... William... Jezus.

Ik zoom in op de foto van de hand. En als de bekende details van die hand verschijnen – de grote palm, de lange, slanke vingers, het kleine sproetje op de top van de pink – keert mijn maag zich om, want... het is de hand van William.

'Alice, heb jij misschien conditioner?' Bunny staat in de deuropening met alleen een handdoek om en haar toilettas in de hand. Dan ziet ze mijn gezicht. 'Alice, grote god, wat is er gebeurd?'

Ik negeer haar en ga terug naar mijn computer. Denk, Alice, denk! Heeft Onderzoeker 101 onze familiefoto's gehackt? Ik weet niet meer wat ik moet denken. Onderzoeker 101 is een stalker, Onderzoeker 101 heeft mij gestalkt, heeft William gestalkt, William stalkt, William is een stalker, Onderzoeker 101 is een stalker. William is Onderzoeker 101. *Godverdomme.*

'Alice, je mompelt. Je maakt me bang. Is er een ongeluk gebeurd? Is er iemand dood?' vraagt ze.

Ik kijk naar Bunny. 'William is Onderzoeker 101.'

Bunny krijgt grote ogen, en dan gooit ze tot mijn verrassing haar hoofd achterover en lacht.

'Waarom lach je?'

'Omdat het natúúrlijk William is. Natuurlijk! Dit is perfect. Wat heerlijk.' Ik schud gefrustreerd mijn hoofd. 'Je bedoelt schijnheilig.'

Bunny komt de kamer in en gluurt over mijn schouder terwijl ik als een dolle door onze e-mails en chats scrol, maar deze keer kijk ik met een heel andere blik.

Ik: Ik kan het weer elke dag thuisbezorgd krijgen op mijn telefoon. Is er iets mooier dan dat?

101: Overvallen door een regenbui?

'Niet te geloven. Hoe durft hij. Pina colada?' piep ik.

'Mijn god, wat grappig,' zegt Bunny. '*I guess he was tired of his lady; they'd been together too long.*' Ze knipoogt en ik kijk vuil terug.

Ik: Wat ontzettend fijn voor je. Hij klinkt als een droom.

101: O, dat is ie ook.

'O, ja, heel leuk, wat leuk, leuk hoor, William, haha,' zeg ik.
'Herken je die hond?' vraagt Bunny.
Ik bekijk de foto van dichtbij. 'Goddomme. Dat is de hond van de buren. Mr. Big?'
'Heet de buurman Mr. Big?'
'Nee, de hond heet Mr. Big.'
'Hoe heb je dat kunnen missen?' vraagt Bunny. 'Het lijkt wel of hij wou dat je erachter kwam, Alice. Alsof hij met hints strooide.'

Ik: Ja, verander het maar. Dat komt meer in de richting van de waarheid, in tegenstelling tot jouw profielfoto.

101: Daar ben ik niet zo zeker van. De waarheid is vaak nogal troebel, als je het mij vraagt.

'De klootzak,' zeg ik.
'Hmm. Volgens mij heeft hij iets te veel Eckhart Tolle gelezen,' zegt Bunny.

Ik: Als we elkaar hadden ontmoet? Als jij wel gekomen was? Wat denk jij dan dat er gebeurd zou zijn?

101: Ik denk dat je teleurgesteld zou zijn geweest.

Ik: Waarom? Wat vertel je me niet? Heb je schurft? Weeg je driehonderd kilo? Ben je kaal met drie haren?

101: Laten we het erop houden dat ik niet ben wat jij ervan verwacht.

Ik kreun. 'Hij heeft de hele tijd spelletjes met me gespeeld!'
'De een zijn spel is de ander zijn wens om ontdekt te worden. Misschien

was je gewoon wat langzaam van begrip, Alice. Trouwens, ik heb hem nog niet op een leugen kunnen betrappen.'

'Wat? *Alles* was een leugen. Onderzoeker 101 was een leugen. Hij bestaat niet!'

'O, maar hij bestaat wel. William had hem nooit kunnen verzinnen als hij niet op een of andere manier in hem zat. Of iemand was die hij wilde zijn.'

'Nee. Hij heeft me bespeeld. Hij heeft gewoon alles gezegd wat ik wilde horen.'

'Dat geloof ik niet,' zegt Bunny lachend.

'Wat is er met jou, Bunny? Waarom vind je dit zo geweldig?'

'Waarom vind jij het niet geweldig? Snap je het dan niet, Alice? Nu kun je doorgaan met Onderzoeker 101 en met William. Voor altijd. Omdat ze een en dezelfde zijn!'

'Maar ik schaam me dood!'

'Daar komt die schaamte weer. Je hoeft je nergens voor te schamen.'

'Natuurlijk wel. Ik heb dingen gezegd. Dingen die ik anders nooit gezegd zou hebben. Dingen die hij niet mocht weten. Antwoorden die hij mij ontfutseld heeft.'

'En als hij je die dingen recht in je gezicht gevraagd had?'

'Dat zou William nooit doen.'

'Waarom niet?'

'Het interesseert hem niet. Het interesseert hem al jaren niet.'

Bunny maakt de handdoek steviger vast onder haar armen. 'Nou, ik kan alleen maar zeggen dat hij voor een man die niet geïnteresseerd is in de behoeftes, wensen en overtuigingen van zijn vrouw, behoorlijk veel moeite heeft gedaan daarachter te komen. En nu heb ik nog één vraag voor je.' Ze gebaart naar het Ann Taylor-pakje dat op bed ligt. 'Je was toch niet van plan dat vanavond aan te trekken, hè?'

'Er is iets gekomen van je vader,' zegt William, de badkamer inkomend. 'Ik heb ervoor getekend.'

Ik ben een uur boven gebleven, stomend, en William vermijdend, in een poging een goed humeur voor vanavond te kunnen forceren. Maar zijn aanblik maakt me onmiddellijk weer woedend.

'Wat ben je mooi,' zegt hij en hij geeft me een envelop.

'Ik ben niet mooi,' bijt ik.

'Ik ben altijd gek geweest op dit pak.'

'Nou, dan ben je wel de enige.'

'Jezus, Alice. Wat is er? Ben je boos op me?'

'Waarom zou ik boos op jou zijn? Is daar een reden voor?'

Mijn telefoon piept. Het is een bericht van Nedra. *Hoop dat je toespraak af hebt! Oefenen, oefenen, oefenen. Veel zin in vanavond. xxx hvj*

'Stomme toespraak,' zeg ik. 'Dat is wel het laatste waar ik zin in heb.'

'O, daarom ben je zo opgefokt. Zenuwen,' zegt William. 'Je doet het vast geweldig.'

'Nee, ik doe het niet geweldig. Ik kan het niet. Ik kan het gewoon niet. Ik kan hier toch niet alles doen. Doe jij die toespraak maar!' gil ik.

'Meen je dat?'

'Ja, dat meen ik. Jij moet het maar doen. Ik doe het niet.'

William kijkt me verbijsterd aan. 'Maar dat kun je Nedra toch niet aandoen? Jij bent haar eerste bruidsmeisje.'

'Het maakt niets uit wie de toespraak doet. Jij. Ik. Het moet gewoon iemand uit deze familie zijn. Laat Peter het maar doen. Hij kan dit soort dingen.'

'Alice, ik begrijp er niets van.'

'Nee, dat klopt. Je hebt er ook nooit iets van begrepen.'

William krimpt in elkaar alsof ik hem geslagen heb.

'Ik bedenk wel iets,' zegt hij zacht. 'Laat maar weten als je klaar bent, ik moet ook nog even douchen.'

Als William weg is, weet ik niet wat ik met mezelf aan moet, dus ik begin met het openen van de envelop. Er zitten twee dingen in: een kaart van mijn vader en een oude zakdoek, netjes opgevouwen tot een vierkantje. De zakdoek was van mijn moeder. Er zijn drie viooltjes in geborduurd en mijn moeders initialen. Ik druk de zakdoek tegen mijn neus. Hij ruikt nog naar haar Jean Naté-douchecrème. Ik pak het kaartje.

Sommige dingen die we verliezen komen bij ons terug. Niet vaak, kan deze oude man vertellen, maar soms wel. Dit vond ik bij de lommerd in Brockton. De eigenaar zei dat het al meer dan twintig jaar in het doosje zat, maar dat zal jou niets verbazen. Ik weet dat je fouten hebt gemaakt en dat er dingen zijn die je het liefst terug zou kunnen draaien. Ik weet dat je je alleen voelt en niet goed weet wat je moet doen. Ik hoop dat dit je zal helpen alles op een rijtje te krijgen. Ik hou van je, lieve schat.

Ik vouw voorzichtig de zakdoek open en daar, comfortabel in het witte katoen, ligt mijn verlovingsring: de ring die ik uit het autoraam gooide toen William en ik ruziemaakten over het wel of niet uitnodigen van Helen voor de bruiloft. Iemand moet hem gevonden hebben en naar de lommerd hebben gebracht. De stenen zijn zwart geworden en moeten nodig gepoetst worden, maar het zijn onmiskenbaar de kleine diamant met aan weerszijden de nog kleinere smaragdjes van de ring die mijn opa al die jaren geleden aan mijn oma gaf, de ring die ik zo achteloos uit het raam gooide.

Ik probeer de woorden die in de binnenkant van de ring staan te ontcijferen, maar de letters zijn te klein. Ik durf niet te bedenken wat dit allemaal losmaakt bij me. Als ik dat wel doe sla ik door. Over een uur moeten we naar het etentje. Ik laat de ring in mijn zak glijden en ga naar beneden.

Het etentje is in het nieuwe hippe restaurant Boca.

'Is dat Donna Summer?' vraagt William als we binnenkomen.

'Volgens Jude heeft Nedra een deejay gehuurd,' zegt Zoe. 'Ik hoop dat we niet de hele avond naar jarenzeventigmuziek hoeven te luisteren.'

'Dit vind ik zo'n lekker nummer,' zegt Jack tegen Bunny. '*I sense your dance card will be full tonight, Bad Girl.*'

'Heb je je kinderaspirine ingenomen?' vraagt Bunny.

'Drie,' zegt Jack. 'Voor de zekerheid.'

'Welke zekerheid?' vraagt Bunny.

'Je weet maar nooit,' zegt hij en hij kust haar op de mond.

'Jullie zijn schattig,' zegt Zoe.

'Als je moeder en ik dat doen, vind je ons verre van schattig,' zegt William.

'Dat is omdat openbare affectie van je dertigste tot je zestigste gewoon onsmakelijk is,' zegt Zoe. 'En na je zestigste is het weer schattig. Jullie zijn toch ouder dan zestig?' fluistert Zoe tegen Jack.

'Net aan,' zegt Jack, met zijn duim en wijsvinger aangevend hoe weinig.

'Daar is Nedra,' zegt William. 'Bij de bar.' Hij fluit laag.

Nedra draagt een mosgroene zijden jurk met een laag decolleté. Ze draagt zelden laag uitgesneden tops, dat vindt ze ordinair, maar voor vanavond heeft ze een uitzondering gemaakt. Ze is oogverblindend.

'Dan moeten we het maar even zeggen,' zegt William. 'Doe jij het of zal ik?'

'Wat zeggen?' zegt Peter.

Ik zucht. 'Dat je vader de toost uitbrengt in plaats van ik.'

'Maar jij bent haar bruidsmeisje, jij moet het doen,' zegt Zoe.

'Je moeder voelt zich niet zo lekker,' zegt William. 'Ik val voor haar in.'

'Aha,' zegt Zoe, wier gezicht boekdelen spreekt: haar moeder loopt weg... alweer. Ik zou het gewoon moeten doen, dit is toch geen voorbeeld voor mijn dochter? Maar ik doe het niet. Niet vanavond.

'Lieverd! Neem een Soirée,' roept Nedra als ze me ziet aankomen. Ze houdt een martiniglas omhoog met een helder drankje. Kleine paarse bloemetjes drijven in het glas.

'Lavendel, gin, honing en citroen,' zegt ze. 'Probeer maar.'

Ik roep de barman. 'Chardonnay, alstublieft,' zeg ik.

'Jij bent zo voorspelbaar,' zegt Nedra. 'Dat is een van de redenen dat ik zo van je hou.'

'Ja, nou, ik voorspel dat je mijn voorspelbaarheid nu even niet gaat waarderen.'

Nedra zet haar martiniglas neer. 'Je gaat niet mijn avond verpesten, Alice Buckle. Als je het maar uit je hoofd laat.'

Ik zucht. 'Ik voel me verschrikkelijk.'

'Daar gaan we. In welk opzicht verschrikkelijk?'

'Ziek.'

'Hoe ziek?'

'Hoofdpijn. Buikpijn. Duizelig.'

De barman geeft me mijn wijn. Ik neem een grote slok.

'Dat zijn de zenuwen,' zegt Nedra.

'Volgens mij heb ik een paniekaanval.'

'Je hebt geen paniekaanval. Niet zo dramatisch doen, hoor, zeg gewoon wat je te zeggen hebt.'

'Ik kan de toost niet doen. Maar geen nood, William zal het voor mij doen.' Nedra schudt haar hoofd. 'Wat een vreselijk pak.'

'Ik wilde niet mooier zijn dan de bruid. Maar ik heb me voor niks zorgen gemaakt. Kijk nou...' zeg ik zwaaiend naar haar borsten. 'Wauw.'

'Ik vraag je één ding, Alice. Iets wat de meeste vrouwen te gek zouden vinden. Of je mijn bruidsmeisje wilt zijn.'

'Ik heb een reden. Ik stort bijna in. Ik weet even niet waar ik het moet zoeken. Er is iets gebeurd,' huil ik.

'Echt, Alice?' Ze kijkt me argwanend aan.

'Ik heb vandaag slecht nieuws gehad. Afschuwelijk, vreselijk, slecht nieuws.'

Nedra's uitdrukking verzacht. 'Jezus, waarom zei je dat niet meteen? Wat is er gebeurd? Je vader?'

'Onderzoeker 101 is William!'

Nedra nipt van haar Soiree. Ze neemt nog een slokje.

'Heb je me gehoord?'

'Ik heb je gehoord, Alice.'

'En?'

'Moet je soms ongesteld worden?'

'Ik heb bewijs! Kijk. Dit is een profielfoto van Onderzoeker 101.' Ik pak mijn telefoon, ga naar Facebook, klik op zijn fotoalbum en dan op de foto van zijn hand. 'Ten eerste is het gegeotagd.'

'Hmm,' zegt Nedra meekijkend over mijn schouder. Ik sleep het gele mannetje naar de rode speldenknop en als de foto van ons huis verschijnt, slaat ze een hand voor haar mond. 'Wacht, er is meer.' Ik zoom in op de foto. 'Het is zíjn hand. Hij had elke willekeurige hand kunnen gebruiken. Er staan genoeg handen op internet. Clipart heeft zelfs handen. Hij heeft zijn eigen hand gebruikt.'

'Wat een gore klootzak,' grijnst Nedra.

'Ja!'

'Ongelooflijk, toch?'

'Wat je zegt!'

Ze schudt haar hoofd. 'Wie had gedacht dat hij dat in zich had? Het is bijna het meest romantische verhaal dat ik ken.'

'O god, nee, jij ook al?'

'Wat bedoel je, ik ook al?'

'Bunny reageerde al net zo.'

'Nou, misschien moet je daar je conclusies uit trekken?'

Ik voel aan de verlovingsring in mijn zak. 'O, Nedra, ik weet niet meer wat ik voel. Ik ben totaal in de war. Kijk.' Ik laat haar de ring zien. 'Deze is vandaag gekomen met de post.'

'Wat is het?'

'Mijn verlovingsring.'

'Degene die je honderd jaar geleden uit het raam had gegooid?'

'Mijn vader heeft hem gevonden bij de lommerd. Iemand moet hem daarheen gebracht hebben.' Ik houd de ring omhoog en knijp met mijn ogen. 'Er staat iets ingegraveerd, maar ik kan het niet lezen.'

'Je weigering om de aftakeling van je ogen te accepteren wordt problematisch, Alice,' zegt Nedra. 'Laat eens kijken.'

Ik geef haar de ring.

'*Her heart did whisper that he had done it for her,*' leest ze. 'O, mijn god.'

'Dat staat er niet.'

'Dat staat er wel.'

'Dat verzin je.'

'Echt niet. Het klinkt bekend. Geef me je telefoon.'

Ze typt het citaat in bij Google Search. 'Het is Jane Austen. *Pride and Prejudice,*' jubelt ze.

'Nou, wat een onzin,' zeg ik.

'Complete onzin. Belachelijke onzin. Je moet het hem vergeven. Het is een teken.'

'Ik geloof niet in tekens.'

'O ja, dat is waar ook. Dat doen alleen romantici.'

'Watjes,' zeg ik. 'Softies.'

'Blijf jij maar lekker geloven dat jij daar niet bij hoort, liefje.'

'Wat hebben jullie te fluisteren?' vraagt Kate, die achter Nedra verschijnt. Kate draagt een gele jurk die Nedra ongetwijfeld voor haar uitgezocht heeft. Samen zijn ze een zonnebloem: Kate de bloem, Nedra het groen.

'Mijn god, wat ben je mooi,' zegt Nedra, een hand uitstekend en haar wang strelend. 'Toch, Alice? Het is net een Ierse Salma Hayek.'

'Oké. Dat zal dan wel een compliment zijn. Luister, volgens mij gaan we bijna aan tafel,' zegt Kate. 'Over een kwartiertje? Alice, wanneer wil jij je toost uitspreken? Voor het eten? Of daarna?'

'Ze gaat de toost niet doen,' zegt Nedra.

'Niet?'

'William doet het in haar plaats.'

Kate trekt haar wenkbrauwen op.

'Sorry. Het spijt me echt, maar ik kan het vanavond echt niet opbrengen. Maar William zal jullie verbazen. Hij is waanzinnig goed in dit soort dingen. Veel beter dan ik. Ik kan helemaal niet spreken in het openbaar. Ik ga zweten, en mijn benen...'

'Genoeg, Alice,' zegt Nedra. 'Kom schat, laten we ons nog even mengen in het gezelschap,' zegt ze tegen Kate.

Ik pak mijn chardonnay en ga aan een leeg tafeltje achterin zitten. Ik zie Zoe en Jude in een hoek, hand in hand, starend in elkaars ogen. Peter staat op de dansvloer, waar hij de robot doet, alleen, en intens tevreden, althans zo lijkt het. Jack, Bunny en Caroline zitten aan een tafel. En William zit aan de bar, zijn rug naar me toe. Ik pak mijn telefoon. John Yossarian is nog online. William is vergeten uit te loggen.

Ik ben van gedachten veranderd. Ik wil je ontmoeten, Onderzoeker 101.

Eh, ik kan nu niet chatten. Sorry, ik zit ergens middenin.

Wanneer kunnen we afspreken?

Ik dacht dat je door de kast was gekropen. Terug naar je echte leven?

Het echte leven is ook niet alles wat ze ervan zeggen.

Ik snap het niet. Wat is er gebeurd?

Wanneer kunnen we afspreken?

Ik kan niet met je afspreken, Echtgenote 22.

Waarom niet?

Omdat ik met mijn vrouw ben.

Die kan toch niet tegen mij op.

Jij kent haar niet.

Ze is een watje.

Dat is niet waar.

Jij bent een watje.

Mogelijk.

Zeg eens eerlijk (dat is wel het minste wat je kunt doen), ben je gelukkig in je huwelijk?

Ik kijk hoe William zijn telefoon neerlegt, dan weer oppakt, dan weer neerlegt en een grote slok van zijn drankje neemt. Uiteindelijk pakt hij zijn telefoon weer op en begint te typen.

Je hebt gelijk. Oké. Nou, als je dit een paar maanden geleden aan mij gevraagd had, had ik nee gezegd. Zij was ongelukkig en ik ook. Ik schrok van hoe ver we uit elkaar gegroeid waren en hoe afstandelijk we geworden waren. Ik wist niet meer wie ze was, wat ze wilde of waar ze van droomde. En ik had er al zo lang niet naar gevraagd dat ik niet wist of ik dat gesprek nog aankon, in elk geval niet terwijl ik haar in de ogen keek. Dus deed ik iets waar ik niet trots op ben. Ik deed iets achter haar rug om. Ik dacht dat ik haar niets zou hoeven vertellen, maar ik denk dat het tijd geworden is alles op te biechten.

Weet je nog dat je zei dat het huwelijk voor jou een soort Catch-22 was? Dat de dingen waar je eerst voor gevallen was bij je echtgenoot, nu de dingen zijn waar je je het meest aan ergert? Ik ben bang dat ik in eenzelfde Catch-22-situatie zit. Ik deed iets uit liefde, om mijn huwelijk te redden, maar dat kan net zo goed hetgeen zijn wat mijn huwelijk de das omdoet. Ik ken mijn vrouw. Ze zal razend zijn als ze hoort wat ik gedaan heb.

Waarom dan alles opbiechten?

Omdat het tijd wordt dat ik doe waar ik in geloof.

'Hallo allemaal, sorry, hallo,' zegt Nedra. Ze staat voor in de zaal met een draadloze microfoon in haar handen. 'Zou iedereen alsjeblieft willen gaan zitten?'

Ik zie William van zijn barkruk afglijden met zijn telefoon in de hand. Hij ziet mij en wenkt me, wijzend naar de tafel waar Jack, Bunny en Caroline zitten. Ongelooflijk. Hij lijkt absoluut onaangedaan.

Als ik bij de tafel kom, trekt hij een stoel voor me naar achteren. 'Hoe ging het met Nedra?'

'Prima.'

'Vindt ze het goed dat ik wat zeg?'

Ik haal mijn schouders op.

'Vind jíj het goed dat ik wat zeg?'

'Ik moet naar de wc.'

Op de wc doe ik koud water op mijn gezicht en leun tegen de wasbak. Ik zie er verschrikkelijk uit. Onder het fluorescerende licht lijkt mijn pak wel roze, bijna als in een tekenfilm. Ik haal een paar keer diep adem. Ik heb geen haast om weer aan die tafel te gaan zitten. Ik ga naar Facebook.

Mijn hart is gebroken.

Waarom is je hart gebroken, Echtgenote 22?

Door jou.

Dat is niet helemaal waar. We hebben allebei meegedaan.

Ik was kwetsbaar. Ik was eenzaam. Ik was behoeftig. Jij sprong in het gat.

Ik was ook kwetsbaar, eenzaam en behoeftig, heb je daar weleens aan gedacht?

Hé, dit gaat nergens heen. Ik denk dat we beter kunnen stoppen met chatten.

Waarom beslis jij dat in je eentje? En mij laat je hier alleen achter.

Het kleine groene bolletje naast zijn naam wordt ineens een halve maan. Hij is weg.

Ik ben laaiend. Hoe durft hij zomaar uit te loggen! Ik loop de wc uit en bots bijna tegen een ober op. 'Kan ik iets voor u halen?' vraagt hij.

Ik kijk de zaal in en zie Nedra naar onze tafel komen. Ze geeft de microfoon aan een tamelijk onrustige William, kust hem op de wang en gaat terug naar haar tafel, waar ze haar stoel zo dicht mogelijk tegen die van Kate aan schuift.

William staat op en schraapt zijn keel. 'Er is mij gevraagd of ik iets wilde zeggen.'

'Ik hoef niets, maar zie je die man met die microfoon? Dat is mijn echtgenoot. Hij wil graag een pina colada,' fluister ik tegen de ober.

'Natuurlijk. Ik breng hem er een als hij klaar is met spreken.'

'Nee, hij moet nu iets krijgen. Hij is uitgedroogd. Zo'n dorst. Kijk hoe hij blijft slikken en naar adem happen? Hij heeft een drankje nodig om dit voor elkaar te krijgen. Hoe snel kun je zijn?'

'Let maar eens op,' zegt de ober, zich naar de bar haastend.

'Ik ken Nedra en Kate al... wat zal het zijn... dertien jaar,' zegt William. 'De eerste keer dat ik Nedra...'

Ik hoor de mixer loeien. Ik zie hoe de barman het drankje in een glas schenkt. Ik kijk hoe hij het drankje versiert met een stukje ananas en een kers.

'En toen wist ik het,' zegt William. 'We wisten het allemaal.'

De ober loopt door de zaal met Williams drankje.

'Ken je dat gevoel dat je het gewoon weet? Dat twee mensen voor elkaar gemaakt zijn?'

De ober begint langs de tafels te manoeuvreren.

'En Kate... Kate... O, Kate. Wat kan ik zeggen over Kate,' ratelt William.

De ober is afgeleid door een stel dat iets te drinken vraagt. Hij noteert hun bestelling en vervolgt zijn weg.

'Ik bedoel, kom op. Kijk nou naar dit stel. De bruid en de... nou ja... bruid.'

De ober arriveert bij Williams tafel en zet het drankje voor hem neer. William kijkt naar het drankje, verward. 'Wat is dit? Ik heb dit niet besteld,' fluistert hij, maar iedereen kan het horen omdat hij de microfoon vastheeft.

'Dat is pina colada, meneer. U hebt een droge keel,' zegt de ober.

'Iemand anders heeft dit besteld.'

'Nee, het is voor u, meneer,' houdt de ober vol.

'Ik zeg toch dat ik dit niet besteld heb.'

'Uw vrouw heeft het besteld,' fluistert de ober met een vinger naar mij.

William kijkt naar mij aan de andere kant van de zaal en ik zwaai even. Duizend uitdrukkingen wisselen elkaar af op zijn gezicht. Ik probeer ze te herkennen: verbazing, kwetsbaarheid, geschoktheid, schaamte, woede, en dan iets anders, iets waar ik niet op voorbereid was. Opluchting.

Hij knikt. Hij knikt weer, en neemt dan een slok van de pina colada. 'Dat is lekker. Meer dan lekker,' zegt hij in de microfoon en hij morst vervolgens de rest van het drankje over zijn shirt. Bunny en Caroline springen op met hun servetten en beginnen Williams shirt droog te deppen.

'Spa rood, alsjeblieft!' roept Bunny. 'Snel, voordat de vlek intrekt.'

Ik schiet naar het halletje waar de wc's zijn. Dertig seconden later vindt William me.

'Weet je het?' fluistert hij terwijl hij me tegen de deur drukt.

Ik staar naar zijn natte, vieze shirt. 'Wat denk jij dan?'

Hij beweegt zijn kaak heen en weer. 'Het echte leven is niet alles wat ze ervan zeggen?'

'Jij speelde met me. Maandenlang. Waarom zou ik niet met jou spelen? Heel even.'

Hij haalt diep adem. 'William heeft een slecht jaar achter de rug. William is geen uitvluchten aan het zoeken. William had zijn vrouw over zijn slechte jaar moeten vertellen.'

'Waarom praat je over jezelf in de derde persoon?'

'Ik probeer jouw taal te spreken. Je te facebooken. *Face-to-face*, zeg maar. Zeg iets.'

'Geef me je telefoon.'

'Waarom?'

'Wil je niet weten hoe ik erachter ben gekomen?'

William geeft me zijn telefoon.

'Elke keer als je een foto neemt, worden je lengte- en breedtegraad getagd. Je laatste profielfoto, die van je hand, was bij ons thuis genomen. Je hebt een spoor achtergelaten dat mij naar jou leidde.'

Ik zet de locatiezoeker op de camera van zijn telefoon uit. 'Zo. Nu kan niemand je meer vinden.'

'Wat als ik gevonden wil worden?'

'In dat geval moet je op zoek naar professionele hulp.'

'Hoe lang weet je het al?'

'Sinds vanmiddag.'

William gaat met een hand door zijn haar. 'Jezus, Alice. Waarom zei je niets? Weet Bunny het?'

Ik knik.

'Nedra ook?'

'Ja.'

Hij grijnst bitter.

'Rustig maar. Ze aanbidden je. Ze hadden nog nooit zoiets romantisch gehoord.'

'En jij?'

'Waarom, William? Waarom heb je het gedaan?'

Hij zucht. 'Omdat ik je Google-zoekgeschiedenis had gezien. Die avond van de FiG-campagne? Je had je geschiedenis niet gewist. Ik zag alles. Van "Alice Buckle" tot "Gelukkig huwelijk". Jij voelde je ellendig. Ik maakte je ellendig. Ik maakte die stomme opmerking over jouw beperkte leven. Ik moest iets doen.'

'En Netherfield Center? Is dat bedacht? En die link met de universiteit?'

'Ik wist dat je niet mee zou doen aan een onderzoek zonder referenties. Een website maken was niet moeilijk. Moeilijk werd het toen het een eigen leven ging leiden. Ik wilde het vertellen. Die avond dat we elkaar zouden ontmoeten in Thee & Toebehoren? Toen kwamen Bunny en Jack. Ik was echt van plan om te komen. Ik smeekte nog of je thuis wilde blijven, weet je nog? Ik had nooit verwacht dat het zo zou gaan.'

'Maar waarom zo stiekem? Je had me deze vragen toch ook gewoon kunnen stellen? Je hebt het niet eens geprobeerd.'

'Hoe bedoel je? Ik stalkte je. Ik nodigde je uit. Ik maakte een Facebookaccount. Ik pingde je, porde je, en noemde je. Ik heb die verdomde *Kronieken van Narnia* gelezen en *Catch-22*.'

'Is deze aan? Doet hij het?' We horen Nedra de microfoon testen. 'William? Ben je daar? Het is vreselijk onbeleefd om je toost niet af te maken. Om de gasten te laten zitten. In Engeland in elk geval wel.'

'Jezus, nee,' kreunt William, die roder is dan ik hem ooit gezien heb. 'Red mij.'

'Goed,' zeg ik. 'Ik doe die stomme toost wel.'

Terwijl ik door de zaal loop, probeer ik in mijn hoofd orde op zaken te stellen. Ik moet iets over liefde zeggen, natuurlijk. Iets over het huwelijk. Iets grappigs. Iets liefs. Maar mijn hoofd zit vol gedachten over William. Wat hij allemaal gedaan heeft om mij te bereiken.

Als ik bij de tafel kom, geeft Zoe me de microfoon. 'Toe maar, mam,' fluistert ze.

Ik breng de microfoon langzaam naar mijn mond. 'Weet je hoe je het weet, weet je?' stotter ik.

Dat zei ik niet. Mijn knieën knikken. Ik kijk nerveus naar de mensen en grijp mijn keel.

'Hoofd omhoog,' zegt Bunny bijna geluidloos.

'Als alles goed is.'

'Zo praten mensen niet in het dagelijks leven,' fluistert Bunny.

'Mensen die van elkaar houden zijn onafscheidelijk.'

'Uit het hart, Alice, uit het hart,' moedigt ze me aan.

'Sorry, wacht even.' Ik zoek William, maar zie hem nergens. 'Ik probeer het nog een keer. Nedra. Kate. Mijn liefste, allerliefste vrienden.' Er gaat een geroezemoes op uit de aanwezigen. Ik kijk de zaal in.

'Mijn god, kijk eens naar al die telefoons. Zien jullie dat er op elke tafel telefoons liggen? Is er iemand hier die geen apparaatje heeft? Vingers graag? Nee, dat dacht ik al. Weet je dat het gek is, onbegrijpelijk. We leven in een wereld van contact. Het is zo makkelijk om verslaafd te raken aan de bereikbaarheid van alles en iedereen, in minder dan een seconde, maar ik weet niet of dat wel zo goed is.'

Ik ben even stil, neem een slok water, en aarzel, in de hoop dat ik het licht zal zien. Waar is William toch?

'Iemand zei me eens dat wachten een uitstervend talent was. Hij maakte zich zorgen dat we snelheid en constante toegang hadden gekregen in ruil voor de diepere geneugten van weggaan en terugkomen. Ik wist niet of ik het met hem eens was. Wie wil er nu niet wat hij wil en wanneer hij dat wil? Dat is de wereld waarin we leven. Dat ontkennen zou belachelijk zijn. Maar ik begin te geloven dat hij gelijk had. Nedra en Kate, jullie zijn het lichtende voorbeeld van wat wachten op kan leveren. Jullie samenzijn inspireert me. Het maakt dat ik wou dat ik beter was. Jullie hebben een van de sterkste, stevigste, liefhebbendste, en tederste relaties die ik ken, en het is een eer om morgen getuige te mogen zijn van jullie huwelijk.'

Ik probeer onopvallend mijn zweethanden af te vegen aan mijn rok.

'En nu is het de bedoeling dat ik jullie advies geef, toch? Wijze raad van iemand die al twee decennia getrouwd is. Ik weet niet welke wijsheid ik te bieden heb, maar dit kan ik wel zeggen: het huwelijk is niet neutraal. Soms denken we dat wel, maar geloof mij als ik zeg dat je verstoppen in de ziekenboeg en wachten tot de oorlog voorbij is geen manier van leven is.'

Ik kijk naar de niet-begrijpende blikken van de mensen voor mij. O-o.

'Wat ik probeer te zeggen is dat je geen Zweden als huwelijk moet willen. Of een Costa Rica-huwelijk. Niet dat Zweden en Costa Rica niet leuk zijn; het zijn heel leuke plekken om te wonen en te bezoeken en ik bewonder hun neutraliteit, politiek gezien dan. Maar ik raad jullie aan om de moed te hebben om een strijdlustig land te zijn aan de vooravond van een revolutie waarin jullie beiden een ander dialect spreken waardoor jullie elkaar soms nauwelijks verstaan, maar dat is helemaal niet erg, omdat, eh, omdat jullie beiden vechten. Vechten voor elkaar.'

Mensen beginnen te fluisteren. Een paar vrouwen staan op en gaan naar de bar. Ik raak ze kwijt. Wat dacht ik eigenlijk? Ik ben de laatste persoon in de wereld die geschikt is om advies te geven over het huwelijk. Ik doe maar wat, ik kan beter gaan zitten, ik kan beter mijn mond houden, en net als ik op het punt sta de zaal uit te vluchten, piept mijn telefoon. Ik negeer het. Hij piept weer.

'Wat erg, het spijt me. Misschien is het een noodgeval. Mijn vader... snap je. Ik kijk heel even.'

Ik leg de microfoon neer en pak mijn telefoon. Ik heb een bericht van John Yossarian.

18. Wat deed je vroeger altijd wat je nu niet meer doet?

Ik kijk op en in de hoek van de kamer staat William naar me te lachen. *Jij klootzak,* denk ik. *Jij lieve, heerlijke klootzak.*

Ik pak de microfoon weer op. 'Luister, ik wil alleen maar zeggen... ik wil alleen maar zeggen: ren, duik, zet een tent op. Bel urenlang met je beste vriendin.'

Nedra staat even op en doet een Queen Elizabeth-zwaaitje. Gelach klinkt uit de zaal.

'Draag bikini's.'

Luid gekreun van de vrouwen die de veertig gepasseerd zijn.

'Drink tequila.'

Gejuich uit de groep van onder de veertig.

'Word 's ochtends zonder bijzondere reden blij wakker.'

Mensen glimlachen. Gezichten staan vriendelijk. Ogen glinsteren.

'Je hebt ze, Alice,' fluistert Bunny. 'Langzaam binnenhalen nu.'

Ik haal diep adem. 'Ga in het gras liggen, droom van de toekomst, van je imperfecte leven, je imperfecte huwelijk en je imperfecte enige echte lief-de. Want wat is er verder nog?' Ik kijk William in de ogen. 'Er is niets anders. Niets anders telt. Op de liefde.' Ik hef mijn glas. 'Op Nedra en Kate.'

'Op Nedra en Kate,' kaatst de zaal terug.

Ik zak in mijn stoel, uitgeput.

'Mam, je was geweldig,' zegt Peter.

'Ik wist niet dat jij dat zo uit je mouw kon schudden,' zegt Zoe.

Nedra blaast een kus naar me toe vanaf de andere kant van de zaal, tranen in haar ogen.

'Waar is pap?' vraagt Zoe.

'Daar,' zegt Peter wijzend. Hij staat tegen de muur geleund naar ons te kijken, zijn telefoon in de hand.

Ik pak mijn telefoon en typ snel.

Lucy Pevensie heeft John Yossarian uitgenodigd voor het evenement 'Huwelijksaanzoek'

Een tel later krijg ik een bericht.

John Yossarian heeft Ja geantwoord.

'Zo terug,' zeg ik.

Ik sta bij de deur van de wc en William doet een stap naar voren, in het gedimde licht van de gang.

'Wacht. Voordat je iets zegt, wil ik sorry zeggen,' zeg ik.

'Wil jij sorry zeggen? Waarvoor?'

'Ik heb het je niet makkelijk gemaakt. Ik was moeilijk te vinden.'

'Ja, je was moeilijk te vinden, Alice. Maar ik had je lang geleden al eens beloofd dat het niet uitmaakte hoe ver je zou gaan, hoe ver je zou afdwalen, ik zou achter je aan komen, ik zou je vinden, en ik zou je naar huis brengen.'

'Nou, hier ben ik dan. In goede en in slechte tijden. En ik neem aan dat dit slechte tijden zijn.'

'Nee, ik dacht meer dat we moesten stoppen met afspreken bij de wc's,' zegt hij, dichterbij komend.

Ik haal de verlovingsring uit mijn zak. Ik zwaai ermee voor mijn gezicht en hij verstilt.

'Is dat...?'

'Ja.'

'Wat? Hoe?'

'Dat maakt niet uit.'

'Natuurlijk maakt dat uit.'

'Nee, hoor. Wat uitmaakt is dit,' zeg ik en ik laat de ring om mijn vinger glijden.

William haalt scherp adem. 'Deed jij nu net wat ik dacht dat je deed?'

'Geen idee. Wat denk jij dat ik deed?'

'Mij overbodig maken.'

'Och heden! Het is de eenentwintigste eeuw hoor, niet de negentiende. Vrouwen zijn heel goed in staat hun eigen verlovingsring om hun vinger te schuiven. En nu wil ik iets weten en ik wil dat je eerlijk antwoord geeft. En ik stel ook voor dat je niet te lang nadenkt over het antwoord. Als je het allemaal nog eens zou moeten doen, zou je dan weer met mij trouwen?'

'Is dat een aanzoek?'

'Geef antwoord.'

'Nou, dat hangt ervan af. Is er een bruidsschat? Geef hier die ring, Alice.'

'Waarom?'

'Geef nou maar.'

'Ik krijg nog duizend dollar van je voor het meedoen aan het onderzoek. Denk maar niet dat ik dat vergeten ben,' zeg ik terwijl ik de ring afdoe en aan hem geef.

Hij kijkt naar de inscriptie en zijn mondhoeken krullen langzaam op.

'Lees het eens hardop,' zeg ik.

Hij kijkt me aan met zijn markante donkere, broeierige blik. *'Her heart did whisper that he had done it for her.'*

Ik had geen moeder tijdens negenentwintig kerstmissen, paasvieringen en verjaardagen. Geen moeder toen ik afstudeerde. Geen moeder op de eerste rij toen mijn stuk in première ging. Geen moeder op mijn bruiloft of toen de kinderen werden geboren. Maar vandaag heb ik een moeder. Hier is ze, en ze praat tegen me alsof er geen tijd verstreken is, met de antwoorden op alles wat ik moet weten.

'Mijn vader heeft hem gevonden bij een lommerd in Brockton. Daar heeft hij twintig jaar gelegen. Nedra zei dat het een teken was.'

'Als je in tekens gelooft,' zegt hij.

'Dat doe ik.'

'Sinds wanneer?'

'Sinds... altijd.'

William reikt naar mijn hand.

'Niet zo snel. Ik ben een getrouwde vrouw.'

'En ik een getrouwde man.'

'Je hebt mijn vraag nooit beantwoord.'

'Ja, Alice Buckle,' zegt hij, de ring om mijn vinger schuivend.

'Je bent gekomen,' fluister ik.

'Stil, jij vuist vol pinda's,' zegt hij terwijl hij me in zijn armen trekt.

EPILOOG

30 april

GOOGLE SEARCH "Gelukkig gezin"
Ongeveer 114.000.000 resultaten (0,16 seconden)

15 geheimen van een gelukkig gezin
Deskundigen geven enkele geheimen voor een goed gezinsleven prijs. Ook jij kunt het huiselijke geluk ervaren dat voorheen slechts weggelegd leek voor televisie...

Gelukkig gezin
Nadat ik me realiseerde dat klusschema's niet bij te houden waren en bovendien niet gericht waren op het gedrag dat ik wilde veranderen...

Het gelukkige gezin... Hans Christian Andersen
Het gelukkige gezin door Hans Christian Andersen (1848). Vertaald uit het Deens. 'Het grootste groene blad in het land is...'

GOOGLE SEARCH "Peter Buckle"
Ongeveer 17 resultaten (0,23 seconden)

Peter Buckle
... voorzitter van de 'Oakland School for the Arts' Creepy Thriller and Romantic Comedy Club'. Vanavond in zaal 1 en 2 (...) *Annie Hall & The Exorcist*!

Peter Buckle... YouTube
Leadzanger Peter Buckle van *The Vegans* (...) zingt *Borst of poot: waarom ik gestopt ben met het eten van kip en waarom u zou moeten stoppen met het eten van kip.*

GOOGLE SEARCH "Zoe Buckle"
Ongeveer 801 resultaten (0,51 seconden)

Zoe Buckle is on Twitter... Go Girl

Go Girl van Zoe Buckle is dé site voor vintagekleding (...) Vandaag in de uitverkoop: Liberty of London!

Zoe Buckle U Mass

Alumna Alice Buckle bezoekt de universiteit van Massachusetts, waar dochter Zoe Buckle in de herfst aan haar studie zal beginnen...

GOOGLE SEARCH "Nedra Rao"

Ongeveer 84.500 resultaten (0,56 seconden)

Nedra Rao van RAO LLP op zwangerschapsverlof...

Nedra Rao en haar vrouw Kate O'Halloran zijn in blijde verwachting van hun tweede kind...

GOOGLE SEARCH "Bobby B"

Ongeveer 501 resultaten (0,05 seconden)

BobbyB Move and Groove

... De eerste deur-tot-deur studentenverhuisservice. Wij doen ALLES, van het tillen van koffers tot honderd kilo, vijf trappen op, tot het verschonen van bedden. U hoeft alleen nog maar uw ontbijtreservering te maken.

GOOGLE SEARCH "Helen Davies"

Ongeveer 520.004 resultaten (0,75 seconden)

Helen Davies... Elle Decor

Het kostte Helen Davies drie jaar om het huis op Oxford Street te renoveren, maar nu heeft de oprichtster van D&D Advertising eindelijk het droomhuis dat ze altijd had gewild...

GOOGLE SEARCH "Caroline Kilborn"

Ongeveer 292 resultaten (0,24 seconden)

Caroline Kilborn... Tipi trekt eropuit
Ik ben onderweg naar Honduras, waar ik het komende jaar met eigen ogen ga zien hoe microkrediet werkt...

GOOGLE SEARCH "Bunny Kilborn"
Ongeveer 124.000 resultaten (0,86 seconden)

Bunny Kilborn... ter nagedachtenis aan mijn echtgenoot
Bunny Kilborn, befaamd artistiek leider van het Blue Hill-theater (...) daarom heb ik de Jack T. Kilborn-studiebeurs voor beginnende toneelschrijvers in het leven geroepen (...) Jack was een groot liefhebber van de kunsten. Hij zou het geweldig hebben gevonden...

GOOGLE SEARCH "Phil Archer"
Ongeveer 18 resultaten (0,15 seconden)

Phil Archer... Conchita Martinez
Phil Archer en Conchita Martinez trouwden in St. Mary's Church in Brockton, MA. Alice Buckle, dochter van de bruidegom, gaf Archer weg (...) receptie (...) Iers-Amerikaanse club op Apple Blossom Road.

GOOGLE SEARCH "William Buckle"
Ongeveer 15.210 resultaten (0,42 seconden)

William Buckle
William Buckle van D&D Advertising: genomineerd voor een Clio voor zijn *Geotag*-commercial voor Mondavi Wines.

William BUCKLE
Oakland Magazine: GESPOT: William Buckle en Alice Buckle vieren hun 22^e jubileum bij FiG (...) delen een rabarber-kumquatdessert.

GOOGLE SEARCH "Alice Buckle"

ALICE BUCKLE

Buckles komische drama *Ik stel ons afscheid uit* debuteert in het Blue Hill-theater (...) *Boston Globe*: 'De opkomst van een fris nieuw talent. Origineel, indringend, grappig, wijs en aandoenlijk,' 'een moderne komedie over manieren (...) misverstanden en spraakverwarringen, met tussen de regels door niets anders dan de bittere waarheid.'

GOOGLE SEARCH "Netherfield Center"
Ongeveer 0 resultaten (0 seconden)

Netherfield Center voor onderzoek naar het huwelijk.
Sorry, deze pagina is niet gevonden.

BIJLAGE - DE VRAGENLIJST

1. Hoe oud bent u?
2. Waarom hebt u besloten mee te doen aan dit onderzoek?
3. Hoe vaak praat u langer dan vijf minuten aaneen met uw echtgenoot?
4. Hoeveel draagt uw echtgenoot bij aan het huishouden?
5. Wat zegt uw echtgenoot als wij hem vragen naar uw favoriete gerecht?
6. Wanneer hebt u voor het laatst uw favoriete gerecht gegeten?
7. Noem iets wat u doet waar uw echtgenoot niets vanaf weet.
8. Welke medicijnen gebruikt u?
9. Noem drie dingen waar u bang voor bent.
10. Gelooft u dat de liefde standhoudt?
11. Bent u nog verliefd op uw echtgenoot?
12. Denkt u er weleens over om uw echtgenoot te verlaten?
13. Zo ja, wat houdt u tegen?
14. Noem vijf positieve eigenschappen van uw echtgenoot.
15. Noem drie negatieve eigenschappen van uw echtgenoot.
16. Wat is uw favoriete boek?
17. Hoe goed denkt u uw echtgenoot te kennen?
18. Wat deed u vroeger altijd wat u nu niet meer doet?
19. Wat doet u nu?
20. Noem uw banen in chronologische volgorde.
21. Bent u religieus? Gelooft u in God?
22. Noem het lichaamsdeel van uw man waar u in de beginjaren op viel.
23. Noem het lichaamsdeel dat u nu het mooist vindt.
24. Beschrijf uw eerste indruk van uw echtgenoot.
25. Waar ging u op uw eerste afspraakje naartoe?
26. Noem een aantal kleine irritaties in uw huwelijk.
27. Hoeveel creditcards hebt u?
28. Hoe vaak googelt u zichzelf?
29. Is uw huwelijk anders dan dat van uw ouders?
30. Wat hebt u op uw laatste jubileum van uw man gekregen?
31. Beschrijf uw echtgenoot zoals u hem voor het eerst zag.
32. Wat had u willen weten of waar had u voor gewaarschuwd willen worden met betrekking tot het huwelijk?

33. Kan uw echtgenoot goed luisteren?

34. Hebt u zich ooit geschaamd voor uw echtgenoot?

35. Sporten u en uw echtgenoot samen?

36. Mag uw echtgenoot geheimen voor u hebben?

37. Is uw echtgenoot duidelijk tegenover u over zijn/haar behoeftes?

38. Wat verstaat u onder flirten?

39. Wat is de laatste gemene opmerking die u tegen uw echtgenoot maakte?

40. Wat is de laatste gemene opmerking die uw echtgenoot tegen u maakte?

41. Zouden uw vrienden zeggen dat u gelukkig getrouwd bent?

42. Zou u zeggen dat u gelukkig getrouwd bent?

43. Beschrijf de eerste kus met uw echtgenoot.

44. Wat mag er volgens u NIET in het openbaar?

45. Wat is de ergste emotionele toestand waarin een mens kan verkeren?

46. Doet u weleens net alsof? Geef voorbeelden.

47. Hoe vaak sport u per week?

48. Maak deze zin af: ik voel me geliefd en geborgen als...

49. Wiens huwelijk bewondert u het meest?

50. Als u van uw echtgenoot toestemming kreeg om met één andere persoon naar bed te gaan, wie zou dat dan zijn?

51. Als u uw echtgenoot toestemming gaf om met één andere persoon naar bed te gaan, wie zou dat dan zijn?

52. Vinden u en uw echtgenoot dezelfde dingen grappig?

53. Wat is de gekste plek waar u ooit seks hebt gehad?

54. Zijn u en uw echtgenoot het eens over de opvoeding van uw kinderen als het gaat over drugs- en alcoholgebruik?

55. Hebt u een goede relatie met uw schoonfamilie?

56. Wat is de laatste liefkozende opmerking die u tegen uw echtgenoot hebt gemaakt?

57. Wat is de laatste liefkozende opmerking die uw echtgenoot tegen u heeft gemaakt?

58. Wat is uw lievelingsfilm?

59. Hoe vaak maken u en uw echtgenoot ruzie?

60. Wat is het meest erotische boek dat u ooit gelezen hebt?

61. Beschrijf het moment waarop u wist dat uw echtgenoot 'de ware' was.

62. Hebt u ooit meegedaan aan enige vorm van huwelijkstherapie? Zo ja, geef een voorbeeld van een vraag die u tijdens de therapie hebt beantwoord. Geldt dat antwoord nu nog?

63. Waar zijn jullie getrouwd?

64. Beschrijf een situatie waarin uw echtgenoot u niet steunde.
65. Wat vindt u van de huidige trend dat stellen gaan scheiden omdat ze meer als huisgenoten dan als geliefden met elkaar omgaan?
66. Wanneer hebt u voor het laatst met iemand geflirt die niet uw echtgenoot is?
67. Wat is er nodig om een goed mens te zijn?
68. Beschrijf hoe uw huwelijk veranderde tijdens uw eerste zwangerschap.
69. Schrijf een brief aan uw zoon/dochter waarin u schrijft wat u hem/haar niet kunt zeggen.
70. Beschrijf iets wat u niet aan uw beste vriendin durft toe te geven.
71. Noem een aantal dingen die u doet maar die u liever niet zou doen.
72. Beschrijf een cliché van het ouderschap dat u niet had verwacht.
73. Was uw tweede zwangerschap anders dan uw eerste?
74. Werd uw huwelijk nadelig beïnvloed door de komst van een tweede kind?
75. Schrijf een brief aan uw tweede kind waarin u schrijft wat u hem/haar niet kunt zeggen.
76. Hoeveel geld hebt u nodig om gelukkig te zijn en maakt geld het gemakkelijker om gelukkig getrouwd te blijven?
77. Is het huwelijk een dictatuur of een democratie?
78. Als u het huwelijk moest omschrijven aan een buitenaards wezen dat net op aarde gearriveerd was, wat zou u dan zeggen?
79. Als iemand u vroeg welke levensles u na uw veertigste had geleerd, wat zou u dan zeggen?
80. Omschrijf passie in één zin.
81. Hoe dacht u, toen u jong was, dat het zou zijn om verliefd te worden?
82. Welk advies zou u met de wetenschap van nu aan uw kinderen geven over de liefde?
83. Noem drie redenen waarom stellen getrouwd zouden moeten blijven.
84. Noem een reden waarom stellen zouden moeten scheiden.
85. Hebt u het afgelopen jaar romantische gevoelens gehad voor iemand anders dan uw echtgenoot?
86. Hebt u het afgelopen jaar seksuele fantasieën gehad over iemand anders dan uw echtgenoot?
87. Bent u een voorstander van het homohuwelijk?
88. Is uw leven geworden wat u ervan gehoopt had?
89. Noem drie dingen die u uw echtgenoot niet zou kunnen vergeven.
90. Schrijf een brief aan uw echtgenoot waarin u schrijft wat u hem niet kunt zeggen.

DANKWOORD

Mijn innige dank gaat uit naar mijn agent, Elizabeth Sheinkman, die altijd in dit boek is blijven geloven. Verder bedank ik Jennifer Hershey, Jennifer Smith, Lynne Drew, Sylvie Rabineau, en Gina Centrello, Susan Corcoran, Kristin Fassler, Kim Hovey, Sarah Murphy, Quinne Rogers, en Betsy Robbins; een beter team kan een auteur zich niet wensen. Ik ben bijzonder dankbaar voor de heldere inzichten en tekstuele spitsvondigheden van Kerri Arsenault, Joanne Catz Hartman en Anika Streitfeld, die vanaf dag één naast me hebben gestaan. Veel dank ben ik verschuldigd aan de lezers die zo goed waren zich door de eerste versie heen te worstelen en mij eerlijke en waardevolle feedback gaven: Elizabeth Bernstein, Karen Coster, Alison Gabel, Sara Gideon, Robin Heller en Wendy Snyder. Een enorme pluim voor mijn collega's van de San Francisco Writers' Grotto. En zoals altijd zou niets van dit alles mogelijk zijn geweest of van enige betekenis zijn zonder de twee Bennen.